Cwrs Canolradd

Y trydydd llyfr cwrs mewn

cyfres o dri i oedolion

sy'n dysgu Cymraeg

The third course

book in a series of three

for adults learning Welsh

Fersiwn y De

South Wales Version

Eirian Conlon

Emyr Davies

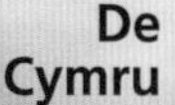

Cyhoeddwyd gan CBAC
Cyd-bwyllgor Addysg Cymru

Yr Uned Iaith Genedlaethol,
CBAC, 245 Rhodfa'r Gorllewin,
Caerdydd CF5 2YX

Argraffwyd gan Wasg Gomer

Argraffiad cyntaf: 2006

Ail argraffiad: 2011

Trydydd argraffiad: 2019

ISBN 978 1 86085 578 8

Cydnabyddiaeth

Awduron: Eirian Conlon, Emyr Davies

Golygydd: Glenys Mair Roberts

Dylunydd: Olwen Fowler

Rheolwr y Project: Emyr Davies

Awdur yr Atodiad i Rieni: Carole Bradley

Lluniwyd y darluniau gwreiddiol gan Brett Breckon.

Mae'r cyhoeddwyr yn ddiolchgar i'r canlynol am ganiatâd i ddefnyddio ffotograffau:

Photolibrary Wales (llun y clawr)
Western Mail Cyf. - t. 26 (Ryan Giggs); t. 32 (Bryn Terfel)
Robin Llywelyn, Portmeirion - t. 27
Empics - t. 33
Eirian Conlon - t. 82 (Nansi Richards ac Eirian Conlon)
Cyngor Sir Penfro, Gwasanaethau Twristiaeth a Hamdden - t. 99 (Dinbych-y-pysgod)
Bwrdd Croeso Cymru - t. 99 (mynyddoedd dan eira)
Ysgol Gerdd Ceredigion - t. 123
Penri Williams - t. 125
S4C - t. 127

Tynnwyd y ffotograffau eraill gan
Pinegate Photography ac Olwen Fowler.

Diolch hefyd i *Golwg* ac i *Y Cymro* am ganiatâd i ddefnyddio darnau o erthyglau.

Nodyn
Mae hwn yn gwrs newydd sbon, felly croesewir sylwadau gan ddefnyddwyr, yn diwtoriaid ac yn ddysgwyr. Anfonwch eich sylwadau drwy e-bost at: lowri.morgan@cbac.co.uk, neu drwy'r post at: Lowri Morgan, Yr Uned Iaith Genedlaethol, CBAC, 245 Rhodfa'r Gorllewin, Caerdydd, CF5 2YX.

Cyflwyniad

Y *Cwrs Canolradd* yw'r olaf mewn cyfres o dri llyfr cwrs i helpu dysgwyr i siarad Cymraeg. Mae fersiwn i ddysgwyr yn ne Cymru a gogledd Cymru. Mae'r llyfr yn addas *(suitable)* i ddosbarthiadau sy'n cwrdd unwaith yr wythnos neu ar gyrsiau mwy dwys *(intensive)*. Mae'n dilyn *Cwrs Sylfaen* a gyhoeddwyd *(published)* gan CBAC.

Fel gyda'r *Cwrs Sylfaen* mae 30 uned i'w defnyddio yn y dosbarth Cymraeg, yn cynnwys unedau adolygu. Mae'r unedau cyntaf yn gyfle i adolygu hefyd. Mae'r patrymau newydd mewn blychau *(boxes)* ac mae llawer o weithgareddau *(activities)* i roi'r patrymau hynny ar waith.

Mae *Pecyn Ymarfer* ar gael yn cynnwys tasgau gwaith cartref, a hefyd CDs neu gasetiau adolygu. Y peth gorau yw siarad Cymraeg a defnyddio'r iaith gyda ffrindiau a theulu. Mae dau atodiad *(appendix)* ar ddiwedd y llyfr cwrs: un i bobl sy'n dysgu Cymraeg yn y gwaith, a'r llall *(the other)* i rieni sy'n dysgu Cymraeg gyda'u plant. Bydd y tiwtor yn dewis gweithgareddau o'r atodiad, neu mae croeso i chi eu defnyddio eich hunan.

Ar ddiwedd y cwrs, byddwch chi'n barod i sefyll arholiad *Defnyddio'r Gymraeg: Canolradd*. Does dim **rhaid** sefyll arholiad, ond mae'n rhoi sbardun *(spur, incentive)* i chi weithio'n galed! Mae hwn yn arholiad sydd wedi ei achredu *(has been accredited)* ar lefel 2 - yr un lefel â TGAU *(GCSE)*.

Erbyn cyrraedd y lefel hon, dych chi'n barod i ddechrau darllen llyfrau, e.e. mae llyfrau Bob Eynon yn addas, neu lyfrau i bobl ifanc. Edrychwch ar wefan *(website)* Cyngor Llyfrau Cymru, www.gwales.com, am ragor o wybodaeth. Hefyd, mae cylchgronau *(magazines)* neu bapurau fel *Y Cymro* neu *Golwg* ar gael. Cofiwch edrych ar S4C a gwrando ar Radio Cymru gymaint ag y gallwch chi. Does dim rhaid deall pob gair!

Pob hwyl gyda'r cwrs a phob lwc wrth ddefnyddio'r Gymraeg!

Cynnwys

Cwrs Canolradd: Uned 1

Nod: Dod i nabod y dosbarth ac adolygu

Dod i nabod y dosbarth

Os dych chi'n nabod rhai aelodau o'r dosbarth yn barod, llenwch y tabl. Rhaid i chi ofyn cwestiynau i bawb arall.

Enw	Byw	Gweithio	Teulu	Gwyliau diwethaf

Sgwrsio

1. Gofynnwch y cwestiynau yma i'ch partner. Os dych chi'n cael yr ateb 'Do...', cofiwch ofyn mwy! e.e. Ble? Gyda pwy? Pryd? Am faint?

> Yn ystod y gwyliau, est ti ...
> ... i weithio yn yr ardd?
> ... i amgueddfa / oriel?
> ... ar awyren?
> Gest ti ymwelwyr i'r tŷ?

amgueddfa (b) - *museum*
oriel (b) - *gallery*
ymwelwyr - *visitors*

2. Cerwch at bartner newydd. Dechreuwch drwy ddweud y peth mwya diddorol glywoch chi am eich partner cyntaf. Yna siaradwch am y cwestiynau yma gyda'ch partner newydd.

Nofiaist ti?
Welaist ti hen adeilad?
Deithiaist ti ar drên?
Weithiaist ti ar y tŷ?

adeilad	- *building*

3. Partner newydd eto! Soniwch am un peth ddwedodd eich ail bartner, yna trafodwch y cwestiynau yma:

Wnest ti rywbeth diddorol?
Fwytaist ti ma's?
Est ti i gyngerdd / sioe / eisteddfod?
Est ti ar long / gwch?
Est ti i ddinas?

4. Am y tro olaf, ffeindiwch rywun newydd os gallwch chi a dwedwch un peth a glywoch chi gan eich partner diwethaf. Siaradwch am y pynciau yma gyda'ch partner.

Est ti i lan y môr?
Arhosaist ti dros nos gyda ffrindiau / teulu?
Est ti ar fws?
Ddefnyddiaist ti ewros?

ewro(s)	- *euro(s)*

Nawr, gyda'r un partner, edrychwch ar y cwestiynau i gyd. Penderfynwch faint o'r dosbarth, gan gynnwys y tiwtor, sy wedi gwneud y pethau yma. Ydy pawb, y rhan fwyaf, hanner, llai na hanner, bron neb neu neb wedi gwneud y pethau yma? Wedyn, fel dosbarth, cymharwch eich atebion!

Tasg

Bydd eich tiwtor yn rhoi cardiau post neu luniau o ddinasoedd gwahanol i chi. Mewn grwpiau o dri, siaradwch am un o'r lleoedd gan ddefnyddio brawddegau fel hyn:

Bues i yn ______________ unwaith, pan o'n i'n ifanc.

Baswn i wrth fy modd yn mynd i ______________ .

Dw i'n meddwl bod ______________ yn ddrud iawn.

Taswn i'n mynd i ______________ baswn i eisiau gweld y ______________ .

Basai'n rhaid i chi hedfan o ______________ i gyrraedd y lle.

Deialog

Taith i Iwerddon

A: Sut aeth y trip?
B: Ofnadwy!
A: Beth ddigwyddodd?
B: Wel, aethon ni i'r orsaf trenau am hanner awr wedi chwech...
A: O na! Wnaethoch chi ddim colli'r trên, naddo?
B: Naddo - ond chyrhaeddodd y trên ddim. Dail ar y lein, dw i'n meddwl.
A: Beth wnaethoch chi wedyn? Golloch chi'r cwch?
B: Naddo - gyrrodd Huw fel peth gwyllt yr holl ffordd i'r porthladd.
A: Gyrhaeddoch chi mewn pryd?
B: Do wir - pan o'n ni yn y porthladd gwelodd Huw fod y cwch yn hwyr iawn yn cyrraedd o Iwerddon.
A: Pam?
B: Roedd hi mor stormus. Ond daeth y cwch ac aethon ni ar y cwch.
A: Sut oedd y siwrnai?
B: Ofnadwy. Ro'n ni i gyd yn sâl môr.
A: Beth ddigwyddodd wedyn?
B: Ar ôl chwech awr cyrhaeddon ni Iwerddon. Roedd hi'n bwrw'n drwm felly arhoson ni yn y dafarn agosaf nes cael y cwch nesa adre.
A: O jiw! Ond sut oedd y Guinness?
B: Bendigedig, diolch byth.

Darllenwch y ddeialog ddwy waith gyda phartner. Wedyn, gyda'ch gilydd, newidiwch y ddeialog i fod yn stori hapus! Cewch chi fynd i rywle arall...!

Darn Darllen

Darllenwch y darn ac atebwch y cwestiynau:

Dros yr haf ro'n i eisiau mynd i'r Eisteddfod Genedlaethol i siarad Cymraeg. Ond roedd pawb arall o'r teulu'n meddwl bod yr Eisteddfod yn bell. Doedd dim ond pythefnos o wyliau gyda fi o'r gwaith ac roedd pawb arall eisiau mynd dros y môr. Felly, aethon ni i Lydaw gyda theulu arall o ffrindiau. Yn anffodus, doedd neb arall yn siarad Cymraeg, felly paciais i fy llyfr cwrs (wrth gwrs!) i gael adolygu ar ben fy hun ar y traeth. Hwylion ni dros nos o Plymouth i Roscoff. Ro'n i'n meddwl bod y cwch yn gyfleus ac yn gyfforddus. Amser brecwast wrth fwyta fy *croissant*, roedd hi'n amlwg ein bod ni ger gwlad wahanol - roedd llawer o bobl yn siarad Ffrangeg, a rhai, wrth gwrs, yn siarad Saesneg. Yn sydyn, clywais i iaith arall – Llydaweg? Na, ro'n i'n deall y plant 'na'n gweiddi ar ei gilydd! Teulu o'r Bala oedd yna! Dwedon ni helo, siarad am y cwch yn Gymraeg a gorffen ein brecwast. Pan gyrhaeddon ni ein bwthyn ger Kemper, gwrandawais i'n ofalus, ond chlywon ni ddim llawer o Lydaweg - dim ond mewn siop recordiau. Yn y farchnad, pwy oedd yno ond Katie o'r dosbarth Cymraeg! Mi aethon ni i *Creperie* am grempog a seidr - a do, mi sgwrsion ni yn Gymraeg! Felly doedd dim rhaid i mi fynd i'r Eisteddfod i ymarfer fy Nghymraeg wedi'r cwbl!

Jane Jones

a. Pam oedd Jane eisiau mynd i'r Eisteddfod Genedlaethol? ______________________

b. Pam doedd hi ddim wedi mynd? ______________________

c. Sut aeth hi i Lydaw? ______________________

ch. Gyda pwy aeth hi? ______________________

d. Oedd y daith yn hir? Sut dych chi'n gwybod? ______________________

dd. Pa ieithoedd glywodd hi ar y cwch? ______________________

e. Ble oedd hi'n aros? ______________________

f. Glywodd hi Lydaweg o gwbl? ______________________

ff. Gyda pwy wnaeth hi siarad Cymraeg? ______________________

Gwrando

Bydd eich tiwtor yn chwarae dwy sgwrs ar CD neu dâp.
Llenwch y grid yma wrth wrando, yna trafod eich atebion â'ch partner.

Enw		
Teulu		
Gwyliau diwetha		
Fel arfer		
Problemau		

Sgwrsio

i. Dych chi wedi cwrdd â rhywun ro'ch chi'n nabod ar wyliau erioed?
ii. Dych chi wedi gweld rhywun enwog ar wyliau erioed?
iii. Ble oedd y gwyliau mwya 'gwahanol' gaethoch chi erioed?
iv. Pa mor aml dych chi'n mynd ar wyliau?

Geirfa

adeilad(au) - *building(s)*
adolygu - *to revise*
amgueddfa (amgueddfeydd) (b) - *museum(s)*
amlwg - *obvious*
crempog(au) (b) - *pancake(s)*
cyfleus - *convenient*
cyfforddus - *comfortable*
deilen (dail) (b) - *leaf (leaves)*
Llydaw - *Brittany*
Llydaweg - *Breton*
oriel(au) (b) - *gallery (-ies)*
porthladd(oedd) - *port(s)*
peth gwyllt - *wild thing*
sâl môr - *sea-sick*
seidr - *cider*
sgwrsio - *to chat*
stormus - *stormy*
ymwelydd (ymwelwyr) - *visitor(s)*

Cwrs Canolradd: Uned 2

Nod: Adolygu fi, ti, fe, hi..., rhaid i fi..., a siarad am y teulu

Sgwrsio

i. Oes teulu gyda chi sy'n byw yn lleol? Pwy? Beth maen nhw'n wneud?
ii. Oes teulu gyda chi sy'n byw dramor? Pwy? Beth maen nhw'n wneud?
iii. Dych chi'n gwybod rhywbeth am hanes eich teulu chi yn y gorffennol? Pa mor bell yn ôl? Oes rhywun diddorol yn eich teulu chi?

Ymarfer

Mae fy **m**rawd i ym **M**angor	(B)
Mae fy **nh**ad i yn **Nh**reorci	(T)
Mae fy **ng**ŵr/**ng**wraig i yng **Ng**wynedd	(G)
Mae fy **mh**lant i ym **Mh**restatyn	(P)
Mae fy **ngh**efnder i yng **Ngh**aerdydd	(C)
Mae fy **n**osbarth i yn **N**olgellau	(D)

Treiglad trwynol sy'n dod ar ôl 'fy' ac ar ôl 'yn'.
Nawr, gyda'ch partner meddyliwch am lefydd eraill.
Bydd eich tiwtor yn rhoi cardiau i chi ymarfer.

llysferch (b) - *step-daughter*

Nodyn – weithiau byddwch yn clywed 'dy frawd di' ac weithiau 'dy frawd'.

Mae dy **f**rawd yn dod o **F**laenafon	(B)
Mae dy **d**ad yn dod o **D**reffynnon	(T)
Mae dy ŵr di'n dod o Lyn-nedd	(G)
Mae dy wraig di'n dod o Lyn-nedd	(G)
Mae dy **b**lant yn dod o **B**ontypridd	(P)
Mae dy **g**efnder yn dod o **G**aernarfon	(C)
Mae dy **dd**osbarth yn dod o **Dd**inbych y Pysgod	(D)
Mae dy **f**am yn dod o **F**aesteg	(M)
Mae dy **l**ysferch yn dod o **L**angefni	(LL)
Mae dy **r**ieni yn dod o **R**ydaman	(RH)

Treiglad meddal sy'n dod ar ôl 'dy' ac ar ôl 'o'.
Treiglad meddal sy'n dod ar ôl 'ei... e', ac ar ôl 'i'.
Nawr, gyda'ch partner, siaradwch am lefydd eraill y mae **e**'n mynd iddyn nhw.
Bydd eich tiwtor yn rhoi cardiau i chi ymarfer.

e.e. Mae ei **f**erch yn mynd i Fanceinion...

Treiglad llaes sy'n dod ar ôl 'ei... hi'. Rhaid treiglo gyda geiriau sy'n dechrau â T, C neu P, e.e. ei **ch**efnder hi, ei **th**ad hi, ei **ph**lant hi.

Tasg - trafod carafán Carys

Mae carafán gyda Carys. Gyda'ch partner, siaradwch am y bobl a'r pethau sy yn y garafán, e.e.

A. Yng ngharafán Carys mae ei thad hi.
B. Yng ngharafán Carys mae ei ..... hi

Ymarfer

Rhaid i fi fynd
Rhaid i ti weithio
Rhaid i ni aros adre
Rhaid i chi ddod i'r dosbarth
Rhaid iddyn nhw adael

Tasg - trafod pabell Pedr

Mae pabell gyda Pedr, ac mae ei deulu i gyd yn ei helpu fe yn y babell. Sut maen nhw'n gallu helpu? Gofynnwch i'ch partner, e.e.

C: Beth am ei gefnder e?
A: Rhaid iddo fe olchi'r llestri.

Dyma rai awgrymiadau:

cyfnither	-	golchi'r llestri
tad	-	clirio'r bwrdd
plant	-	tacluso
mab	-	bwydo'r ci
merch	-	gwneud y te
gwraig	-	berwi'r tegell

Sgwrsio

C: Dych chi wedi bod ar wyliau mewn pabell erioed? Fasech chi'n mynd eto?
C: Dych chi wedi bod ar wyliau mewn carafán erioed? Fasech chi'n mynd eto?

Ymarfer

Cyn i fi wneud dim byd
Cyn iddo fe wneud dim byd
Cyn iddi hi wneud dim byd
Cyn iddyn nhw wneud dim byd

Ar ôl i...
Erbyn i...

Gofynnwch eto beth ddylai pawb ym mhabell Pedr wneud, e.e.

C: Beth ddylai Pedr wneud?
A: Cyn iddo fe fynd i gysgu, rhaid iddo fe wneud y gwely.
C: Beth am ei wraig?
A: Ar ôl iddi hi godi, rhaid iddi hi wneud paned.

Tasg – defnyddio 'erbyn i'

Darllenwch y darn yma. Yna, newidiwch y darn i sôn (i) amdano fe, a (ii) amdani hi.

Erbyn i mi gyrraedd y dosbarth roedd pob sêt yn llawn.
Es i i wneud paned rhag ofn i fi beidio cael bisged, ond erbyn i'r tegell ferwi roedd y bisgedi wedi mynd. Erbyn i'r dosbarth orffen ro'n i'n llwgu!

Tasg – defnyddio 'rhag ofn i'

Dych chi'n pacio ces i fynd ar gwrs Cymraeg am benwythnos!
Rhaid i chi ofyn i'ch gilydd pam dych chi'n pacio gwahanol bethau, e.e.

C: Pam wyt ti'n pacio eli haul?
A: Rhag ofn i fi losgi!

Gyda'ch partner meddyliwch am atebion i'r cwestiynau yma, gan ddechrau â 'Rhag ofn...'

Pam wyt ti'n pacio ymbarél?
Pam wyt i'n pacio geiriadur?
Pam wyt ti'n pacio 'sgidiau cryf?
Pam wyt ti'n pacio llyfr emynau?

Gramadeg

Cofiwch, wrth ddefnyddio patrwm gydag 'i', does dim 'yn', ac mae treiglad meddal yn dilyn.

Rhaid	i fi	fynd
Cyn	i ti	weithio
Erbyn	iddo fe	gerdded
Ar ôl	iddi hi	adael
Rhag ofn	i ni	bacio
	i chi	
	iddyn nhw	
	i'r plant	

Tasg – newid y darn

Darllenwch y paragraff yma yn uchel, gan dreiglo'r enwau llefydd yn gywir.

Ein teulu ni

Dyn ni'n byw yn [Prestatyn], *ond dyw ein perthnasau ni ddim i gyd yn byw yn yr ardal. Mae ein brawd ni'n byw yn* [Treffynnon] *a'n chwaer ni'n byw yn* [Bethesda]. *Mae ein tad ni'n byw yn* [Caerdydd]. *Ond mae ein cyfnither ni, Camilla yn byw yn* [Manceinion] *a'n cefnder ni, Dimitri yn byw yn* [Gwlad Groeg] *a'n cefnder ni, Xavier yn byw yn* [Portiwgal]. *Roedd ein tad-cu ni yn yrrwr bws tripiau Cae-lloi!*

(Cae-lloi – Cwmni teithiau bws o Wynedd)

Nawr, gyda'ch partner, newidiwch y darn i:

1. Fy nheulu i
2. Dy deulu di
3. Ei theulu hi

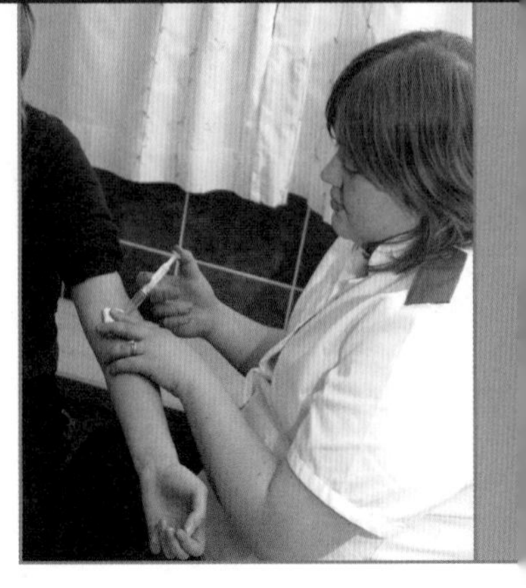

Deialog

Yn y feddygfa

A: Doctor, mae fy merch yn mynd ar wyliau gyda'i theulu.
B: Ble maen nhw'n mynd?
A: I Affrica. Oes rhaid iddyn nhw wneud rhywbeth arbennig?
B: Oes wir! Cyn iddyn nhw fynd, rhaid iddyn nhw gael archwiliad.
A: Archwiliad! I beth?
B: Rhag ofn iddyn nhw fynd yn sâl ar ôl cyrraedd. Oes rhywun yn sâl ar hyn o bryd?
A: Wel, mae tipyn o boen yn ei hysgwydd gyda fy merch.
B: Rhaid iddi hi gael pelydr-x.
A: Pelydr-x! Pam?
B: Rhag ofn iddi hi ffeindio bod ei hasgwrn wedi torri.
A: Beth am y plant?
B: Rhaid iddyn nhw gael pigiadau.
A: Pam?
B: Rhag ofn iddyn nhw gael teiffoid.
A: A beth am malaria?
B: Rhaid iddyn nhw gymryd tabledi am chwe wythnos.
A: Chwe wythnos?
B: Ie - ac erbyn iddyn nhw gyrraedd, byddan nhw'n iawn. Ond ar ôl iddyn nhw ddod adre, rhaid i bawb gymryd y tabledi am fis arall.
A: O na! A beth amdana i?
B: Rhaid i chi gadw o'u tŷ nhw am fis wedyn!

Nawr, gyda phartner newidiwch y ddeialog i 'Yn y filfeddygfa'. Cofiwch am y gynddaredd (*rabies*), chwain (*fleas*) ac unrhyw salwch anifeiliaid.

CERDYN POST

Darn Darllen

Darllenwch y cerdyn post gyda'ch partner.

Annwyl Bawb,
Dw i'n cael amser bendigedig yma. Roedd rhaid i mi hedfan dros 7,000 o filltiroedd i gyrraedd yma ond mae'n werth pob milltir! Dyw fan hyn ddim yn lle da i lysieuwyr - mae pawb yn bwyta cig rhost a barbyciw drwy'r amser. Siaradais i Gymraeg ddoe, ond roedd rhaid i fi siarad Sbaeneg bob diwrnod arall. Does dim Saesneg yma o gwbl! Rhaid i fi fynd nawr rhag ofn i fi fod yn hwyr - dw i'n cwrdd â fy ffrindiau dwyieithog newydd yn y 'Casa de Te' - falle bydd cyfle i siarad Cymraeg yno eto!

Adios amigos!

Mari

a) Pa mor bell oedd taith Mari?
b) Beth mae hi'n feddwl o'r bwyd?
c) Beth mae Mari'n siarad fwyaf ar ei gwyliau?
ch) Pa ddwy iaith mae ffrindiau newydd Mari'n siarad?
d) Ble dych chi'n meddwl mae Mari?

Sgwrsio

i. Oes teulu mawr gyda chi?
ii. Dych chi'n cadw mewn cysylltiad â llawer o'ch teulu 'estynedig', e.e. modryb, ewythr, cefnder ac ati?
iii. Pa mor aml mae eich teulu chi'n cwrdd?
iv. Oes rhywun yn eich teulu chi'n siarad Cymraeg?

Geirfa

archwiliad(au) - *examination(s)* (meddygol)
cefnder (cefndryd) - *cousin(s) (male)*
cyfnither (cyfnitherod) (b) - *cousin(s) (female)*
chwannen (chwain) (b) - *flea(s)*
dramor - *abroad*
dwyieithog - *bilingual*
eli haul - *sun-tan lotion*
ewythr(edd) - *uncle(s)*
llwgu - *to starve*
llyfr(au) emynau - *hymn book(s)*
llysieuwyr - *vegetarians*
Manceinion - *Manchester*
mewn cysylltiad - *in touch*
milfeddygfa (b) - *vet's surgery*
modryb(edd) (b) - *aunt(s)*
pelydr(au) - *ray(s)*
pigiad(au) - *injection(s)*
tafodiaith (tafodieithoedd) (b) - *dialect(s)*
y gynddaredd (b) - *rabies*
ysgwydd(au) (b) - *shoulder(s)*

Cwrs Canolradd: Uned 3

Nod: Adolygu'r amodol

Ymarfer

A: Baswn i'n mynd i Alaska, taswn i'n cael.
B: Faswn i byth yn mentro mor bell!

A: Baswn i'n bwyta cyri poeth, taswn i'n cael.
B: Faswn i byth yn gallu gwneud hynny!

A: Baswn i'n ysgwyd llaw â'r Prif Weinidog.
B: Faswn i byth yn gwneud y fath beth!

Gyda'ch partner, trafodwch beth fasech chi'n wneud, tasech chi'n cael. Defnyddiwch yr atebion yn yr ymarfer! Dyma rai syniadau:

rafftio ar afon fawr
mynd i Batagonia
prynu car ar y rhyngrwyd
gyrru car mewn gwlad dramor

Ymarfer

A: Licet ti gael paned?
B: Licwn, wrth gwrs.

A: Licet ti gael te?
B: Basai'n well gyda fi gael coffi.
A: Licet ti gael llaeth?
B: Licwn, tipyn bach.
A: Licet ti gael siwgr?
B: Na licwn, dim diolch.
A: Licet ti gael bara brith?
B: Baswn i wrth fy modd!

Siaradwch am gael paned o de neu goffi gyda'ch partner. Cewch chi fwyta rhywbeth gwahanol!

Mae **Hoffwn i...** yr un peth â **Licwn i...**
Defnyddiwch 'Hoffwn i...' y tro hwn.

 Gyda'ch partner – siaradwch am beth licech chi wneud:

A: Ble licet ti fyw?
B: Licwn i fyw yn Los Angeles!
A: Ble licet ti weithio?
B: Licwn i weithio yn Hollywood!
A: Beth licet ti wneud?
B: Licwn i fod yn seren ffilmiau!
A: Beth licet ti wneud heno?
B: Licwn i fynd i'r Oscars!

Gofynnwch y cwestiynau i'ch partner. Yna, siaradwch â rhywun arall am eich partner cyntaf, e.e. Licai Mair fyw yn Los Angeles!

 **Tasg: Siarad am y gwyliau perffaith**

Ble hoffet ti fynd ar wyliau?	Hoffwn i fynd i Rufain
Beth hoffet ti weld yno?	Hoffwn i weld y Coliseum
Gyda pwy hoffet ti fynd?	Hoffwn i fynd gyda Sophia Loren *neu* Russell Crowe
Beth hoffet ti fwyta?	Hoffwn i fwyta *risotto*
Beth hoffet ti yfed?	Hoffwn i yfed Chianti

Gyda'ch partner, trafodwch eich gwyliau perffaith chi a'i wyliau perffaith e/hi. Meddyliwch am rywun diddorol i fynd gyda chi!

Ymarfer

Beth ddylet ti wneud heddiw?	Dylwn i fynd i'r llyfrgell!
Beth ddylet ti wneud heno?	Dylwn i wylio S4C!
Beth ddylet ti wneud yfory?	Dylwn i wneud fy ngwaith cartref!
Beth ddylet ti wneud dydd Sul?	Dylwn i fynd i'r capel!

 Gofynnwch i'ch partner beth ddylai fe/hi wneud y penwythnos nesa. Wedyn, dwedwch wrth rywun arall beth ddylai eich partner cyntaf wneud, e.e. 'Dylai fe/hi...'

Gramadeg

Os dych chi'n defnyddio **Baswn i...** (neu Baset ti..., Basai hi...), rhaid defnyddio **'n / yn** i gysylltu, e.e. Baswn i'**n** mynd.

Ond os dych chi'n defnyddio berfau fel **Hoffwn...**, **Licwn...**, **Dylwn...** neu **Gallwn...** does dim **'n / yn** i gysylltu, ac mae'r weithred (*the action*) yn treiglo, e.e.

Licwn i **f**ynd
Hoffwn i **f**ynd
Dylwn i **f**ynd
Gallwn i **f**ynd

Does dim ots fod llawer o bethau yn dod rhwng y ferf ar y dechrau a'r weithred, e.e.

Hoffai Mair, John, y ci mawr, y gath, pawb sy'n byw yn y tŷ, a'r wraig drws nesa **f**ynd i'r dosbarth!

Tasg: trefnu'r penwythnos

Dych chi'n trefnu eich penwythnos, ac yn mynd i sawl digwyddiad (*event*) gwahanol. Dewiswch 5 digwyddiad o'r rhestr a'u rhoi yn y golofn ganol. Yna, gofynnwch i'r dosbarth:

A: Hoffech chi ddod i fore coffi dydd Sadwrn?
B: Hoffwn, wrth gwrs! **neu**
B: Baswn i wrth fy modd, ond dw i'n mynd ar daith gerdded.

Ysgrifennwch lythrennau enw (*initials*) pawb sy'n gallu dod yn y golofn ar y dde. Ar ôl gofyn i bawb, rhaid cyfri i weld faint o bobl sy'n dod gyda chi i'r digwyddiadau gwahanol.

sioe ffasiynau
gêm bêl-droed
cymanfa ganu
bore coffi
taith gerdded
sêl cist car
chwarae dartiau yn y Llew Du
drama Gymraeg
noson dawnsio llinell
noson carioci

Amser	Digwyddiad	Gyda pwy?
Nos Wener		
Dydd Sadwrn		
Nos Sadwrn		
Dydd Sul		
Nos Sul		

Tasg: trafod beth ddylech chi wneud
Meddyliwch am 4 peth y dylech chi wneud yr wythnos yma. Ysgrifennwch nhw ar ddarn o bapur. Rhowch **fe** (os dych chi'n ddyn) neu **hi** (os dych chi'n ferch) ar ben y papur. Rhowch y papur i'r tiwtor. Byddwch chi'n cael papur rhywun arall. Darllenwch e i'r dosbarth. Rhaid i bawb ddyfalu pwy sy'n siarad!

Deialog

Yn y dafarn

A: Licet ti eistedd yma?
B: Na licwn wir! Mae mwg ym mhobman! Oes rhan 'dim ysmygu'?
A: Faswn i ddim yn meddwl. O, dyma le wrth ffenest agored. Licet ti eistedd wrth y ffenest?
B: Basai hynny'n well, am wn i.
A: Licet ti gael diod?
B: Licwn wrth gwrs.
A: Beth licet ti? Gwin coch?
B: Basai'n well gyda fi win gwyn....
A: Gwin gwyn sych neu felys fasai'r gorau gyda ti?
B: Licwn i weld y rhestr gwinoedd.
A: O... Iawn, licet ti gael creision?
B: Baswn i wrth fy modd.
A: Pa flas licet ti gael? Caws a winwns?
B: Dim diolch! Plaen faswn i'n ddewis bob tro.
(Saib) *[Pause]*
A: Does dim rhestr o winoedd gyda nhw. Dim ond un gwin gwyn, ac un gwin coch. A does dim ond creision barbeciw.
B: Ddylen ni ddim yfed yma o gwbl! Dim dewis o win, dim dewis o greision! Faswn i byth yn dewis dod yma eto. Dere, nawr!
A: Ar unwaith!

Nawr newidiwch y ddeialog i *Chwilio am dŷ bwyta*.

Darn Darllen

Memo i Meic:

Basai'r rheolwr yn hoffi cael gair gyda ti ar unwaith pan wyt ti'n cyrraedd y swyddfa. Mae e'n awyddus i wybod faset ti'n fodlon rhoi rhestr o'r pethau oedd yn dy boeni di neithiwr yn y disgo staff ar bapur. Mae e'n meddwl y dylai pawb yn y swyddfa glywed beth oedd gyda ti i'w ddweud.

Basai ysgrifenyddes Mr Tomos yn lico i ti alw heibio i gasglu dy esgidiau hefyd. Gadawaist ti nhw ar y llawr disgo. Hoffai'r rheolwr wybod hefyd a wyt ti wedi cael ateb i'r neges ffôn anfonaist ti at berchennog y cwmni am hanner awr wedi un.

Oes copi gyda ti o'r geiriau arbennig Carioci ganaist ti ar 'Calon Lân'? Basai Twm o'r adran gyfrifon wrth ei fodd. Dylwn i dy atgoffa bod Miss Hughes o Personél yn edrych ymlaen at fynd i weld Kylie Minogue gyda ti nos Sadwrn hefyd.

Tybed ddylet ti ystyried ymddeol yn gynnar?

Cerys

Gyda phartner, trafodwch y disgo staff. Gallwch chi fod yn Cerys, yn Miss Hughes, yn Twm, yn unrhyw un oedd yno - cofiwch sôn am bopeth wnaeth Meic druan!

Sgwrsio

i. Tasech chi'n cael pryd o fwyd arbennig wedi ei baratoi i chi, pwy fasech chi'n ddewis i'w goginio?

ii. Pwy fasai'n cael dod i'r pryd arbennig? Dewiswch dri pherson dych chi'n eu nabod, a dau berson enwog!

iii. Tasech chi'n cael parti pen-blwydd i chi a'ch ffrindiau, pwy fasech chi'n ei ddewis i roi'r adloniant (*entertainment*)?

iv. Dych chi wedi gwneud ffŵl ohonoch chi'ch hun mewn parti gwaith erioed?

rŵan
nawr
Tafodiaith!

Geirfa

adloniant	-	*entertainment*
amodol	-	*conditional*
atgoffa	-	*to remind*
awyddus	-	*keen*
cyfrifon	-	*accounts*
digwyddiad(au)	-	*event(s)*
dyfalu	-	*to guess*
gweithred(oedd) (b)	-	*action(s)*
llythrennau enw	-	*initials*
mentro	-	*to venture*
perchennog	-	*owner*
rhyngrwyd	-	*internet*
ystyried	-	*to consider*

Cwrs Canolradd: Uned 4

Nod: Adolygu cymharu pethau

Ymarfer

Mae Sweden yn oer
Mae Alaska'n oerach
Siberia yw'r oera!

Mae Sweden yn gymylog
Mae Alaska'n fwy cymylog
Siberia yw'r mwya cymylog

Gyda'ch partner, meddyliwch am frawddegau tebyg gan ddefnyddio'r geiriau yma:

poeth	(bwydydd / gwledydd)
cyflym	(ceir)
tal	(pobl)
enwog	(adeiladau)

Ymarfer

Weithiau, rhaid newid y gair drwy roi **h** i mewn. Ymarfer eto:

Roedd John yn gynnar
Roedd Mair yn gynharach
Gwyn oedd y cynhara

Gyda'ch partner, trafodwch pwy oedd yn gynnar i'r dosbarth heddiw! Trafodwch pa ddiwrnod oedd yn **gynnes**, yn **gynhesach**, a pha un oedd y **cynhesa** yr wythnos yma.

Rhaid newid llythyren (*letter*) weithiau:

Mae mis Mai yn wlyb
Mae mis Mawrth yn wlypach
Mis Chwefror yw'r gwlypa

Mae ____________________ yn bwysig

Mae ____________________ yn bwysicach

____________________ yw'r peth pwysica

Gyda'ch partner, trafodwch beth sy'n **bwysig**, yn **bwysicach** a beth yw'r peth **pwysica** wrth ddysgu Cymraeg.

Yma, mae'r **d** ar y diwedd yn caledu (*harden*).

Dw i'n meddwl bod Marks yn rhad
Dw i'n gwybod bod Tesco'n rhatach
Dw i'n siŵr taw Lidl yw'r rhata

Gyda'ch partner eto, trafodwch pa siopau sy'n **rhad** a pha siopau sy'n **ddrud**, yn **ddrutach** a pha un yw'r **ddruta**.

Gramadeg

Cofiwch ddefnyddio **taw** gyda'r radd eithaf (*superlative*), a pheidio defnyddio **yn / 'n**:

Dw i'n meddwl bod ________________________ yn ddrud

Dw i'n meddwl taw ________________________ yw'r druta

Tasg - siarad am y llun

Siaradwch am y tri pherson yn y llun. Defnyddiwch y geiriau yma:

hen, ifanc, tew, tenau, pert, golygus, tal, byr.

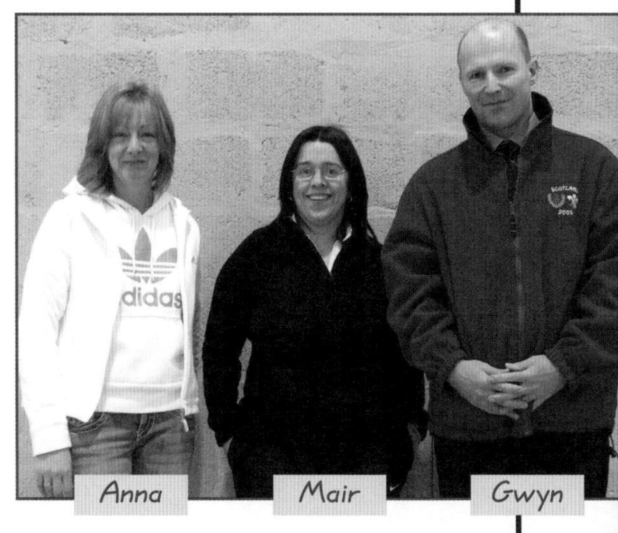

Ymarfer

mawr → mwy → mwya

e.e. Mae Abertawe'n fwy na Chasnewydd, ond Caerdydd yw'r mwya.

bach → llai → lleia

e.e. Mae'r Alban yn llai na Lloegr ond Cymru yw'r lleia.

Gyda'ch partner, meddyliwch am frawddegau tebyg, e.e. cymharu ceir, tai pobl, anifeiliaid, dinasoedd, planedau.

da → gwell → gorau
e.e. Mae'r cyri'n well na'r pysgod, ond cinio dydd Sul yw'r gorau.

drwg / gwael → gwaeth → gwaetha
e.e. Mae'r gwin coch yn waeth na'r gwin gwyn, ond y cwrw yw'r gwaetha.

Gyda'ch partner eto, meddyliwch am frawddegau tebyg,
e.e. cymharu ceir, pobl, cantorion, actorion, rhaglenni.

Mae'r rhain hefyd yn wahanol:

hen	Mae mam yn henach na fi ond mam-gu yw'r hena
ifanc	Mae Jac yn ifancach na Jil ond John yw'r ifanca
uchel	Mae Cader Idris yn uwch na Bannau Brycheiniog ond yr Wyddfa yw'r ucha
isel	Mae prisiau Tesco'n is na phrisiau Marks, ond prisiau Aldi yw'r isa
hawdd	Mae Cymraeg yn haws na Saesneg, ond Ffrangeg yw'r hawsa

Tasg - y tala a'r byrra

Cerwch o amgylch y dosbarth i weld pwy sy'n dalach ac yn fyrrach na chi. Gofynnwch gwestiynau a dweud brawddegau fel hyn:

Wyt ti'n dalach na fi?
Ydw i'n dalach na ti?
Dw i'n fyrrach na ti
Rwyt ti'n fyrrach na fi

Ar ôl gorffen, byddwch chi mewn rhes. Penderfynwch pwy yw'r tala a'r byrra yn y grŵp.

Ymarfer

Os bydd y ddau beth yn gyfartal (*equal*), defnyddiwch **mor**, e.e.

Mae mis Mawrth mor **ddiflas** â mis Chwefror
Mae Ferrari mor **ddrud** â Lamborghini
Mae Wrecsam mor **fawr** â Chaer
Mae radio mor **ddiddorol** â theledu

Gyda'ch partner, meddyliwch am eiriau yn lle'r rhai mewn print tywyll. Cofiwch y treiglad!

mor dda = cystal	e.e. Mae Everton cystal â Man United
mor ddrwg = cynddrwg	e.e. Mae cwrw cynddrwg â lager
mor fawr = cymaint	e.e. Mae maes awyr Caerdydd cymaint â maes awyr Bryste
mor fach = cyn lleied	e.e. Mae maes parcio Tesco cyn lleied â maes parcio Aldi
mor gyflym = cyn gynted	e.e. Mae'r car cyn gynted â'r trên

Gyda'ch partner eto, meddyliwch am frawddegau tebyg i'r rhain, gan ddefnyddio **cystal**, **cynddrwg**, **cymaint**, **cyn lleied**, **cyn gynted**.

Gramadeg

Mae'n bosib y byddwch chi'n darllen neu'n clywed ffordd arall o ddweud 'Mae rhywbeth **mor**....' e.e.

	Mae e mor wyn â'r eira
neu	Mae e cyn wynned â'r eira
	Mae e mor ddu â'r frân
neu	Mae e cyn ddued â'r frân

Dylech chi fod yn deall hwn, ond dyw e ddim yn batrwm mor gyffredin â **mor**.

Tasg - cymharu pentrefi neu drefi

Fel dosbarth, meddyliwch am 10 o bentrefi neu drefi yn eich ardal chi. Bydd eich tiwtor yn rhoi'r rhestr ar y bwrdd gwyn / du. (Os dych chi'n byw mewn dinas, dewiswch ardal o fewn y ddinas). Nawr, mewn grwpiau o 3, rhaid i chi ddewis y pentref neu'r dref sy'n ffitio i'r gair orau, e.e. Dw i'n meddwl bod Llangrannog yn bert, ond Aber-porth yw'r perta! Dw i'n meddwl bod Crymych mor brysur ag Aberteifi!

Gair	Pentre / Tre o'ch rhestr chi. Pam?
pert	
prysur	
hen	
uchel	
cyfleus	
bach	
diflas	
cyfoethog	

Deialog

Gwibdaith y plant

A: Mae'n amser meddwl am drip Nadolig y plant. Beth wnawn ni?
B: Beth am drefnu trip i weld y Pantomeim Cymraeg yn y Theatr Newydd?
A: Mae'r sinema'n agosach. Basai bws i'r sinema'n rhatach...
B: Ond roedd y plant yn sâl ar y bws - wedi cael cymaint o bopcorn a phop!
A: O, doedd y sinema ddim cynddrwg â hynny - mwynheuodd y plant weld Sinderela...
B: ...am y degfed tro! Na, dyw ffilm ddim cystal ag actio go iawn. Dw i'n meddwl dylen ni fynd i weld rhywbeth Cymraeg am newid - ac mae cyn lleied o'r plant wedi bod yn y theatr!
A: Ydy'r tocynnau'n ddrutach na'r sinema?
B: Wel, mae cynnig arbennig yn y Papur Bro - dau am bris un!
A: Dau am bris un! O'r gorau, archeba i'r tocynnau cyn gynted â phosib!

Ar ôl darllen y ddeialog gyda'ch partner, newidiwch y sefyllfa i drip siopa Nadolig am ddiwrnod i rywle. Trafodwch ble i fynd, sut i gyrraedd yno, lle i fwyta ac yn y blaen.

Darn Darllen

Darllenwch yr hysbyseb yma, yna atebwch y cwestiynau:

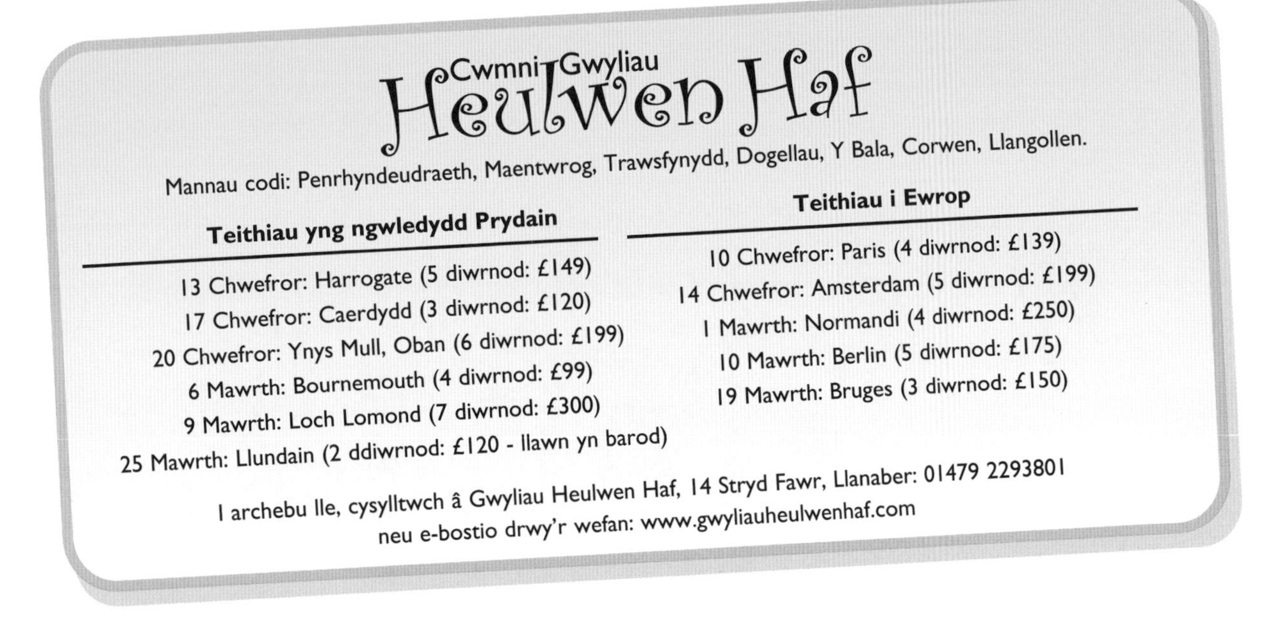
Cwmni Gwyliau
Heulwen Haf

Mannau codi: Penrhyndeudraeth, Maentwrog, Trawsfynydd, Dogellau, Y Bala, Corwen, Llangollen.

Teithiau yng ngwledydd Prydain

13 Chwefror: Harrogate (5 diwrnod: £149)
17 Chwefror: Caerdydd (3 diwrnod: £120)
20 Chwefror: Ynys Mull, Oban (6 diwrnod: £199)
6 Mawrth: Bournemouth (4 diwrnod: £99)
9 Mawrth: Loch Lomond (7 diwrnod: £300)
25 Mawrth: Llundain (2 ddiwrnod: £120 - llawn yn barod)

Teithiau i Ewrop

10 Chwefror: Paris (4 diwrnod: £139)
14 Chwefror: Amsterdam (5 diwrnod: £199)
1 Mawrth: Normandi (4 diwrnod: £250)
10 Mawrth: Berlin (5 diwrnod: £175)
19 Mawrth: Bruges (3 diwrnod: £150)

I archebu lle, cysylltwch â Gwyliau Heulwen Haf, 14 Stryd Fawr, Llanaber: 01479 2293801
neu e-bostio drwy'r wefan: www.gwyliauheulwenhaf.com

1. Pa un yw'r daith rata yn Ewrop?
2. Pa un yw'r daith ddruta yn Ewrop?
3. Pa un yw'r daith rata yng ngwledydd Prydain?
4. Pa un yw'r daith ddruta yng ngwledydd Prydain?
5. Pa un yw'r daith fyrra?
6. Pa un yw'r daith hira?
7. Beth dych chi'n gallu wneud ym Mhenrhyndeudraeth, Maentwrog, Trawsfynydd ac yn y blaen?
8. Sut mae archebu lle ar un o'r teithiau?
9. I ble basech chi'n dewis mynd? Pam?
10. I ble basech chi **byth** yn dewis mynd? Pam?

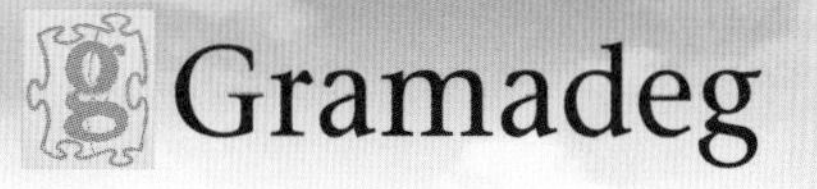

Gramadeg

Cofiwch y treigladau!

Mae treiglad meddal ar ôl **yn**, e.e. Mae Wrecsam yn **f**awr.
Mae treiglad meddal ar ôl **mor**, e.e. Mae e mor **f**awr â Dolgellau.
Mae treiglad llaes ar ôl **na**, e.e. Mae e'n fwy na **th**ŷ John.
Mae treiglad llaes ar ôl **â**, e.e. Mae e mor fawr â **ch**ar.

Sgwrsio

i. Pa un yw'r car gorau i deulu? Pa un yw'r car gwaetha i deulu?
ii. Pa un yw'r traeth gorau? Pa un yw'r traeth gwaetha?
iii. Pa un yw'r iaith fwya anodd? Pa un yw'r iaith hawsa?
iv. Pa un yw'r tŷ bwyta druta yn yr ardal? Pa un yw'r rhata?

Geirfa

archebu lle	-	*to book a place*
cymaint â	-	*as big/many as*
cyn gynted â	-	*as fast as*
cyn lleied â	-	*as small/few as*
cynddrwg â	-	*as bad/poor as*
cynnig arbennig	-	*special offer*
cystal â	-	*as good as*

Cwrs Canolradd: Uned 5

Nod: Siarad am bobl a swyddi - defnyddio sy, oedd, fydd

Sgwrsio

i. Pa swyddi dych chi wedi gwneud yn y gorffennol?
ii. Oedd swydd ran-amser gyda chi pan o'ch chi yn yr ysgol, neu yn y coleg?
iii. Oes rhywun yn y dosbarth sy wedi ymddeol? ... sy'n ddi-waith?
... sy'n gweithio'n rhan amser? ... sy eisiau swydd arall?

Ymarfer

Pwy sy'n siarad?	Dyn ffenestri dwbl!
Pwy sy wrth y drws?	Rheolwr y banc!
Pwy sy wrth y car?	Warden traffig!
Pwy sy gyda'r warden traffig?	Plismon!
Pwy sy'n gweithio dydd Sadwrn?	Pawb!
Pwy sy heb wneud eu gwaith cartref?	Pawb!
Pwy sy'n dod i'r dosbarth nesa?	Neb!

Meddyliwch am fwy o newyddion drwg gyda'ch partner!

Pwy oedd Elvis Presley?	Dyn oedd yn canu roc a rôl
Pwy oedd Bob Marley?	Dyn oedd yn arfer canu *reggae*
Pwy oedd Marilyn Monroe?	Gwraig oedd mewn ffilmiau
Pwy oedd Abraham Lincoln?	Dyn oedd yn arfer bod yn Arlywydd America
Pwy oedd Shakespeare?	Dyn oedd yn ysgrifennu dramâu

Meddyliwch am gwestiynau tebyg i'w gofyn i'ch partner.

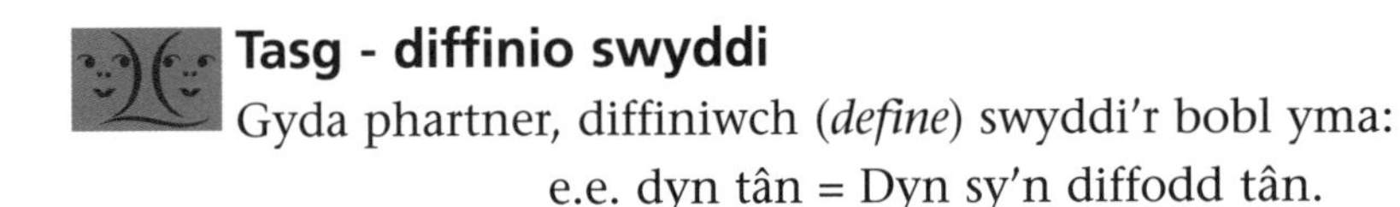

Tasg - diffinio swyddi

Gyda phartner, diffiniwch (*define*) swyddi'r bobl yma:

e.e. dyn tân = Dyn sy'n diffodd tân.

Rhai syniadau:

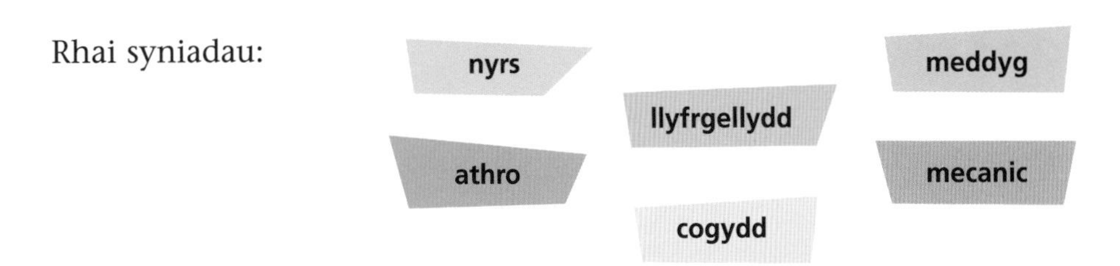

Ymarfer

A: Cymru oedd yn ennill pob gêm rygbi ers talwm
B: Lloegr sy'n ennill pob gêm rygbi nawr
A: Ond Cymru fydd yn ennill eto gobeithio!

A: John oedd yn golchi'r llestri wythnos diwetha
B: Fi sy'n golchi'r llestri nawr
A: A ti fydd yn eu golchi nhw wythnos nesa!

A: John Major oedd yn arfer rhedeg y wlad
B: Tony Blair sy'n rhedeg y wlad nawr
A: Gordon Brown fydd yn rhedeg y wlad cyn bo hir

Ymarfer

Gyda'ch partner, ceisiwch gofio'r brawddegau yma. Ceisiwch feddwl am frawddegau tebyg.

A: Wyt ti'n nabod rhywun sy'n byw yn Glasgow?
B: Nac ydw, ond dw i'n nabod rhywun sy'n byw yng Nghaeredin

A: Wyt ti'n nabod rhywun sy'n ddyn tân?
B: Nac ydw, ond dw i'n nabod rhywun sy'n ddyn glo

A: Wyt ti'n nabod rhywun sy'n siarad Ffrangeg?
B: Nac ydw, ond dw i'n nabod rhywun sy'n siarad Sbaeneg

A: Wyt ti'n nabod rhywun sy'n dod o America?
B: Nac ydw, ond dw i'n nabod rhywun sy'n dod o Awstralia

A: Wyt ti'n nabod rhywun fydd yn gweithio dydd Sadwrn?
B: Nac ydw, ond dw i'n nabod rhywun fydd yn gweithio dydd Sul

A: Wyt ti'n nabod rhywun sy wedi ennill y loteri?
B: Ydw, dw i wedi ennill y loteri - ta ta!

Gramadeg

Mae **a** tawel yn y patrwm yma, yn cyfleu (*convey*) *who*, neu *which*, e.e.

Dyn **a** oedd yn canu roc a rôl
Y dyn **a** ysgrifennodd Macbeth
Ti **a** fydd yn golchi'r llestri

Fel arfer, dych chi ddim yn clywed yr **a** wrth i bobl siarad. Weithiau, byddwch chi'n gweld yr **a** yn cael ei hysgrifennu. Dyma beth yw achos y treiglad meddal!

sy = nawr	(*who is* neu *which is*)
fydd = dyfodol	(*who will* neu *which will*)
oedd = gorffennol	(*who was* neu *which was*)

Dw i'n nabod rhywun **sy'n** byw yn Iwerddon - dim **pwy sy'n byw**.... ✗✗

Ymarfer - y gorffennol

Mae 2 ffordd o ddweud pethau yn y gorffennol, e.e.

1. Gwnes i weld y ffilm

2. Gwelais i'r ffilm

Mae'r un peth yn wir os dych chi eisiau dweud *who saw*, neu *who did*...

Y dyn wnaeth weld y ffilm	Y dyn welodd y ffilm
Y ferch wnaeth brynu'r tŷ	Y ferch brynodd y tŷ
Y dyn wnaeth gael y swydd	Y dyn gaeth y swydd
Y ferch wnaeth dalu am y bwyd	Y ferch dalodd am y bwyd

Tasg - y dyn... / y wraig...

Meddyliwch am atebion i'r cwestiynau yma gan ddechrau gyda **Y dyn**... neu **Y wraig**...

e.e. Pwy oedd Shakespeare?

Y dyn wnaeth ysgrifennu *Macbeth* | Y dyn ysgrifennodd *Macbeth*

Pwy oedd Agatha Christie?

________________ ________________

Pwy oedd Leonardo da Vinci?

________________ ________________

Pwy oedd Neil Armstrong?

________________ ________________

Pwy oedd Florence Nightingale?

________________ ________________

Pwy oedd Mark Chapman?

________________ ________________

Tasg - holiadur

Cerwch o amgylch y dosbarth i weld beth oedd pawb yn ei fwyta ddoe a beth fydd pawb yn ei fwyta yfory, e.e.

A: Beth oedd i swper neithiwr?
B: Pysgod oedd i swper neithiwr.
A: Pasta fydd i ginio fory?
B: Nage, cyri fydd i ginio fory!

Enw	Beth oedd i swper neithiwr?	Beth fydd i ginio yfory?
1.		
2.		
3.		
4.		
5.		

Deialog

A: Bore da. Swyddfa Tai Tre-braf.
B: Pwy sy'n siarad, os gwelwch yn dda?
A: Mair Hughes sy'n siarad, Prif Swyddog Rhentu Tai Tre-braf. Sut galla i eich helpu chi?
B: Dw i'n chwilio am dŷ sy ar gael i'w rentu dros yr haf.
A: Wrth gwrs, mae llawer iawn o dai bendigedig ar gael gyda ni. Dych chi'n chwilio am rywbeth arbennig?
B: Wel, mae'n rhaid i ni gael tŷ sy'n agos at draeth – mae angen lle i redeg ar dywod. Ffitrwydd sy'n bwysig i ni dros yr haf.
A: Dim problem - mae tai gyda ni sy'n edrych dros draeth Porth-cawl.
B: Ydy e'n lle sy'n dawel dros yr haf? Dyn ni ddim eisiau lle sy'n rhy brysur.
A: Pentref bach tawel iawn yw Porth-cawl.
B: Da iawn wir. Ond dyn ni angen lle sy'n agos i siop y pentref.
A: Mae tai sy'n agos at fwy nag un siop, a dweud y gwir.

B: Oes siop sy'n gwerthu bwyd organig? Mae bwyta'n iach yn bwysig iawn i ni.
A: Wel ... mae siop yn agos iawn sy'n gwerthu candi fflos, roc... o, dw i'n siŵr taw nhw sy'n gwerthu'r bwyd organig gorau yn yr ardal.
B: Oes tŷ gyda chi sy â gardd fawr?
A: Wrth gwrs, ac mae 'na un sy drws nesa i gae pêl-droed - weithiau mae plant o'r maes carafannau sy'n defnyddio'r cae, ond mae'n dawel iawn.
B: Un peth arall - oes rhywun gyda chi sy'n medru aros yn y tŷ i goginio a glanhau dros yr haf?
A: Dw i ddim yn meddwl bod neb sy'n barod i wneud hynny.
B: Talwn ni fwy am y tŷ.
A: Faint yn fwy sy'n bosibl?
B: Deg mil o bunnau, os oes rhywun sy'n gogydd ardderchog.
A: Arhoswch funud - pwy sy'n siarad?
B: Ysgrifenyddes bersonol Ryan Giggs sy'n siarad.

[Saib]

A: Fel mae'n digwydd, dim fi sy'n gweithio yn y swyddfa dros yr haf. Dw i'n gogydd gwych! Anfona i'r manylion atoch chi a bydda i yn y tŷ gyda'r allwedd.
B: Dych chi'n siŵr, Miss Hughes?
A: Ydw wir! Hwyl am y tro!

Darllenwch y ddeialog eto gyda'ch partner gan newid y manylion.

Darn Darllen

Darllenwch y sgwrs yma rhwng dau ymwelydd â Phortmeirion. Cyfrwch faint o weithiau mae'r patrwm **oedd / sy / fydd** yn digwydd yn y darn. Wedyn atebwch y cwestiynau.

Alun: Dyma le anhygoel - mae e'n fy atgoffa o rywle. Ble yn y byd sy'n debyg i fan hyn?
Beti: Dw i'n meddwl taw'r Eidal sy'n debyg. Mae e mor lliwgar!
Alun: Pwy sy'n gweithio yma 'te?
Beti: Pobl leol sy'n gweithio yma fwyaf - ac un peth diddorol yw bod pawb bron sy'n gweithio yn y gwesty a'r pentref yn siarad Cymraeg.
Alun: Pwy sy'n rhedeg y lle 'te?
Beti: Wel, Robin Llywelyn yw'r enw ar y daflen 'ma.

Alun: Dw i'n nabod yr enw 'na. Fe sy'n ysgrifennu nofelau Cymraeg?
Beti: Ie, dw i'n meddwl taw fe sy wedi ennill llawer o wobrau yn yr Eisteddfod Genedlaethol.
Alun: Beth sy gyda fe i wneud â'r lle 'te?
Beti: Dw i'n meddwl taw fe sy'n rheoli'r Cwmni.
Alun: Rheoli, ysgrifennu... fe sy'n gwneud y llestri blodau hefyd?
Beti: Dw i'n meddwl taw rhywun arall sy'n gwneud hynny, ond dw i'n gwybod taw ei dad-cu e gynlluniodd y lle.
Alun: Ei dad-cu e? Fe oedd yn actio yn *The Prisoner* ers talwm?
Beti: Nage - Syr Clough Williams-Ellis oedd pensaer Portmeirion, nid Patrick McGoohan.
Alun: Iawn - beth sy i fwyta yma?
Beti: Caffi, hufen iâ, Bistro Castell Deudraeth - a'r Gwesty... faint o arian sy gyda ti?
Alun: Gawn ni weld beth sy ar fwydlen y gwesty?
Beti: Dw i'n gwybod taw bwyd lleol sy'n cael ei goginio fel arfer yma - sy'n syniad da, on'd yw e?
Alun: O na, dw i ddim eisiau bwyta Bara Brith... edrych Beti! Bwydlen hollol ddwyieithog! Reit, ti sy'n gwybod popeth am y lle 'ma...beth yw 'merllys'?
Beti: Dim syniad...o, 'asparagus' sy ar yr ochr Saesneg! Hei, beth am 'pigoglys'?
Alun: 'Spinach!'
Beti: Pwy sy wedi pipo...?
Alun: Dyma le fydd yn berffaith ar gyfer ein cinio diwedd tymor - ti sy'n mynd i ddweud wrth y tiwtor?

Cwestiynau trafod

i. Pam mae Portmeirion yn debyg i'r Eidal, yn ôl Beti?
ii. Beth sy'n wahanol am y staff?
iii. Beth yw swydd Robin Llywelyn?
iv. Pam mae e'n enwog?
v. Sut roedd Syr Clough Williams-Ellis yn perthyn iddo fe?
vi. Beth yw'r cysylltiad rhwng Syr Clough Williams-Ellis â'r pentre?
vii. Beth sy'n arbennig am y bwyd?
viii. Beth sy'n arbennig am y fwydlen?
ix. Dych chi wedi bod ym Mhortmeirion erioed?
x. Fasech chi'n mynd i Bortmeirion ar wyliau?

Gwrando

Atebwch y cwestiynau yma. Bydd eich tiwtor yn chwarae'r darn dair gwaith.

1. Pam nad oedd Marged wedi gweld *Big Brother*?
2. Pryd roedd *Big Brother* yn gorffen?
3. Ble mae Nia'n cael gwybod beth sy'n digwydd yn y gyfres?
4. O ble yng Nghymru mae'r ddau sy yn y tŷ yn dod?
5. Pam nad dych chi'n clywed Cymraeg ar y rhaglen?
6. Faint o bobl oedd eisiau bod ar *BB*?
7. Pam na fasai Marged yn mynd ar y rhaglen?
8. Pam na fasai Dewi'n mynd ar y rhaglen?

Sgwrsio

i. Dych chi'n edrych ar *Big Brother*?
ii. Fasech chi'n mynd ar y rhaglen?

Sgwrsio

Pa fath o berson sy'n addas i wneud y swyddi yma, e.e. person sy'n hoffi pobl, person sy'n gallu siarad yn dda....

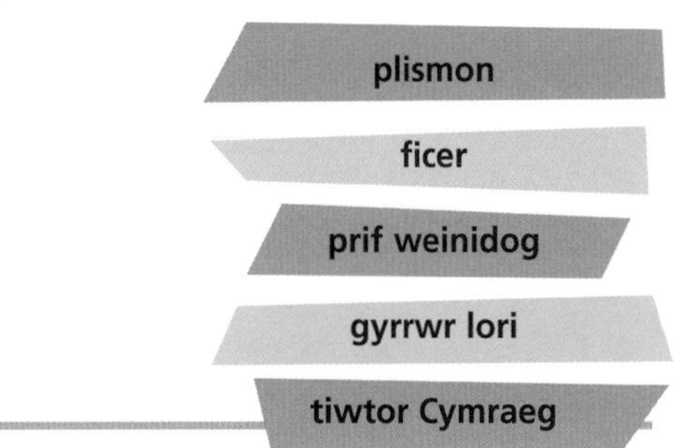

Geirfa

a dweud y gwir	-	*to tell the truth, actually*
anhygoel	-	*incredible*
atgoffa	-	*to remind*
cogydd(ion)	-	*cook(s)*
cyfres(i) (b)	-	*series*
cynllunio	-	*to plan*
diffinio	-	*to define*
diffodd	-	*to put out, to extinguish*
dwyieithog	-	*bilingual*
ers talwm	-	*a long time ago, once upon a time*
ffenestri dwbl	-	*double glazing*
gwobr(au) (b)	-	*prize(s)*
Hwyl am y tro	-	*Goodbye for now*
lliwgar	-	*colourful*
manylion	-	*details*
merllys	-	*asparagus*
pawb bron	-	*almost everyone*
pensaer (penseiri)	-	*architect(s)*
pigoglys	-	*spinach*
pipo	-	*to peep*
saib (seibiau)	-	*pause(s)*
taflen(ni) (b)	-	*leaflet(s)*

Cwrs Canolradd: Uned 6

Nod: Pwysleisio pethau - ie / nage

Ymarfer

Ble wyt ti'n gweithio?	Mewn ysgol
Yn Ysgol y Llan?	Nage, yn Ysgol y Parc
Athro wyt ti?	Nage, gofalwr dw i

Meddyliwch am swyddi gwahanol.
Gofynnwch gwestiynau fel hyn i'ch partner. Atebwch **Nage...**

Ble o't ti'n arfer byw?	Yn Lloegr
Yn y Gogledd?	Nage, yn y De
Yn Llundain?	Nage, ym Mryste
Ond yn Llundain gest ti dy eni?	Ie, yn Brixton
Gyrrwr bws oedd dy dad di?	Nage wir, gyrrwr tacsi oedd e

Gofynnwch gwestiynau fel hyn i'ch gilydd. Atebwch **Nage...**

Ble est ti i siopa ddoe?	I Landudno
Cot brynaist ti?	Nage, siwt
Un ddu oedd hi?	Nage, un las
Yn Marks brynaist ti hi?	Nage, yn Next

Nawr, ewch i siopa am anrheg i un o'r dosbarth gyda'ch partner. Gyda'ch partner, siaradwch am le arall a siop arall.

Gramadeg

Os dych chi'n clywed cwestiwn sy'n dechrau â'r gair pwysicaf,
rhaid i chi ateb **Ie** neu **Nage**.
Os dych chi'n ateb **Ie** does dim rhaid i chi ddweud mwy!
Does dim ots os dych chi'n siarad yn y gorffennol, y presennol neu'r dyfodol!

Tasg - siarad am y gwyliau diwetha

Mewn grwpiau o 3, gofynnwch y cwestiynau yma am eich gwyliau diwetha.

I ___________ est ti ar wyliau?

Ym mis ___________ ti?

___________ fwytaist ti fwya?

___________ yfaist ti fwya?

___________ wnest ti fwya?

___________ oedd y tywydd fel arfer?

___________ oedd y peth gwaetha ar y gwyliau?

I ___________ ei di y flwyddyn nesaf?

Ymarfer

Mae hi'n byw yn Aber, on'd yw hi.	Ydy
Yn Aber mae hi'n byw, on'd ife.	Ie
Mae e'n gweithio yn Tesco, on'd yw e.	Ydy
Yn Tesco mae e'n gweithio, on'd ife.	Ie
Mae hi'n siarad Sbaeneg, on'd yw hi.	Ydy
Sbaeneg mae hi'n siarad, on'd ife.	Ie
Maen nhw'n dod o Aberteifi, on'd dyn nhw.	Ydyn
O Aberteifi maen nhw'n dod, on'd ife.	Ie

Tasg - nabod y person enwog

Meddyliwch am berson enwog. Bydd eich partner yn dyfalu pwy yw'r person drwy ofyn cwestiynau fel hyn:

Dyn wyt ti?

O America wyt ti'n dod?

Yn Llundain wyt ti'n byw?

Ysgrifennu llyfrau wyt ti?

Yn y byd chwaraeon wyt ti?

Deialog

Sgwrs mewn Cwrs Cymraeg yn Aberystwyth.

A: Dw i'n nabod eich wyneb chi o rywle.
B: Dw i wedi eich gweld chi o'r blaen hefyd.
A: Actor/Actores dych chi?
B: Nage, canwr/cantores dw i.
A: O. Canu opera dych chi?
B: Nage, canu caneuon poblogaidd dw i. A beth amdanoch chi? Model dych chi?
A: Nage wir, actor/actores dw i.
B: O. Yn Aberystwyth dych chi'n byw?
A: Nage, yn Efrog Newydd dw i'n byw. Yma dych chi'n byw?
B: Nage, yn Los Angeles dw i'n byw.
A: O America dych chi'n dod yn wreiddiol?
B: Nage, o Gymru. O America dych chi'n dod yn wreiddiol?
A: Nage, o Gymru dw i'n dod hefyd. Dysgu Cymraeg dych chi yma?
B: Nage, dwy flynedd yn ôl dysgais i Gymraeg. Gwneud y Cabaret dw i yma. Dysgu Cymraeg dych chi?
A: Ie. Eisiau actio ar *Pobol y Cwm* dw i.
B: O. Pob lwc!
A: Diolch. Hwyl nawr.
B: Hwyl! Gwela i chi yn Heathrow!

Cwestiwn: Pwy dych chi'n meddwl yw A a phwy yw B?

Darn Darllen

Darllenwch hanes Bryn Terfel ac atebwch y cwestiynau.

Canwr Opera byd-enwog yw Bryn Terfel. Cymro Cymraeg yw e.
Ym Mhant-glas ger Porthmadog gaeth e ei eni. Yn yr ysgol gynradd dechreuodd e ganu, ac yn Eisteddfod yr Urdd gaeth e lawer o brofiad o ganu o flaen cynulleidfa. I goleg cerdd yn Llundain aeth e i ddysgu canu Opera. Bas-bariton yw ei lais e. Mozart yw ei hoff gyfansoddwr e. Manchester United yw ei hoff dîm pêl-droed e. Tiger Woods yw ei arwr e. Lesley yw enw ei wraig e ac o Wynedd mae hi hefyd yn dod yn wreiddiol. Tri mab sy gyda nhw ac i ysgol leol mae'r plant yn mynd. Bryn Terfel ddechreuodd ŵyl y Faenol sy'n digwydd bob mis Awst ger Caernarfon. Pedair noson o gyngherddau sy 'na - un noson Opera, un noson o Bop Cymraeg, un cyngerdd o gerddoriaeth y Sioeau Cerdd (yn Saesneg) ac un noson o *jazz*. Ffrindiau enwog Bryn sy'n canu yn y cyngherddau. Ewch i'w clywed nhw os medrwch chi!

Cwestiynau trafod

i. Canu pop mae Bryn Terfel fel arfer?
ii. Wedi dysgu Cymraeg mae e?
iii. Yn yr Eisteddfod Genedlaethol oedd e'n canu gyntaf?
iv. I Gaerdydd aeth e i'r coleg?
v. Tenor yw e?
vi. Handel yw ei hoff gyfansoddwr e?
vii. Chelsea mae e'n eu cefnogi?
viii. Jenny yw enw ei wraig e?
ix. Dau o blant sy gyda nhw?
x. Yn Llundain mae e'n byw nawr?

Ella

Falle

Tafodiaith!

Tasg - esgus bod yn Bryn

Gyda'ch partner, meddyliwch am gwestiynau i'w gofyn i Bryn Terfel, ar sail y darn darllen. Yna, bydd un person yn y dosbarth yn cael cyfle i ateb, fel Bryn ei hun!

Tasg - ysgrifennu

Nawr ysgrifennwch ddarn tebyg yn dweud hanes Catherine Zeta Jones. Dyma rai ffeithiau amdani i'ch helpu.

geni	-	Abertawe
dod yn enwog	-	*Darling Buds of May*
actio ei thad hi	-	David Jason
byw nawr	-	America a Mallorca
gŵr	-	Michael Douglas
tad ei gŵr hi	-	Kirk Douglas
gwaith ei gŵr hi	-	Seren ffilmiau
mab	-	Dylan
enwi ar ôl	-	Dylan Thomas

Sgwrsio

i. Faint o Gymry enwog dych chi'n gallu meddwl amdanyn nhw?
ii. Ydy hi'n bwysig bod y Cymry'n byw yng Nghymru?
iii. Beth sy'n gwneud rhywun yn Gymro neu'n Gymraes? Pa mor bwysig yw'r pethau yma?

- Cael eich geni yng Nghymru
- Bod y teulu'n dod o Gymru
- Gallu canu
- Siarad ag acen Gymreig
- Cefnogi timau chwaraeon Cymru
- Siarad Cymraeg

Geirfa

arwr (arwyr)	–	*hero(es)*
cân boblogaidd (caneuon poblogaidd) (b)	–	*popular song(s)*
cefnogi	–	*to support*
coleg cerdd	–	*music college, school of music*
cyfansoddwr (-wyr)	–	*composer(s)*
cyfle	–	*opportunity*
cyngerdd (cyngherddau) (b/g)	–	*concert(s)*
cynulleidfa (-faoedd) (b)	–	*audience(s)*
gofalwr (gofalwyr)	–	*caretaker(s)*
gŵyl (gwyliau) (b)	–	*festival(s)*
profiad(au)	–	*experience(s)*
sioe gerdd (sioeau cerdd) (b)	–	*musical(s)*

Cwrs Canolradd: Uned 7

Nod: Adrodd yn ôl

Ymarfer

Ffoniodd dy ferch di Dwedodd hi bod hi'n aros yn yr ysgol tan 6	Beth ddwedodd hi? Da iawn!
Ffoniodd dy ŵr di Dwedodd e fod e'n mynd i chwarae golff	Beth ddwedodd e? I'r dim!
Ffoniodd dy wraig di Dwedodd hi bod hi'n gweithio'n hwyr heno	Beth ddwedodd hi? Dyna drueni!
Ffoniodd dy fam a dy dad di Dwedon nhw bod nhw'n mynd i Tenerife am fis	Beth ddwedon nhw? Wir!

Tasg - cysylltu brawddegau

Gofynnwch i'ch partner: Beth ddwedodd e/hi? Ceisiwch gofio'r atebion!

Ffoniodd y mecanig	Dwedodd hi fod ymarfer gyda Rhiannon heno
Ffoniodd y milfeddyg	Dwedodd e fod problem gyda'r sbwriel
Ffoniodd pennaeth yr ysgol	Dwedon nhw fod eisiau rhywun i siarad ar y radio
Ffoniodd rheolwr y banc	Dwedodd hi fod bwrdd ar gael heno
Ffoniodd rhywun o'r cyngor	Dwedodd e fod y car yn barod
Ffoniodd y BBC	Dwedodd e fod angen rhywun i chwarae dydd Sul
Ffoniodd rheolwr y tîm	Dwedodd hi fod y gath yn well
Ffoniodd rhywun o'r tŷ bwyta	Dwedodd e fod rhaid i chi anfon siec

A: Ro'n i ar ben fy hun yn y dafarn neithiwr.
B: Dwedais i mod i'n mynd i'r dosbarth Salsa.
A: Baswn i wedi dod.
B: Dwedaist ti fod ti wedi blino.
A: Pam daeth John gyda ti?
B: Dwedodd e fod e eisiau cadw'n heini.
A: A beth am Jean?
B: Dwedodd hi bod hi'n hoffi dawnsio.
A: Do'ch chi ddim yn y tŷ cyri chwaith.
B: Dwedon ni bod ni'n mynd am bryd tapas.
A: Dwedoch chi bod chi'n mynd am fwyd fel arfer!
B: Wel, syniad John a Jean oedd bwyd Sbaeneg. Dwedon nhw bod nhw eisiau sangria ar ôl y salsa.

Nawr newidiwch y llefydd, y bobl a'r rhesymau dros beidio cwrdd.

Ymarfer

Rhaid mod i wedi dweud wrthoch chi
Rhaid fod e wedi cael ateb erbyn hyn
Rhaid bod hi wedi anfon rhywbeth
Rhaid bod digon o arian gyda nhw

Rhaid bod pawb yn gwybod
Rhaid bod y plant yn darllen
Rhaid bod problem gyda'r ffôn

Rhaid taw John sy'n mynd
Rhaid taw nhw sy'n talu
Rhaid taw fe yw'r tiwtor
Rhaid taw hi yw'r rheolwr

Tasg - esboniadau

Meddyliwch am esboniadau (*explanations*) i'r sefyllfaoedd (*situations*) gan ddechrau â **Rhaid bod...** neu **Rhaid taw...**

e.e. Mae John yn prynu llawer o bethau drud: Rhaid bod digon o arian gyda fe / Rhaid taw chwaraewr pêl-droed yw e

a. Mae Mari wedi gadael ei swydd
b. Does dim gwin ar ôl yn yr oergell
c. Mae'r plant yn dost
ch. Gaeth Dewi ei arestio ddoe
d. Dyw Sandra ddim yn deall Huw yn siarad
dd. Dw i ddim yn hoffi darllen
e. Chwaer Elin sy'n byw yn Aberystwyth
f. *Rottweiler* sy gyda Elwyn, nid sbaniel

Gramadeg

Wrth siarad, mae pobl yn dweud **mod i**, **fod ti**, **fod e**, ac yn y blaen.
Mae'n bosib byddwch chi'n gweld y ffurfiau llawn - dyma nhw:

fy mod i	e.e. Dwedais i fy mod i'n mynd adre	*I said that I was going home*
dy fod ti	e.e. Dwedaist ti dy fod ti'n mynd adre	*You said that you were...*
ei fod e	e.e. Dwedodd e ei fod e'n mynd adre	*He said that he was...*
ei bod hi	e.e. Dwedodd hi ei bod hi'n mynd adre	*She said that she was...*
ein bod ni	e.e. Dwedon ni ein bod ni'n mynd adre	*We said that we were...*
eich bod chi	e.e. Dwedoch chi eich bod chi'n mynd adre	*You said that you were...*
eu bod nhw	e.e. Dwedon nhw eu bod nhw'n mynd adre	*They said that they* were...

Tasg - beth ddwedodd eich partner

Gofynnwch i rywun arall yn y dosbarth:

Beth o't ti'n wneud ddeg mlynedd yn ôl?
Ro'n i'n ______________
Ble o't ti'n byw ddeg mlynedd yn ôl?
Beth o't ti'n wneud yn dy amser hamdden ddeg mlynedd yn ôl?

Beth o't ti'n wneud ugain mlynedd yn ôl?
Ble o't ti'n byw ugain mlynedd yn ôl?
Beth o't ti'n wneud yn dy amser hamdden ugain mlynedd yn ôl?

	Deg mlynedd yn ôl	**Ugain mlynedd yn ôl**
Gwneud		
Byw		
Amser hamdden		

Nawr newidiwch eich partner. Dwedwch wrth eich partner newydd beth ddwedodd eich partner cyntaf, e.e. Dwedodd Mark fod e'n gweithio yn Llundain ddeg mlynedd yn ôl.

Deialog

Pen-blwydd mam-gu yn naw deg

A: Sut mae'r trefniadau'n mynd ar gyfer parti mam?
B: Dwedais i baswn i'n trefnu'r pryd.
A: Ddwedaist ti? Chwarae teg i ti.
B: Dw i wedi archebu 'stafell yng Nghastell Deudraeth, Portmeirion.
A: Bendigedig! Dwedodd Nerys basai hi'n trefnu'r blodau.
B: Wyt ti wedi siarad â Gareth eto?
A: Dwedodd e basai fe'n gallu dod yn ôl o Awstralia am bythefnos.
B: Beth am ei wraig newydd e?
A: Dwedodd e bod hi'n dod hefyd.
B: Iawn. Dwedon ni y basen ni'n prynu'r gacen pen-blwydd. Ddwedoch chi basech chi'n casglu'r plât arian?
A: Do. Beth am y plant i gyd?
B: Dwedon nhw y basen nhw i gyd yn dod adre o'r colegau ond... gawn ni weld!
A: Licai mam weld yr wyrion i gyd gyda'i gilydd, dw i'n siŵr.
B: Cofia nawr - dim gair wrth mam!

[ffôn yn canu]

B: Mam oedd yna. Mae hi wedi bod yn casglu ei phasbort hi - mae hi'n mynd i Las Vegas i ddathlu ei phen-blwydd!

Darllenwch y darn gyda'ch partner, wedyn newidiwch y darn i sôn am drefnu priodas.

Darn Darllen

Darllenwch y darn yma, ac atebwch y cwestiynau sy'n dilyn.

Diwrnod y Llyfr

Addasiad o erthygl yn *Y Cymro,* 1 Mawrth 2006

Mae Gethin Jones, y Cymro Cymraeg sy'n cyflwyno'r rhaglen i blant, *Blue Peter* newydd ddechrau ar dasg gyffrous arall, sef hybu Diwrnod y Llyfr yn ysgolion Cymru.

Mae Gethin, sy'n dod yn wreiddiol o Gaerdydd, i'w weld ar boster newydd a bydd y poster yn cael ei anfon dros y wlad i dynnu sylw at y diwrnod.

Mae gradd mewn economeg a daearyddiaeth gyda Gethin, felly mae e'n hoffi darllen. Ond hefyd, mae e wrth ei fodd gyda rygbi, pêl-droed, tennis a golff.

Gethin yw'r drydedd seren i helpu ymgyrch Diwrnod y Llyfr Cymru. Mae'r Cyngor Llyfrau'n cael help pobl enwog i wneud darllen yn fwy poblogaidd. Maen nhw'n gobeithio bydd llawer o bobl yn dilyn eu harwyr ac yn darllen rhagor o lyfrau.

Cwestiynau

Ceisiwch ateb y cwestiynau heb edrych yn ôl ar y darn.

1. Beth yw gwaith Gethin Jones?
2. O ble mae e'n dod yn wreiddiol?
3. I ble bydd y poster yn mynd?
4. Beth yw diddordebau Gethin, ar wahân i ddarllen?
5. Faint o bobl eraill sy wedi helpu'r ymgyrch?
6. Beth mae'r Cyngor Llyfrau eisiau?

Sgwrsio

1. Faint dych chi'n ddarllen?
2. Pryd dych chi'n darllen fel arfer?
3. Dych chi'n darllen ffuglen (*fiction*) neu bethau ffeithiol (*factual*)?
4. O'ch chi'n darllen llawer pan o'ch chi'n blentyn? Beth?
5. Dych chi'n darllen papur newydd? Pa un?

Geirfa

arwr (arwyr)	-	*hero(es)*
cadw'n heini	-	*to keep fit*
cyffrous	-	*exciting*
cyflwyno	-	*to present*
daearyddiaeth (b)	-	*geography*
economeg (b)	-	*economics*
erthygl(au) (b)	-	*article(s)*
esboniad(au)	-	*explanation(s)*
ffeithiol	-	*factual*
ffuglen (b)	-	*fiction*
gradd(au) (b)	-	*degree(s)*
i'r dim	-	*just the job*
oergell(oedd) (b)	-	*fridge(s)*
poblogaidd	-	*popular*
rhagor	-	*more*
sbwriel	-	*rubbish, refuse*
sefyllfa(oedd) (b)	-	*situation(s)*
seren (sêr) (b)	-	*star(s)*
tynnu sylw	-	*to draw attention*
ŵyr (wyrion)	-	*grandson (grandsons, grandchildren)*
ymgyrch(oedd) (b)	-	*campaign(s)*

Cwrs Canolradd: Uned 8

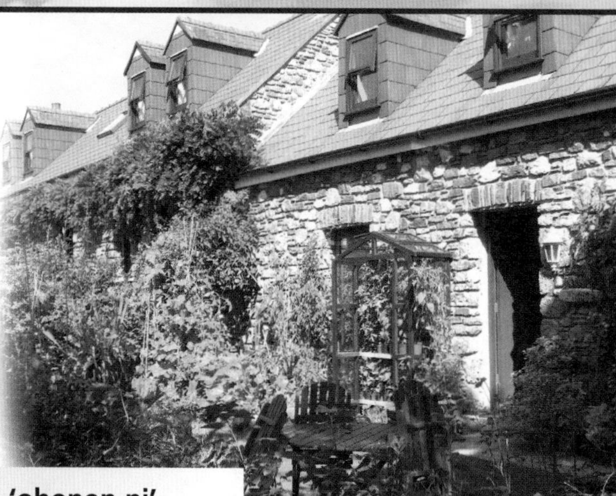

Nod: Siarad am y dosbarth a'r tŷ / defnyddio 'ohonon ni'

Ymarfer

Faint o'r dosbarth sy'n gyrru car?	Saith o'r dosbarth *neu* Saith ohonon ni
Faint o'r dosbarth sy'n byw mewn dinas?	Dau ohonon ni
Faint o'r dosbarth sy'n byw mewn tref?	Tri ohonon ni
Faint o'r dosbarth sy'n byw mewn pentref?	Un ohonon ni
Faint o'r dosbarth sy'n byw yn y wlad?	Dim un ohonon ni

Gofynnwch gwestiwn tebyg i'r dosbarth, a gweld beth yw'r ateb.

Faint ohonoch chi sy'n cael bws i'r dosbarth?
Faint ohonoch chi sy'n cerdded i'r dosbarth?
Faint ohonoch chi sy'n gyrru i'r dosbarth?
Faint ohonoch chi sy'n cael trên i'r dosbarth?

Meddyliwch am siopau'r ardal - gofynnwch i'r dosbarth:
Faint ohonoch chi sy'n siopa yn ___________?

Faint o'ch ffrindiau chi sy'n siarad Cymraeg?	Rhai ohonyn nhw
Faint o'ch teulu chi sy'n siarad Cymraeg?	Ychydig ohonyn nhw
Faint o bobl yr ardal sy'n siarad Cymraeg?	Llawer ohonyn nhw

Gofynnwch y cwestiynau i'ch partner.

Tasg - holiadur

Gofynnwch i bawb yn y dosbarth.
Rhowch eich cwestiynau eich hun yn lle 4. a 5.

Nawr rhaid adrodd yn ôl, e.e. Mae pedwar ohonon ni wedi bod yn America; Gaeth wyth ohonon ni rywbeth i fwyta y bore 'ma.

	Cwestiwn	Nifer
1.	Wyt ti wedi bod yn America erioed?	
2.	Gest ti rywbeth i fwyta i frecwast heddiw?	
3.	Oes teledu lloeren gyda ti?	
4.		
5.		

Ymarfer

Trïodd Huw siarad â'r bos.	Chymerodd e ddim sylw ohono fe?
Naddo! Felly, trïodd Siân siarad â fe.	Chymerodd e ddim sylw ohoni hi?
Naddo! Felly, trïais i siarad â fe.	Chymerodd e ddim sylw ohonot ti?
Naddo! Felly, wnei di drio siarad â fe?	Chymerith e ddim sylw ohona i!

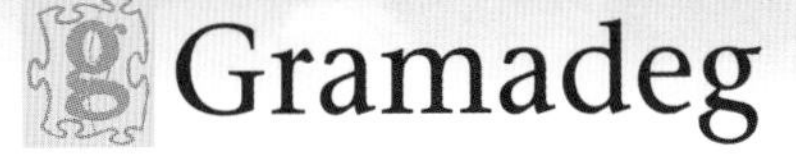

Gramadeg

Dyma sut mae patrwm **o** yn edrych:

o'r plant
ohona i
ohonot ti
ohono fe
ohoni hi
ohonon ni
ohonoch chi
ohonyn nhw

Tasg - siarad am yr eisteddfod

Dych chi i gyd wedi bod yn cystadlu yn Eisteddfod y Dysgwyr! Siaradwch â'ch partner am y bobl eraill yn y dosbarth, a chi eich hunan, e.e.

A: Roedd Catrin yn canu yn yr eisteddfod.
B: Beth o't ti'n feddwl ohoni hi?
A: Ro'n i'n meddwl bod hi'n wych!
B: Roedd Colin yn adrodd.
A: Beth o't ti'n feddwl ohono fe?
B: Ro'n i'n meddwl fod e'n ofnadwy!
A: Ro'n i'n actio mewn sgets. Beth o't ti'n feddwl ohona i?
B: Ro'n i'n meddwl fod ti'n ddoniol!

Newidiwch yr enwau wrth ddarllen y dasg, e.e.

Cefin - canu mewn côr - da
Caren - dawnsio - anobeithiol

Ymarfer

Ges i'r swydd	* Ges i mo'r swydd
Prynodd hi'r siwmper	Phrynodd hi mo'r siwmper
Talodd hi'r bil	Thalodd hi mo'r bil
Gwelodd e'r gêm	Welodd e mo'r gêm
Bwytodd e'r gacen	Fwytodd e mo'r gacen
	* Ches i mo'r swydd (yn ffurfiol)
Gwelais i chi	Welais i mohonoch chi
Talais i hi	Thalais i mohoni hi
Gwnes i fe	Wnes i mohono fe
Clywais i ti	Chlywais i mohonot ti
Anghofiais i nhw	Anghofiais i mohonyn nhw

Gramadeg

I wneud brawddeg negyddol rhaid rhoi **mo** (**ddim** + **o**) mewn rhai patrymau. O flaen y gwrthrych penodol (*specific/definite object*) mae hyn yn digwydd, e.e. Welais i mo'r ffilm. (Y ffilm yw'r gwrthrych penodol yma).

Gwelais i'r ffilm ——	Welais i mo'r ffilm	(*I didn't see* ***the*** *film*)
	(< Welais i ddim o'r ffilm)	(*I didn't see any of the film*)

Os yw'r gwrthrych yn amhenodol (*non-specific/indefinite*), yna does dim **o**, e.e.

Welais i ddim ffilm	(*I didn't see a film*)

Os yw'r gwrthrych yn rhagenw (*pronoun*), e.e. fi, ti, fe, hi, ni, chi, nhw, rhaid newid yr **o**, e.e.

Gwelais i John ——	Welais i mohono fe	(< Welais i ddim ohono fe)
Gwelais i Mair ——	Welais i mohoni hi	
Gwelais i chi ——	Welais i mohonoch chi	
Gwelais i nhw ——	Welais i mohonyn nhw	

Pan dych chi'n rhoi **ddim** o flaen **o**, mae'n cywasgu i **mo**, e.e.
Welais i ddi**m** **o**hono fe = Welais i mohono fe.

Deialog

Mrs Jones: Helo - Llandre 373.

Mr Huws: Mrs Jones? John Huws o'r siop lyfrau sy 'ma.

Mrs Jones: Mr Huws! Sut galla i'ch helpu chi?

Mr Huws: Mae'n ddrwg gyda fi eich ffonio chi fel hyn - ond dych chi ddim wedi talu am y llyfrau newydd.

Mrs Jones: Pa lyfrau?

Mr Huws: Gawsoch chi mo'r llyfrau canu?

Mrs Jones: Llyfrau canu? Naddo wir. Archebais i mohonyn nhw.

Mr Huws: Mae'n ddrwg gyda fi, ond mae deuddeg llyfr yma yn eich enw chi, 'Caneuon Rygbi Cymru'.

Mrs Jones: Caneuon Rygbi! Chlywais i erioed y fath beth! Mae'n gas gyda fi rygbi. Dych chi'n siŵr taw yn fy enw i mae'r archeb?

Mr Huws: Wel, mae'n dweud 'Jones Tŷ Mawr'. Mae'r parsel yma ers sbel. Dwedodd eich gŵr y basai rhywun yn dod i dalu amdanyn nhw.

Mrs Jones: Dw i ddim eisiau un llyfr o ganeuon rygbi heb sôn am ddeuddeg.

Mr Huws: Mae llyfr arall iddo fe yma hefyd: 'Tafaranau Caeredin'.

Mrs Jones: Caeredin? Dw i'n dechrau deall nawr. Dw i'n meddwl bydd rhaid i fi gael gair gyda fy ngŵr i. Gyda llaw, oes copi o 'A to Z' Llundain gyda chi?

Mr Huws: Galla i archebu un i chi. Pryd dych chi eisiau fe?

Mrs Jones: Erbyn penwythnos gêm rygbi'r Alban, fel mae'n digwydd. Ches i ddim amser i ddweud wrth fy ngŵr mod i'n mynd bant am noson gyda ffrindiau.

Mr Huws: Dw i'n deall.

Mrs Jones: Bydd y babi'n mwynhau penwythnos gartre gyda'r gŵr...

Gyda'ch partner, rhowch y stori yma yn y drefn iawn, gan roi rhifau (1, 2, 3...) yn y blychau.

Lladron!

☐ Dringodd Jac dros y ffens, ond welodd e mo'r pot blodau yr ochr arall. Gwnaeth e sŵn ofnadwy wrth dorri. Roedd y drws ar gau beth bynnag.

☐ Cyrhaeddon nhw adre am un ar ddeg o'r gloch a sylweddolodd Jane bod nhw wedi gadael allwedd y tŷ yn y car.

☐ Ar ôl y parti, penderfynon nhw gerdded adre. Roedd y tywydd yn sych, felly gadawon nhw'r car ar bwys tŷ eu ffrindiau nhw.

☐ Un noson braf, aeth Jac a Jane i barti. Roedd y parti yn y pentre nesa, felly aethon nhw yn y car.

☐ Welon nhw mo'r golau yn dod ymlaen yn y tŷ drws nesa. Aethon nhw â'r ysgol a'i rhoi yn erbyn y tŷ.

☐ Roedd y ddau wedi blino, a doedd dim awydd cerdded yn ôl i'r car arnyn nhw, felly dwedodd Jane, 'Beth am ddrws y cefn?'

☐ Y peth nesa, roedd golau cryf ar Jane, hanner ffordd drwy ffenest ystafell ymolchi'r tŷ. Trwy lwc, roedd y plismon yn nabod Jac, felly gaethon nhw mo'u harestio!

☐ Aeth Jane lan yr ysgol. Roedd y ddau mor brysur, chlywon nhw mo gar yr heddlu yn cyrraedd ac yn parcio yn y stryd.

☐ Pan ddaeth Jac yn ôl, dwedodd Jane, 'Beth am fynd drwy ffenest yr ystafell ymolchi?' Mae ysgol yng ngardd drws nesa.

Sgwrsio

i. Dych chi'n mwynhau gweithio yn y tŷ?
ii. Pa waith tŷ dych chi'n fwynhau/ei gasáu?
iii. Pwy sy'n gwneud y gwaith tŷ yn eich cartre chi?
iv. Pryd mae'r glanhau a'r smwddio yn cael eu gwneud?
v. Dych chi wedi cael eich cloi allan o'r tŷ erioed?

Geirfa

adrodd yn ôl	-	*to report back*
anobeithiol	-	*hopeless*
archeb(ion) (b)	-	*order(s)*
archebu	-	*to order*
beth bynnag	-	*anyway*
blwch (blychau)	-	*box(es)*
doedd dim awydd ... arnyn nhw	-	*they didn't fancy...*
fel mae'n digwydd	-	*as it happens*
heb sôn am	-	*let alone (literally 'without mentioning')*
lloeren(nau) (b)	-	*satellite(s)*
sgets(ys) (b)	-	*sketch(es)*
sylweddoli	-	*to realise*
y fath beth	-	*such a thing*

Cwrs Canolradd: Uned 9

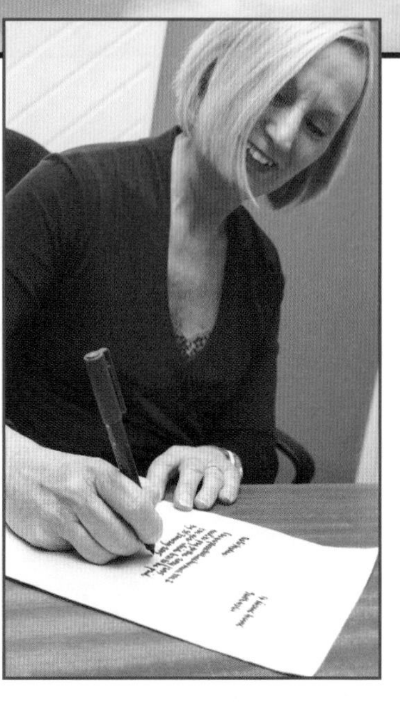

Nod: Ysgrifennu llythyrau

Ymarfer

Os dych chi'n ysgrifennu llythyr, dyma rai brawddegau defnyddiol.

Cyfeiriad - yn Gymraeg!

Dyddiad: 20 Medi 2006

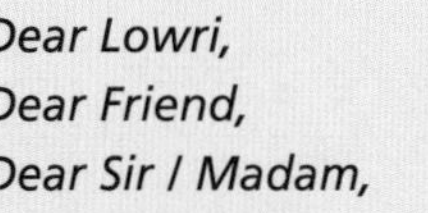

Annwyl Lowri, Annwyl Gyfaill, Annwyl Syr / Madam,	*Dear Lowri,* *Dear Friend,* *Dear Sir / Madam,*	Agor llythyr
Sut wyt ti? Sut mae pethau ers [talwm]? Sut hwyl erbyn hyn?	*How are you?* *How are things, since [a long time]?* *How are things by now?*	At ffrind
Gair byr i ddiolch i chi am... Gair byr ynglŷn â...	*A brief word to thank you for...* *A brief word regarding...*	Tipyn bach yn fwy ffurfiol
Ysgrifennaf atoch ynglŷn â ... Ysgrifennaf ar ran pwyllgor y dre	*I write regarding...* *I write on behalf of the town committee*	Ffurfiol iawn
Diolch i chi am eich llythyr Diolch i chi am y gwahoddiad Diolch am eich sylwadau	*Thank you for your letter* *Thank you for the invitation* *Thank you for your comments*	I ateb llythyr
Roedd hi'n flin gyda fi glywed.... Mae'n ddrwg calon gyda fi fod...	*I was sorry to hear...* *I'm very sorry that...*	Ymddiheuro
Baswn i wrth fy modd yn dod... Bydd hi'n bleser... Yn anffodus, alla i ddim derbyn... Mae'n ddrwg gyda fi, fydd hi ddim yn bosibl i fi ddod....	*I'd be delighted to come...* *It will be a pleasure...* *Unfortunately, I can not accept...* *I'm sorry, it won't be possible for me to come...*	Derbyn neu wrthod

Hoffwn ateb eich sylwadau am....	*I'd like to answer your comments about...*	Cwyno
Ro'n i'n flin iawn o glywed...	*I was very sorry to hear...*	
Dw i ddim yn hapus o gwbl fod...	*I'm not at all happy that...*	
Dw i'n edrych ymlaen at glywed oddi wrthych	*I look forward to hearing from you*	Gorffen llythyr
Diolch am eich cydweithrediad	*Thank you for your cooperation*	
Baswn i'n ddiolchgar i gael ateb yn fuan / gyda'r troad	*I'd be grateful to have an answer soon / by return of post*	
Amgaeaf siec gyda'r llythyr hwn	*I enclose a cheque with this letter*	
Yr eiddoch yn gywir,	*Yours sincerely,*	Cloi
Yn gywir,	*Sincerely,*	
Cofion cynnes,	*Warm regards,*	
Cofion gorau,	*Best regards,*	

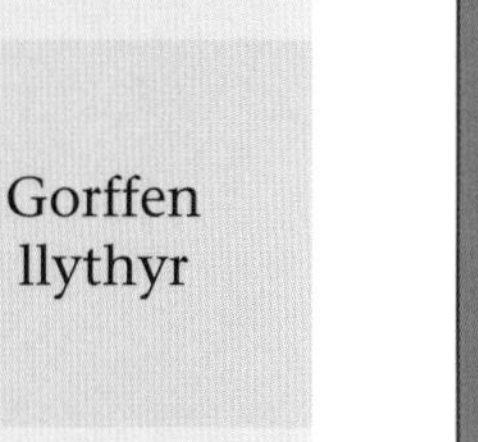

Tasg - enghreifftiau

Gyda'ch partner, ffeindiwch:

1. y llythyr sy'n rhoi gwahoddiad
2. y llythyr sy'n cwyno
3. y llythyr sy'n gwrthod gwahoddiad
4. y llythyr sy'n diolch
5. y llythyr sy'n derbyn gwahoddiad
6. y llythyr sy'n ymddiheuro

Cael llythyr **oddi wrth** - *to get a letter **from***
Anfon llythyr **at** - *send a letter **to***

Annwyl Jim,

Diolch o galon am eich gwahoddiad i'r parti. Baswn i wrth fy modd yn dod. Mae Jac hefyd yn edrych ymlaen at weld pawb. Byddwn ni yno erbyn wyth o'r gloch, a down ni â photel o win coch, fel arfer.

Yn gywir,
Elin

Annwyl Cerys,

Sut hwyl ers talwm?! Hoffen ni'n fawr taset ti'n gallu dod i gael swper yng Ngwesty'r Emlyn nos Sadwrn 15 Mehefin. Y bwriad yw codi arian at yr Eisteddfod, felly y gost fydd £20 y pen. Bydd £10 o'r arian yn mynd at yr Eisteddfod. Rho wybod drwy ffonio neu e-bostio, os wyt ti eisiau dod. Dyn ni'n edrych ymlaen at glywed oddi wrthot ti.

Cofion,
John a Mair

Annwyl Mr Evans,

Diolch am eich gwahoddiad i ginio aduniad 1973. Yn anffodus, bydda i'n gweithio dramor yr wythnos honno, felly fydda i ddim yn gallu bod yn bresennol. Dw i'n siŵr y cewch chi amser da iawn. Dw i'n cofio bod yn yr ysgol fel tasai hi ddoe. Gobeithio y codwch chi ddigon o arian i gael to newydd yn y neuadd.

Yr eiddoch yn gywir,
Dewi Lewis

Annwyl Mr Pierce,

Ysgrifennaf ar ran pwyllgor Merched y Wawr, i ddiolch i chi am ddod aton ni yr wythnos diwetha. Roedd hi'n ddiddorol clywed am eich teithiau cerdded chi yn Peru a Phatagonia.

Cafodd pawb hwyl wrth wrando ar eich storïau, ac wrth edrych ar y lluniau. Bydd rhaid i chi ddod yn ôl aton ni ar ôl bod yn Siberia! Amgaeaf siec am y noson gyda'r llythyr hwn.

Cofion,
Mrs Ann Parry (Ysgrifennydd)

Annwyl Syr,

Roedd rhaid i fi ysgrifennu atoch chi ar ôl darllen y llyfr newydd am Victor Edwards-Morris, fy nhad-cu. Mae llawer o ffeithiau'n anghywir yn y llyfr. Yn gyntaf, chafodd e mo'i eni yn Llanelli, ond yng Nghaerfyrddin. Yn ail, fuodd e ddim ar daith i Ogledd Iwerddon erioed. Mae'r teulu i gyd yn siomedig, yn enwedig mam-gu. Dyn ni'n disgwyl ymddiheuriad.

Yr eiddoch yn gywir,
Meirwen Edwards-Morris

Annwyl Miss Morgan,

Roedd hi'n flin gyda fi glywed am ddoe. Clywais fod plant o'r ysgol wedi camymddwyn yn ystod y daith i'r ganolfan. Wrth gwrs, byddwn ni'n cael gair gyda'r plant a'r athrawon i ffeindio pwy oedd yn gyfrifol. Hefyd, byddwn ni'n ysgrifennu at eu rhieni nhw. Unwaith eto, ymddiheuriadau am y llanast, a gobeithio y byddwch chi'n rhoi'r un neges i'r staff i gyd.

Yr eiddoch yn gywir,
Mrs Lucille Lewis
(Pennaeth yr Ysgol)

Deialog

A: Ces i lythyr rhyfedd ddoe.
B: Oddi wrth bwy?
A: Oddi wrth y dyn drws nesa.
B: Pam na fasai fe'n dod draw i gael gair?
A: Dw i ddim yn gwybod.
B: Wel, beth mae e'n ddweud yn y llythyr?
A: Mae e'n ein gwahodd ni i barti ymddeol heno.
B: Chwarae teg iddo fe. Do'n i ddim yn gwybod eich bod chi'n ffrindiau.
A: Wel, dyna'r peth. Dw i erioed wedi siarad â'r dyn.
B: Ydy e'n byw ar ei ben ei hun?
A: Nac ydy, mae gwraig a dau o blant gyda fe.
B: Falle fod e eisiau dod i nabod ei gymdogion e.

A: Mae'n bosib. Dyn nhw ddim wedi dangos diddordeb cyn hyn.
B: Dych chi'n bwriadu mynd?
A: Dyn ni ddim wedi penderfynu'n iawn.
B: Ydy'r teulu drws nesa'n siarad Cymraeg?
A: Dw i'n meddwl bod nhw.
B: Mae hynny'n rhyfedd. Os ydyn nhw'n siarad Cymraeg, basai rhywun yn yr ardal yn gwybod rhywbeth amdanyn nhw.
A: Rwyt ti'n iawn. Wel, does dim ond un ffordd o ffeindio allan!
B: Derbyn y gwahoddiad! Rho wybod beth ddigwyddodd.

Sgwrsio

1. Dych chi wedi cael gwahoddiad annisgwyl erioed?
2. Beth dych chi'n wybod am y bobl sy'n byw drws nesa i chi?

Darn Darllen

Gyda'ch partner, darllenwch y llythyr yma a rhoi'r geiriau addas yn y bylchau:

> ______________ Gyfaill,
>
> Diolch yn fawr ________ eich llythyr ynglŷn â'r cyngerdd. Yn anffodus, fydd y côr ddim yn gallu ___________ i'r cyngerdd, gan fod digwyddiad arall ymlaen yr _____________ noson. Mae'r côr yn mynd i gartref hen ______________ bob blwyddyn, a dyn ni wedi trefnu ein bod yn mynd i'r Hafod y nos Wener yna. Mae'n ______________ iawn gyda fi am hynny, a gobeithio byddwn ni'n gallu dod atoch chi eto yn y ______________
>
> Yn ______________,
>
> Elwyn Prosser (Ysgrifennydd y Côr)

Tasg - ysgrifennu llythyr

Gyda'ch partner, ysgrifennwch lythyr 5 neu 6 llinell ar un o'r pynciau yma:

a. Ysgrifennwch at athrawes eich plentyn 7 oed yn gofyn am gyfarfod i drafod gwaith eich plentyn.

b. Mae aelod arall o'r dosbarth heb fod yma ers tair wythnos. Ysgrifennwch ato/ati yn gofyn ydy e/hi'n iawn ac i ddweud beth mae e/hi wedi ei golli yn y dosbarth.

Sgwrsio

1. Dych chi'n un (d)da am gadw mewn cysylltiad â ffrindiau?
2. Dych chi'n ysgrifennu llythyrau, yn anfon e-bost, yn tecstio neu'n ffonio?
3. Pan o'ch chi'n blentyn, oedd ffrind trwy lythyr gyda chi? (*pen friend*)
4. Os oedd, gwrddoch chi â'ch ffrind o gwbl? Dych chi'n dal mewn cysylltiad?

Geirfa

addas - *suitable*
aduniad - *reunion*
amgaeaf (amgáu) - *I enclose, I am enclosing (to enclose)*
anghywir - *incorrect*
annisgwyl - *unexpected*
Annwyl - *Dear*
ar ran - *on behalf of*
bwriad(au) - *intention(s)*
bwriadu - *to intend*
cadw mewn cysylltiad - *to keep in touch*
camymddwyn - *to misbehave*
Cofion cynnes - *Warm regards*
Cofion gorau - *Best regards*
cwyno - *to complain*
cydweithrediad - *co-operation*
cyfrifol - *responsible*
cymydog (cymdogion) - *neighbour(s)*
derbyn - *to accept* (ond hefyd '*to receive*' weithiau)
digwyddiad(au) - *event(s), happening(s)*
diolchgar - *thankful*
disgwyl - *to expect, to wait*
dod draw - *to come over*
e-bost - *e-mail*
ers talwm - *a long time ago*
ffaith (ffeithiau) (b) - *fact(s)*
ffrind trwy lythyr - *pen-friend*
gwahoddiad(au) - *invitation(s)*

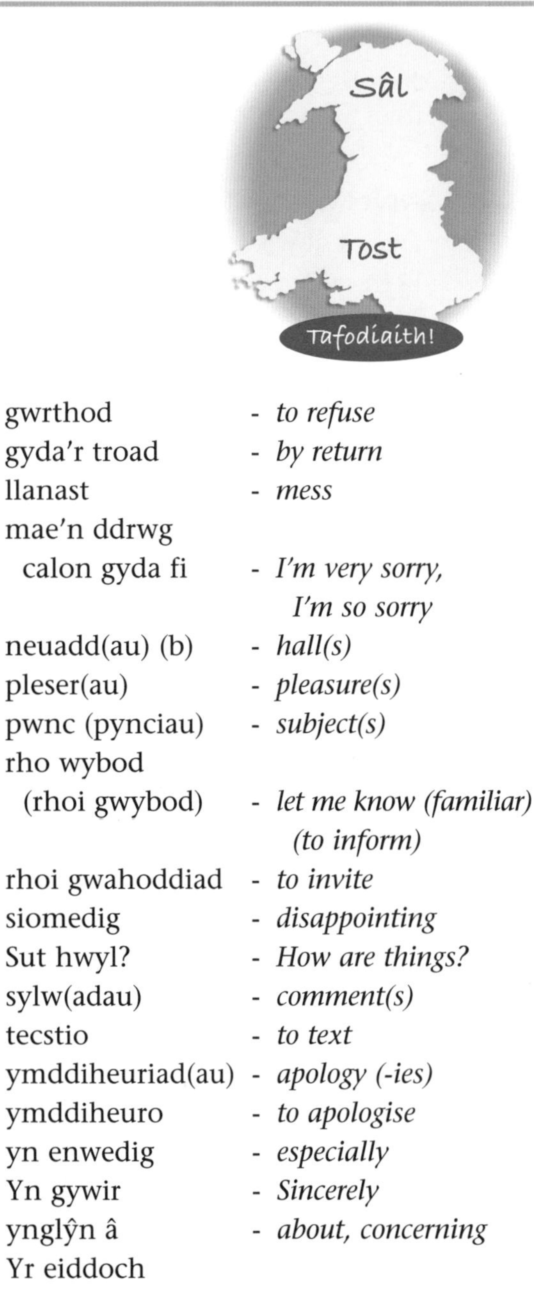

gwrthod - *to refuse*
gyda'r troad - *by return*
llanast - *mess*
mae'n ddrwg calon gyda fi - *I'm very sorry, I'm so sorry*
neuadd(au) (b) - *hall(s)*
pleser(au) - *pleasure(s)*
pwnc (pynciau) - *subject(s)*
rho wybod (rhoi gwybod) - *let me know (familiar) (to inform)*
rhoi gwahoddiad - *to invite*
siomedig - *disappointing*
Sut hwyl? - *How are things?*
sylw(adau) - *comment(s)*
tecstio - *to text*
ymddiheuriad(au) - *apology (-ies)*
ymddiheuro - *to apologise*
yn enwedig - *especially*
Yn gywir - *Sincerely*
ynglŷn â - *about, concerning*
Yr eiddoch yn gywir - *Yours sincerely*
ysgrifennaf - *I write, I am writing*

Cwrs Canolradd: Uned 10

Nod: Adolygu ac ymestyn

Ymarfer

Wnes i ddim byd ddoe
Gweithiais i'n galed ddoe

Bydd rhaid i fi fynd i'r swyddfa yfory
Bydd rhaid i fi aros gartre

Dylwn i fod yn Sbaen wythnos 'ma
Dylwn i alw i weld mam wythnos 'ma

Dw i'n meddwl bod *Pobl y Cwm* yn wych
Dw i'n meddwl bod *Eastenders* yn ddiflas

Dw i wrth fy modd gyda chwaraeon
Dw i wrth fy modd yn ateb cwestiynau

Fi sy'n bwydo'r ci fel arfer
Rhywun arall sy'n golchi'r llestri

Wnes i mo'r gwaith cartre
Welais i mo John yn y dafarn

Gofynnwch y cwestiynau yma i'ch partner.

1. Beth wnest ti ddoe?
2. Beth sy raid i ti wneud yfory?
3. Beth ddylet ti wneud wythnos 'ma?
4. Beth wyt ti'n feddwl o operâu sebon?
5. Beth wyt ti'n lico wneud fwya?
6. Yn dy dŷ di, pwy sy'n gwneud beth fel arfer? e.e. Fi sy'n..., Sam sy'n...
7. Siarada am rywbeth na wnest ti cyn dod i'r dosbarth, e.e. Olchais i mo'r llestri.

rhywbeth **na** wnest ti = rhywbeth wnest ti **mohono fe**

Nawr, trowch y cwestiynau i siarad am rywun arall yn y dosbarth.
Dyfalwch (*guess*) yr atebion!

Tasg - mohono fe / mohoni hi

Dyma restr o'r pethau wnaethoch chi i John. Newidiwch y brawddegau i ddweud **na** wnaethoch chi'r pethau yma, gan ddilyn yr enghraifft.

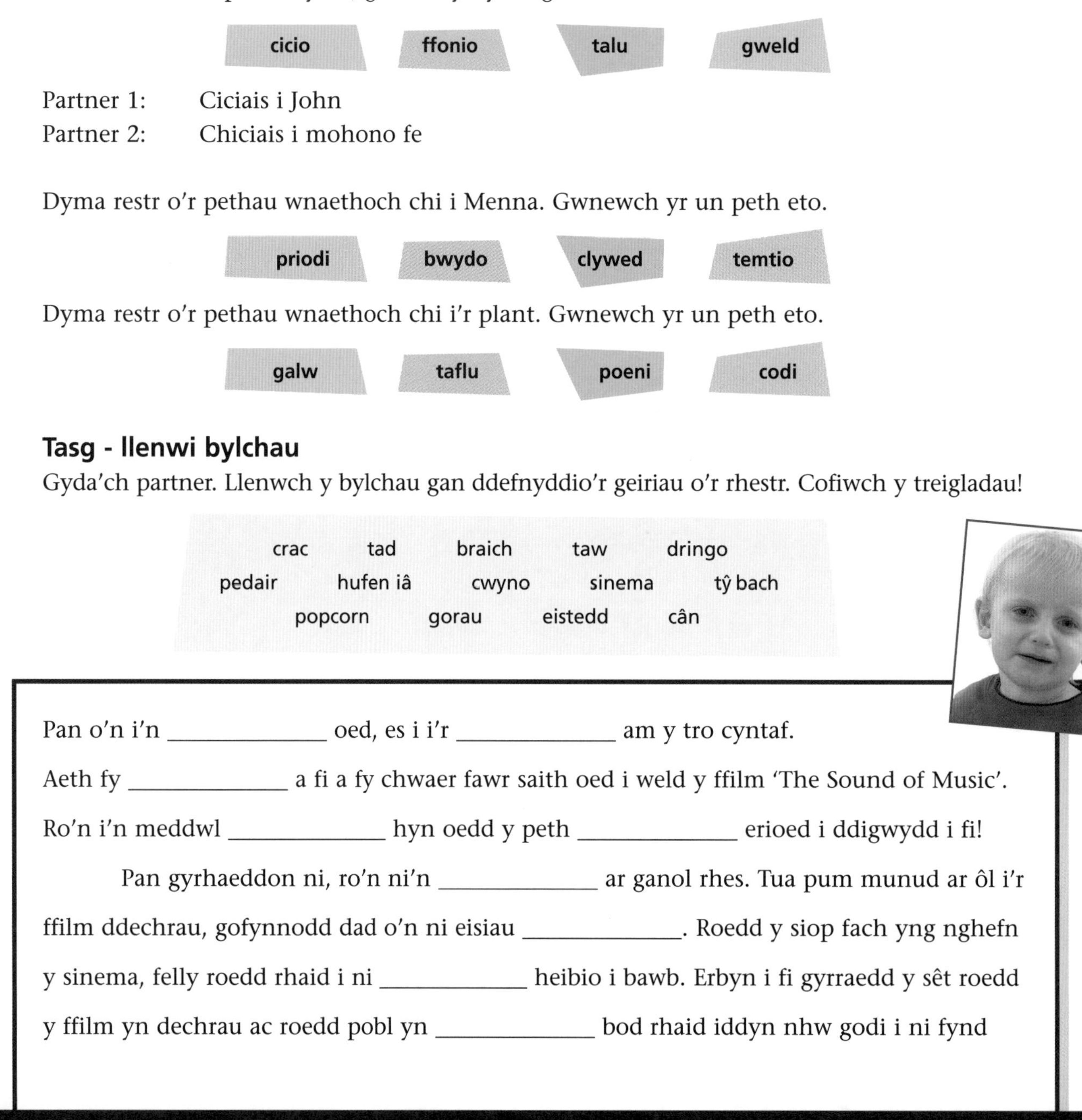

cicio **ffonio** **talu** **gweld**

Partner 1: Ciciais i John
Partner 2: Chiciais i mohono fe

Dyma restr o'r pethau wnaethoch chi i Menna. Gwnewch yr un peth eto.

priodi **bwydo** **clywed** **temtio**

Dyma restr o'r pethau wnaethoch chi i'r plant. Gwnewch yr un peth eto.

galw **taflu** **poeni** **codi**

Tasg - llenwi bylchau

Gyda'ch partner. Llenwch y bylchau gan ddefnyddio'r geiriau o'r rhestr. Cofiwch y treigladau!

crac tad braich taw dringo
pedair hufen iâ cwyno sinema tŷ bach
popcorn gorau eistedd cân

Pan o'n i'n ____________ oed, es i i'r ____________ am y tro cyntaf.
Aeth fy ____________ a fi a fy chwaer fawr saith oed i weld y ffilm 'The Sound of Music'.
Ro'n i'n meddwl ____________ hyn oedd y peth ____________ erioed i ddigwydd i fi!

Pan gyrhaeddon ni, ro'n ni'n ____________ ar ganol rhes. Tua pum munud ar ôl i'r ffilm ddechrau, gofynnodd dad o'n ni eisiau ____________. Roedd y siop fach yng nghefn y sinema, felly roedd rhaid i ni ____________ heibio i bawb. Erbyn i fi gyrraedd y sêt roedd y ffilm yn dechrau ac roedd pobl yn ____________ bod rhaid iddyn nhw godi i ni fynd heibio. Deg munud ar ôl i'r ffilm ddechrau (pan o'n nhw'n trafod problem fel Maria), roedd rhaid i mi fynd i'r _____________. Welon ni mo'r plant yn cwrdd â Maria, ac roedd fy chwaer yn _____________ iawn.

Roedd popeth yn iawn nes i fi glywed y _____________ 'Doh a Deer'. Ro'n i wedi clywed hon o'r blaen ac roedd rhaid i fi sefyll ar ben y gadair a'i chanu hi'n uchel. Roedd dad wedi cael llond bol. Cododd e fi ag un _____________, a dal llaw fy chwaer, cario'r cotiau a'n tynnu ni i gyd ma's heibio i bawb mewn llai na phedair munud. Yn anffodus, anghofiodd e'r _____________, felly criais i nes cyrraedd adre. Y noson honno dwedodd fy nhad na faswn i'n cael mynd i'r sinema eto am amser hir iawn!

Dych chi'n cofio codi cywilydd ar eich teulu pan o'ch chi'n blant bach?
Ydy eich plant chi wedi codi cywilydd arnoch chi erioed?

Tasg - gwrando a deall

Gyda'ch partner, trafodwch y cwestiynau yma; yna, gwrandewch ar y darn gwrando a'u hateb:

Yma, mae Caren a Ioan yn siarad ar iard yr ysgol.

i. Pam mae Caren a Ioan yn poeni am wythnos nesa?
ii. Pwy fydd yn edrych ar ôl plant Ioan?
iii. Pam bydd rhaid i Ioan fod yn y gwaith?
iv. Pwy yw Daniel?
v. Ble bydd teulu Caren yn aros yng Nghernyw?
vi. Sut mae'r tywydd?
vii. Beth sy'n digwydd i Daniel wythnos nesa?
viii. Ble mae Ioan yn gweithio?

Darn Darllen

Cyrraedd Carreg Filltir (allan o'r *Cymro*, Mawrth 2006)

Dyw hi ddim wedi bod yn hawdd, ond nos Sadwrn diwetha, cyrhaeddodd Idris Jones garreg filltir arbennig, wrth iddo ennill yr Ail Dan ym myd Karate.

Mae Idris yn dod o Sir Fôn, ond nawr mae e'n byw ym Morfa Bychan, ger Porthmadog ac yn gweithio fel peintiwr ac arwyddwr. Naw mlynedd yn ôl, cafodd un o arennau Idris ei rhoi i'w frawd e, Robert, sy'n byw yn Llangefni. Roedd y llawdriniaeth yn llwyddiannus, ond yn ddiweddar, mae problemau newydd wedi codi a bydd rhaid i Robert gael trawsblaniad arall yn y dyfodol. Buodd Idris ei hunan yn sâl iawn pan gafodd e feirws.

Ond, meddai Idris, rhaid brwydro ymlaen. Dwedodd e fod ennill yr Ail Dan wedi bod yn waith caled, ond roedd e wedi mwynhau'r cyfan. 'Ro'n i wrth fy modd,' meddai, 'roedd hi'n noson arbennig iawn'.

Y cam nesa i Idris fydd rhedeg Ras yr Wyddfa ym mis Gorffennaf, ac mae e'n gobeithio codi arian i Ambiwlans Awyr Gogledd Cymru. 'Dw i hefyd yn gobeithio ennill y Trydydd Dan,' meddai, 'ond bydd rhaid ymarfer yn galed am dair blynedd. Bydd hi'n anrheg pen-blwydd wych - bydda i'n 50 oed yn 2009!'

Cwestiynau

1. Beth ddigwyddodd nos Sadwrn diwetha?
2. Ble mae Idris yn byw? Ble mae ei frawd e'n byw?
3. Beth yw gwaith Idris?
4. Sut helpodd Idris ei frawd e?
5. Sut mae ei frawd e erbyn hyn?
6. Beth oedd Idris yn feddwl o nos Sadwrn?
7. Sut mae Idris yn mynd i godi arian nesa?
8. Faint oedd oedran Idris yn 2006?

Sgwrsio

Beth yw'r cerrig milltir yn eich bywyd chi? Rhestrwch 4 ohonyn nhw ar ddarn o bapur a'u rhoi o flaen y grŵp. Bydd pawb yn gofyn cwestiynau i chi amdanyn nhw.

Geirfa

Ambiwlans Awyr	-	*Air Ambulance*
aren (arennau) (b)	-	*kidney(s)*
arwyddwr (arwyddwyr)	-	*sign-maker(s)*
brwydro ymlaen	-	*to battle on*
cael llond bol	-	*to have a belly full*
carreg filltir (cerrig milltir) (b)	-	*milestone(s)*
codi cywilydd	-	*to embarrass*
dyfalu	-	*to guess*
llawdriniaeth(au) (b)	-	*operation(s)*
rhes(i) (b)	-	*row(s)*
temtio	-	*to tempt*
trawsblaniad(au)	-	*transplant(s)*

ei ___ o

ei ___ e

Tafodiaith!

Cwrs Canolradd: Uned 11

Nod: Trafod y dosbarth; defnyddio arddodiaid

Ymarfer

Dyn ni'n disgwyl **am** y tiwtor
Dyn ni'n sôn **am** y tywydd
Dyn ni'n edrych **ar** y tiwtor yn cyrraedd
Dyn ni'n chwilio **am** ein gwaith cartref
Dyn ni'n dweud 'helo' **wrth** y tiwtor
Dyn ni'n ymddiheuro **am** anghofio
Dyn ni'n meddwl **am** gael coffi
Dyn ni'n cwyno **am** dreigladau
Dyn ni'n gwrando **ar** dâp
Dyn ni'n chwilio **am** yr atebion
Dyn ni'n edrych **ar** y cloc
Dyn ni'n anfon tecst **at** y tiwtor
Dyn ni'n darllen **am** yr Eisteddfod
Dyn ni'n siarad â phartner **am** yr Eisteddfod
Dyn ni'n ymweld **â'r** Eisteddfod
Dyn ni'n clywed **am** y gwaith cartref
Dyn ni'n mynd **i'r** dafarn / **i'r** caffi
Dyn ni'n edrych ymlaen **at** y wers nesaf

Tasg - gofyn cwestiynau

Nawr, gofynnwch gwestiwn gan ddechrau â'r gair bach mewn print tywyll, i fynd gyda'r atebion uchod, e.e.

A: **Am** bwy dych chi'n disgwyl?
B: Dyn ni'n disgwyl **am** y tiwtor.

A: **Ar** beth dych chi'n edrych?
B: Dyn ni'n edrych **ar** y cloc.

A: **At** bwy dych chi'n anfon tecst?
B: Dyn ni'n anfon tecst **at** y tiwtor.

Ceisiwch feddwl am atebion gwahanol!

Ymarfer

Pwy ddwedodd wrthoch chi?	Jac ddwedodd wrthon ni
Dwed wrtha i!	Dw i wedi dweud wrthot ti'n barod
Paid dweud wrth y tiwtor	Dw i ddim yn mynd i ddweud wrtho fe / wrthi hi
Wyt ti wedi dweud wrth bawb arall?	Dw i ddim wedi dweud wrthyn nhw!
Wyt ti am ddweud wrth y bos?	Dw i ddim eisiau dweud wrtho fe

Tasg - trefnu parti

Dych chi fel dosbarth yn trefnu parti. Penderfynwch pwy sy'n cael dod i'ch parti. Rhaid iddyn nhw i gyd fod yn enwog, a rhaid i chi gytuno, e.e.

A: Gawn ni ofyn i Bill Clinton?
B: Dw i wedi gofyn iddo fe - mae e a Hilary'n dod!
A: Gawn ni ofyn i Madonna?
B: Dw i ddim eisiau gofyn iddi hi.
A: Gawn ni ofyn i Tony a Cherie?
B: Dw i wedi gofyn iddyn nhw - dôn nhw os bydd Bill a Hilary'n dod.

Defnyddiwch y ddeialog i siarad am bwy sy'n dod i'ch parti chi.

Ymarfer

Os dych chi wedi benthyg arian gan rywun, mae **arnoch chi** arian iddyn nhw:

Mae arna i ddwy bunt i John	*I owe John two pounds*
Mae arna i ddwy bunt iddo fe	*I owe him two pounds*
Mae arna i ddwy bunt i Mair	*I owe Mair two pounds*
Mae arna i ddwy bunt iddi hi	*I owe her two pounds*
Mae arna i ddwy bunt i John a Mair	*I owe John and Mair two pounds*
Mae arna i ddwy bunt iddyn nhw	*I owe them two pounds*
Mae arno fe ddwy bunt i fi	*He owes me two pounds*
Mae arni hi ddwy bunt i fi	*She owes me two pounds*
Oes arnyn nhw rywbeth i ni?	*Do they owe us something?*

A: Oes **arnon ni** rywbeth am y **coffi**?
B: Oes, mae **arnoch chi 50c** yr un. Os **dych chi** wedi cael **bisgïen, mae arnoch chi 80c**!

Gyda'ch partner, newidiwch y geiriau mewn print tywyll.

Tasg – cwestiynau

Gofynnwch y cwestiynau yma i'ch partner, ac atebwch yr un cwestiynau:

At ba ddoctor wyt ti'n mynd?
At ba ddeintydd wyt ti'n mynd?
I ba wlad dramor est ti ar wyliau gynta erioed?
Â phwy siaradaist ti ar y ffôn ddiwetha?
Ar ba raglen deledu edrychaist ti ddiwetha?
Ym mha gaffi / tŷ bwyta fwytaist ti ddiwetha?
At bwy ysgrifennaist ti ddiwetha?

Tasg – cwis

Bydd y tiwtor yn rhannu'r dosbarth yn ddau. Rhowch yr atebion yn y golofn gynta:

Ateb	Cwestiwn

Nawr gyda'ch partner, ceisiwch gofio beth oedd y cwestiynau!

Tasg - dewis siaradwyr gwadd

Dych chi'n trefnu rhaglen eich cangen o CYD.
Meddyliwch am bobl enwog i ddod i siarad â chi am y pedwar mis nesaf.
Does dim rhaid iddyn nhw fod yn gallu siarad Cymraeg - mae offer cyfieithu gyda chi!
Gofynnwch gwestiynau fel:

Gawn ni ofyn i...?
Dw i ddim eisiau gofyn iddi hi!
Iawn, dw i'n fodlon gofyn iddo fe.

Am beth fydd e'n siarad?
Caiff e/hi siarad am....

Ar y diwedd, dwedwch wrth y dosbarth pwy dych chi'n edrych ymlaen fwyaf at ei glywed yn siarad.

Mis:	Enw:	Pwnc:
Mis:	Enw:	Pwnc:
Mis:	Enw:	Pwnc:
Mis:	Enw:	Pwnc:

Deialog

A: Mae Mair wedi ysgrifennu aton ni.
B: Beth sy'n bod arni hi nawr?
A: Dim byd. Do'n i ddim wedi siarad gyda hi ers talwm.
B: Ydy hi'n gofyn amdana i?
A: Nac ydy. Ro'n i'n falch o glywed oddi wrthi hi.
B: Beth ddwedodd hi wrthot ti?
A: Mae'r llythyr yma gyda fi. Wyt ti eisiau edrych arno fe?
B: Mewn munud. Wnei di ysgrifennu nôl ati hi?
A: Gwnaf, heno gobeithio.
B: Cofia fi ati hi. Wyt ti'n meddwl dylet ti ddweud wrthi hi eto?
A: Ddwediff hi ddim wrth neb os gofynna i iddi hi beidio dweud.
B: Dw i wedi gwrando arni hi'n hel clecs. Dw i'n poeni!
A: Poeni am beth?
B: Amdani hi'n dweud ein hanes ni wrth y byd a'r betws.
A: Mae hi'n sôn am ddod i aros gyda ni.
B: Nefoedd! Am faint?
A: Dw i ddim yn gwybod. Mae hi'n dweud ei bod hi'n edrych ymlaen at ein gweld ni i gyd.
B: Ydy, mae'n siŵr.
A: Ac mae hi'n gofyn allwn ni ofalu am ei chi hi am bythefnos tra bydd hi'n mynd at ei chwaer yng Nghanada.
B: Y Doberman! Ofala i ddim amdano fe wir! Beth am y 'Gwesty Cŵn' crand lle mae e'n aros fel arfer?
A: Mae hi wedi gofyn iddyn nhw ond maen nhw'n dweud bod nhw'n llawn.
B: Llawn wir! Wyt ti'n cofio beth wnaeth e i'r Chiwawa 'na y tro diwetha?
A: Ydw! Beth am esgus bod y Swyddfa Bost wedi colli'r llythyr 'ma...
B: Syniad da! A beth am drefnu gwyliau i ni yn sydyn!

Darn Darllen

Darllenwch y llythyr, ac atebwch y cwestiynau:

Annwyl Mari,

Diolch yn fawr iawn i ti am gynnig prynu'r holl docynnau i fynd i'r Noson Lawen. Mae John yn dweud bod arno fe dair punt i Huw ers nos Fercher - felly taliff e am docyn Huw hefyd. Mae Huw yn dweud bod arno fe chwe phunt i Mai felly pryniff e docyn Mai a'i gŵr.

Mae Alun yn canu gyda chôr y Ceffyl Gwyn. Felly bydd e yna beth bynnag. Does neb i warchod gyda Meic, felly anghofia amdano fe. Mae Sara'n dweud bod arnat ti bum punt iddi hi, felly wnei di brynu ei thocyn hi a rhoi dwy bunt yn ôl iddi hi?

Dyma siec Gareth a Liz. Maen nhw'n dweud bod arnyn nhw ddeg punt i rywun ers y cinio Nadolig diwetha - ond anghofia am hynny, gofynnan nhw i bawb ar y noson. Dw i wedi ffaelu cysylltu â Jane - penderfyna di os wyt ti am brynu tocyn drosti hi. Mae tocynnau gyda Peter a Paula'n barod.

Dyma siec oddi wrtha i am £6, fydd arna i a Claire ddim byd i ti wedyn. Gobeithio bod hyn yn gywir - dw i ddim yn meddwl y bydd arnon ni ddim byd i ti yn y diwedd. Rwyt ti'n haeddu potel o win am dy drafferth!

Gwela i ti y tu fa's i'r neuadd am chwarter wedi saith,

Hwyl,
Aled

Gyda'ch partner, penderfynwch:

i. Faint o docynnau fydd rhaid i Mari brynu i gyd?
ii. Pwy sydd ddim angen tocynnau?
iii. Pwy sydd ddim yn mynd o gwbl?
iv. Pwy sy'n talu dros Huw?
v. Pam bydd Huw yn rhoi arian i Mari hefyd?
vi. Ydy Sara'n mynd i roi arian i Mari?
vii. Enwch un eitem fydd yn y Noson Lawen.
viii. Fydd Mari'n cynnig prynu tocynnau i bawb eto?

Sgwrsio

Pan o'ch chi'n blentyn...

i. I ble aethoch chi i'r ysgol gynradd?
ii. I ble aethoch chi i'r ysgol uwchradd?
iii. Sut o'ch chi'n mynd i'r ysgol?
iv. Beth o'ch chi'n ei fwynhau fwyaf / leiaf yn yr ysgol?
v. Gyda phwy oeddech chi'n hoffi chwarae? Beth o'ch chi'n chwarae?
vi. At bwy o'ch chi'n hoffi mynd i aros ar wyliau?
vii. Sut dych chi'n meddwl bod ysgolion wedi newid erbyn hyn?

Geirfa

arddodiad
(arddodiaid) - *preposition(s)*
benthyg arian gan - *to borrow money from*
benthyg arian i - *to lend money to*
beth bynnag - *anyway*
cangen
(canghennau) (b) - *branch(es)*
cynnig - *to offer*
chwilio am - *to look for*
disgwyl am,
aros am - *to wait for*
esgus - *to pretend*
esgus (esgusodion) - *excuse(s)*
ffaelu, methu - *to fail*
gofalu am - *to look after*
haeddu - *to deserve*
hel clecs - *to gossip*
Nefoedd! - *Heavens!*
noson lawen
(nosweithiau llawen) (b)
- *evening of light entertainment*
offer cyfieithu - *translation equipment*
sôn am - *to talk about, to mention*
trafferth(ion) (b) - *trouble(s)*
y byd a'r betws - *all and sundry*
ysgol gynradd
(ysgolion cynradd) (b)
- *primary school(s)*
ysgol uwchradd
(ysgolion uwchradd) (b)
- *secondary school(s)*

methu
ffaelu
Tafodiaith!

Gramadeg

Dyma'r arddodiaid mwyaf cyffredin (*most common prepositions*):

ar	**am**	**at**
ar John	am John	at John
arna i	amdana i	ata i
arnat ti	amdanat ti	atat ti
arno fe	amdano fe	ato fe
arni hi	amdani hi	ati hi
arnon ni	amdanon ni	aton ni
arnoch chi	amdanoch chi	atoch chi
arnyn nhw	amdanyn nhw	atyn nhw

i	**wrth**	**o**
i John	wrth John	o John
i fi	wrtha i	ohona i
i ti	wrthot ti	ohonot ti
iddo fe	wrtho fe	ohono fe
iddi hi	wrthi hi	ohoni hi
i ni	wrthon ni	ohonon ni
i chi	wrthoch chi	ohonoch chi
iddyn nhw	wrthyn nhw	ohonyn nhw

Cwrs Canolradd: Uned 12

Nod: Defnyddio 'cael'

Ymarfer

Ble gest ti dy eni?	Ges i fy ngeni yn....
Ble gest ti dy fagu?	Ges i fy magu yn....
Ble gaeth dy rieni eu geni?	Gaeth fy mam ei geni yn...
	Gaeth fy nhad ei eni yn...
	Gaethon nhw eu geni yn...
Ble gaeth dy rieni eu magu?	Gaethon nhw eu magu yn...
Ble gaeth dy blant eu geni?	Gaethon nhw eu geni yn...

Gofynnwch y cwestiynau yma i'ch partner, yna gofyn cwestiynau'n dechrau â **Pryd**...

Gramadeg

Dyma'r treigladau ar ôl **Gaeth e ei...**, **Gaeth hi ei...**, **Gaethon nhw eu...** :

Gwrywaidd (*masculine*)	= treiglad meddal
Benywaidd (*feminine*)	= treiglad llaes (t, c, p)
Lluosog (*plural*)	= dim treiglad

Os nad ydych chi'n siŵr, defnyddiwch y gwrywaidd,

e.e. Gaeth yr eliffant ei eni yn Sw Bryste.

Y term gramadegol ar gyfer y patrwm hwn yw'r **goddefol** (*passive*).

Ymarfer

Pryd gaeth eich tŷ ei adeiladu?	
Gaeth e ei adeiladu	yn y nawdegau
	yn yr wythdegau
	yn y saithdegau
	yn y chwedegau
	yn y ganrif ddiwetha

Gofynnwch i'ch gilydd am oedran yr adeiladau yn y dre - dyfalwch!

	Benywaidd		Gwrywaidd
Pryd gaeth	yr eglwys ei hadeiladu?	Pryd gaeth	y pwll nofio ei adeiladu?
	yr ysgol		y coleg
	yr archfarchnad		y gwesty
	y neuadd		y capel

Gaeth hi ei hadeiladu yn y saithdegau.

Ymarfer

Beth ddigwyddodd i'r plant ddoe?	Gaethon nhw eu hanfon i'r ysgol Gaethon nhw eu cosbi
Beth sy'n digwydd i'r tai?	Maen nhw'n cael eu gwerthu Maen nhw'n cael eu peintio
Beth sy wedi digwydd i'r coed?	Maen nhw wedi cael eu torri Maen nhw wedi eu torri * * Does dim *rhaid* rhoi **cael** gyda **wedi**.
Beth ddigwyddiff i'r cathod yn y dyfodol?	Cân nhw eu bwydo Cân nhw eu lladd

Gyda'ch partner, gofynnwch y cwestiynau **Beth ddigwyddodd i...** ac yn y blaen. Siaradwch am **y lladron**, **y blodau**, **y llyfrau**, **y tiwtor**, **y rhaglen**.

Gramadeg

Mae **cael** yn gallu golygu (*can mean*) llawer o bethau, e.e.

Mae e'n cael ei anfon	= *It/He is being sent*
Mae e'n cael mynd	= *He's allowed to go*
Mae e'n cael anrheg	= *He's getting a present*
Gaiff e fynd?	= *May he go?*
Gaiff e anrheg?	= *May he have present?* *Will he have present?*
Ges i lythyr	= *I had/received a letter*

Tasg - beth sy'n digwydd i...

Siaradwch am y pethau yma, gan ddilyn yr enghraifft.

Enghraifft: tŷ / peintio

Beth sy'n digwydd i'r **tŷ** nawr?	Mae e'n cael ei beintio
Beth ddigwyddodd i'r **tŷ** ddoe?	Gaeth e ei beintio
Beth sy wedi digwydd i'r **tŷ**?	Mae e wedi cael ei beintio
Beth ddigwyddiff i'r **tŷ** yfory?	Caiff e ei beintio

i. y ferch / talu
ii. y lleidr / dal
iii. y dynion / arestio
iv. fi / codi
v. ti / penodi

Darn Darllen

Beth yw Cân i Gymru?

Mae Cân i Gymru yn gystadleuaeth i gyfansoddi cân bop newydd. Mae hi'n digwydd ar Ddydd Gŵyl Dewi, bob blwyddyn, ac mae hi'n cael ei dangos ar S4C, yn fyw. Mae'r gân orau yn cael ei dewis gan y gwylwyr, drwy ffonio, tecstio neu e-bostio. Mae'r enillwyr yn cael llawer o arian, ac maen nhw'n cael mynd i gystadlu mewn gŵyl yn Iwerddon. Nhw sy'n cynrychioli Cymru yn yr ŵyl Ban-Geltaidd. Gaeth Cân i Gymru ei hennill yn 2006 gan Ryland Teifi.

Gyda'ch partner, ysgrifennwch 5 cwestiwn yn seiliedig ar (*based on*) y darn darllen.

Deialog

Cyfweliad (dychmygol) ag enillydd Cân i Gymru

Ceri Tomos: Dw i'n siarad â Seimon Swnllyd, prif ganwr y grŵp *Sothach*, sy newydd ennill cystadleuaeth Cân i Gymru. Llongyfarchiadau Seimon.

Seimon S.: Diolch yn fawr!

Ceri: Pam dych chi'n meddwl gaethoch chi eich dewis?

Seimon S.: Achos taw ni oedd y gorau, siŵr o fod.

Ceri: Gaethoch chi bleidleisiau o dros Gymru i gyd, yn enwedig o Fangor, Aberystwyth, Abertawe a Chaerdydd.

Seimon S.: Mae'n braf cael eich gwerthfawrogi!

Ceri: Ydy, mae'n siŵr. Gawn ni ychydig o hanes y grŵp? Gaethoch chi i gyd eich geni a'ch magu yn Sanclêr?

Seimon: Ges i fy ngeni yn Sanclêr ac mae Dai Drymiwr o Dreforys, ond gaeth y gweddill eu geni ymhell o Gymru.

Ceri: A ble cwrddoch chi?

Seimon: Mewn cwrs Cymraeg yn Nant Gwrtheyrn. Ond erbyn hyn dyn ni i gyd yn mynd i golegau gwahanol yng Nghymru.

Ceri: Dych chi wir? A ble'n union dych chi'n mynd i'r coleg?

Seimon: Wel, dw i ym Mangor; yn Aberystwyth mae Bryn Blêr y bas; mae Dai Drymiwr yn Abertawe, a Julio yng Nghaerdydd.

Ceri: Dw i'n dechrau deall nawr. Dych chi'n meddwl bod rhai o fyfyrwyr Cymru wedi pleidleisio i chi?

Seimon: Mae'n bosib! Ro'n ni wedi dweud y basen ni'n trefnu bws o bob coleg yng Nghymru i fynd i'r ŵyl yn Iwerddon... tasen ni'n ennill.

Ceri: Diolch yn fawr Seimon. Pob hwyl i *Sothach* a myfyrwyr Cymru yn Iwerddon fis nesa.

Sgwrsio

i. Beth dych chi'n wybod am ganu pop Cymraeg?

ii. Dych chi'n gwrando ar ganu pop Saesneg? Ar beth dych chi'n gwrando?

iii. Dych chi wedi pleidleisio dros rywbeth ar y teledu erioed? e.e. *Big Brother* neu *X-Factor*?

iv. Pwy oedd eich hoff grŵp, neu'ch hoff ganwr neu gantores, pan o'ch chi'n ifanc?

Geirfa

archfarchnad(oedd) (b) - *supermarket(s)*
benywaidd - *feminine*
coeden (coed) (b) - *tree(s)*
cosbi - *to punish*
cyfansoddi - *to compose*
cyfweliad(au) - *interview(s)*
cynrychioli - *to represent*
cystadleuaeth (cystadlaethau) (b) - *competition(s)*
chwedegau - *sixties*
Dydd Gŵyl Dewi - *St David's Day*
dwl - *silly*
dychmygol - *imaginary*
enillydd (enillwyr) - *winner(s)*
goddefol - *passive*
gweddill - *(the) rest*
gwerthfawrogi - *to appreciate*
gwirion - *silly*
gwrywaidd - *masculine*
gŵyl (gwyliau) (b) - *festival(s)*

Gŵyl Ban-Geltaidd (b) - *Pan-Celtic Festival*
gwyliwr (gwylwyr) - *viewer(s)*
lleidr (lladron) - *thief (thieves)*
lluosog - *plural*
myfyriwr (myfyrwyr) - *student(s)*
nawdegau - *nineties*
newydd ennill - *just won*
penodi - *to appoint*
pleidlais (pleidleisiau) (b) - *vote(s)*
pleidleisio - *to vote*
saithdegau - *seventies*
seiliedig ar - *based on*
y ganrif ddiwetha (b) - *the last century*
yn enwedig - *especially*
yr wythdegau - *the eighties*

Gramadeg

Dyma'r ferf **cael** (gorffennol) wedi ei hysgrifennu'n llawn:

Llafar	**Ysgrifenedig**	**Ffurfiol iawn** *(very formal)*
Ges i	Ces i	Cefais
Gest ti	Cest ti	Cefaist
Gaeth e/hi	Cafodd e/hi	Cafodd
Gaethon ni	Cawson ni	Cawsom
Gaethoch chi	Cawsoch chi	Cawsoch
Gaethon nhw	Cawson nhw	Cawsant

Cwrs Canolradd: Uned 13

Nod: Defnyddio'r Amhersonol

Ymarfer

Wrth ysgrifennu rhywbeth ffurfiol, mae'n bosibl newid:

Gaeth / Cafodd Catherine Zeta Jones ei **geni** yn Abertawe
➔ **Ganwyd** Catherine Zeta Jones yn Abertawe

Meddyliwch am bobl enwog. Dwedwch wrth eich partner ble gaethon nhw eu geni, gan ddechrau â **Ganwyd...**

Yn aml iawn, clywch chi'r patrwm yma ar newyddion Radio Cymru ac S4C.

Cafodd yr ysbyty ei **agor**	➔	**Agorwyd** yr ysbyty .....
Cafodd deg o bobl eu **harestio**	➔	**Arestiwyd** deg o bobl .....
Cafodd dringwr ei **anafu**	➔	**Anafwyd** dringwr ....
Cafodd y ddamwain ei **hachosi** (gan)	➔	**Achoswyd** y ddamwain (gan)....
Cafodd y ras ei **hennill** (gan)	➔	**Enillwyd** y ras (gan) ....
Cafodd ffenest y siop ei **thorri** (gan)	➔	**Torrwyd** ffenest y siop (gan) ...

Gyda'ch partner, newidiwch y brawddegau sy'n dechrau â Cafodd... yn frawddegau ffurfiol.

Mynd, dod, gwneud, cael

mynd (â)	➔	aethpwyd/aed (â)	e.e.	Aethpwyd â chwech o bobl i'r ysbyty ar ôl tân
dod	➔	daethpwyd	e.e.	Daethpwyd o hyd i'r trysor yn yr ardd
gwneud	➔	gwnaethpwyd/gwnaed	e.e.	Gwnaethpwyd llawer o waith yn y swyddfa ddoe
cael	➔	cafwyd	e.e.	Cafwyd parti gwych i ddathlu... Cafwyd cyfarfod neithiwr i drafod... Cafwyd cyngerdd i godi arian at yr eisteddfod leol... Cafwyd Jeffrey Archer yn euog...

Yr Amherffaith

Os dych chi eisiau dweud bod rhywbeth yn *arfer* cael ei wneud, dyma'r patrwm:

gweld	➔	Gwelid mwy o ddynion llaeth ddeg mlynedd yn ôl *used to be seen*
defnyddio	➔	Defnyddid bwrdd du mewn ysgolion ers talwm *used to be used*

Dyma ddau air defnyddiol:

gelli**d**	➔	Gellid cael trên o'r Wyddgrug i Ddinbych ers talwm
dyli**d**	➔	Dylid anfon y ffurflenni treth yn ôl ar unwaith!

Y presennol a'r dyfodol

trafod	➔	Trafodir problemau cefn gwlad yn y Senedd heddiw *are / will be discussed*
perfformio	➔	Perfformir drama'r geni gan blant y capel
credu	➔	Credir bod 300 o bobl yn y brotest
dysgu	➔	Dysgir y plant ar gyfer Eisteddfod yr Urdd gan Miss Roberts
dweud	➔	Dywedir bod llawer o bobl yn mwynhau dawnsio llinell
disgwyl	➔	Disgwylir eira ar dir uchel heno
cael	➔	Ceir rhagor o bapur yn y swyddfa *More paper is to be had...*
gwneud	➔	Gwneir llawer o waith da gan Oxfam *Lots of good work is done...*

Newid y bôn

Yn aml, rhaid newid **a** y gorffennol i **e** yn y ffurfiau amherffaith a'r presennol,

e.e. cynhaliwyd ➔ cynhelir:

cynnal	➔	Cynhelir Noson Lawen heno Cynhelid cyngherddau yn y neuadd ers talwm Cynhaliwyd cyngerdd yn y neuadd neithiwr
caniatawyd	➔	Caniateir nofio yn y llyn yma

Negyddol

Mewn brawddegau negyddol ffurfiol, rhaid dechrau â **Ni** + treiglad llaes (**Nid** o flaen llafariad). Os nad oes treiglad llaes, mae treiglad meddal.

Ni chaniateir parcio
Ni phasiwyd y cynnig
Ni threfnwyd y parti

Ni fwytwyd y swper
Ni ddysgwyd y darn yn iawn
Ni welwyd y lleidr
Ni laddwyd neb yn y ddamwain
Ni fagwyd Moses gan ei deulu

Idiom ddiddorol: **Nid da lle gellir gwell**

Cyfieithwch yr idiom, yna trafod â'ch tiwtor.

Tasg - creu brawddegau

Defnyddiwch y sbardunau yma i greu eitemau newyddion:

Anafu / 200 o bobl / damwain trên / India
Agor / tŷ opera newydd / Caerdydd / Bryn Terfel
Llosgi / ffatri / Cwmbrân / neithiwr
Ennill / Oscar / Rhys Ifans / Hollywood / neithiwr
Lladd / tri o bobl / mewn damwain / ar yr M4 / y bore 'ma

Tasg - newid y darn

Newidiwch y darn i sôn am gyfarfod fydd yn digwydd heno.
Rhaid newid pob gair sy'n gorffen ag –**wyd**. Yna, bydd eich tiwtor yn rhoi tasg i chi.

Cynhaliwyd cyfarfod neithiwr i drafod sefydlu caffi cymunedol yn y pentre. Trefnwyd y cyfarfod gan y cyngor. Cynrychiolwyd llawer o gymdeithasau'r ardal. Gwnaethpwyd y te gan Ferched y Wawr a diolchwyd iddyn nhw gan y maer. Gofynnwyd i bawb am eu syniadau am sut i godi arian.

Deialog

A: Wyt ti'n mynd i'r cyfarfod yn neuadd y dre heno?
B: Pa gyfarfod?
A: Y cyfarfod i drafod y ffordd osgoi newydd. Mae'r Aelod Seneddol a'r Aelod Cynulliad wedi addo dod.
B: Ydy'r Aelod Seneddol yn gallu ffeindio'i ffordd o Lundain?
A: Wel, wyt ti am ddod?
B: Dylwn i ddod. Dw i'n meddwl bod y ffordd osgoi'n syniad gwych.
A: Sut wyt ti'n gallu dweud hynny? Fydd neb yn dod i'r dre i siopa, nac i wneud dim byd!
B: Dwyt ti ddim ond yn dweud hynny am dy fod di'n cadw siop!
A: Rhaid i bawb fyw.

B: Ond beth am y loris i gyd? A'r twristiaid ar y ffordd i'r traeth?
A: Wel, bydd y siambr fasnach yn cwyno am y cynllun beth bynnag.
B: Dw i'n edrych ymlaen at weld plant y dre'n cerdded i'r ysgol unwaith eto. Gwela i ti yna!
A: Dw i'n difaru mod i wedi dweud wrthot ti am y cyfarfod nawr.

Sgwrsio

i. Dych chi'n meddwl bod angen ffordd osgoi yn eich ardal chi?
ii. Meddyliwch am resymau o blaid a rhesymau yn erbyn cael ffordd osgoi yn eich ardal chi.
iii. Dych chi wedi protestio am rywbeth erioed?

Darn Darllen

Band Pres Aberwylan

Nos Wener diwetha, cynhaliwyd noson i agor ystafell ymarfer newydd band Aberwylan yng nghanol y pentre. Roedd dros ddau gant o bobl yno. Agorwyd yr ystafell gan yr Aelod Seneddol, Jeff Jones, a oedd yn arfer bod yn aelod o'r band.

Mae traddodiad hir o chwarae mewn bandiau pres yn yr ardal. Sefydlwyd y band yn y tridegau gan weithwyr y pwll glo, i gael mynd i ffwrdd ar benwythnosau. Bydd y band yn dathlu saith deg pum mlynedd y flwyddyn nesa.

Roedd y cyngor wedi cael arian o'r Loteri o'r diwedd ar ôl dechrau codi arian ddeg mlynedd yn ôl. Adeiladwyd yr ystafell gan weithwyr lleol.

Cwestiynau

1. Pam roedd llawer o bobl yn Aberwylan nos Wener?
2. Pam roedd Jeff Jones wedi agor yr ystafell ymarfer?
3. Pam roedd y gweithwyr wedi dechrau'r band?
4. Pam bydd y band yn dathlu y flwyddyn nesa?
5. Pam nad oedd yr ystafell wedi cael ei hagor ddeg mlynedd yn ôl?

Geirfa

Aelod(au) Cynulliad (AC) - *Assembly Member(s) (AM)*
Aelod(au) Seneddol (AS) - *Member(s) of Parliament (MP)*
amhersonol - *impersonal*
band(iau) pres - *brass band(s)*
bôn - *stem (of verb), trunk (of tree)*
caffi cymunedol - *community café*
cefn gwlad - *the countryside*
cynrychioli - *to represent*
dawnsio llinell - *line dancing*
difaru - *to regret, to repent*
drama'r geni (b) - *Nativity play*
ers talwm - *a long time ago, erstwhile, in the past*
ffordd osgoi (ffyrdd osgoi) (b) - *bypass(es)*
ffurflen dreth (ffurflenni treth) (b) - *tax form(s)*
maer - *mayor*
o blaid - *in favour of*
sbardun(au) - *prompt(s)*
sefydlu - *to establish*
siambr fasnach (b) - *chamber of trade*
traddodiad(au) - *tradition(s)*
trysor - *treasure*
ystafell(oedd) ymarfer (b) - *rehearsal room(s)*

Gramadeg

Dyma batrwm y berfau amhersonol cyffredin:

Gorffennol:
Gwelwyd y dyn ddoe — *The man was seen yesterday*
Cynhaliwyd y cyngerdd neithiwr — *The concert was held last night*

Amherffaith:
Gwelid dynion yn garddio ers talwm — *Men used to be seen gardening in the past*
Cynhelid cyngherddau yn y neuadd yn y ganrif ddiwetha — *Concerts used to be held in the hall in the last century*

Presennol a dyfodol:
Gwelir pobl yn y dafarn yn aml — *People are often seen in the pub*
Cynhelir y cyngerdd nos yfory — *The concert will be held tomorrow night*

Cwrs Canolradd: Uned 14

Nod: Llongyfarch rhywun a chydymdeimlo

Ymarfer

Llongyfarchiadau ar dy ben-blwydd yn un ar bymtheg oed.
Cei di briodi nawr!
Llongyfarchiadau ar dy ben-blwydd yn ddwy ar bymtheg oed.
Cei di yrru car nawr!
Llongyfarchiadau ar dy ben-blwydd yn ddeunaw oed.
Cei di bleidleisio nawr!
Cei di yfed mewn tafarn!

Llongyfarchiadau ar dy ben-blwydd yn un ar hugain / ddeugain / hanner cant / chwe deg pump oed
Cei di ymddeol nawr!

Tasg – sgwrsio

Dych chi'n cofio cyrraedd yr oedrannau yma?
Beth wnaethoch chi i ddathlu?
Os dych chi ddim wedi cyrraedd eto,
beth *fyddwch* chi'n wneud i ddathlu?

Ymarfer

Llongyfarchiadau ar dy swydd newydd
ar dy ddyrchafiad
ar dy ymddeoliad
ar basio dy arholiadau

Llongyfarchiadau ar enedigaeth eich plentyn
ar eich dyweddïad / priodas
ar eich priodas aur / arian

Pob hwyl ar y gwyliau!
Pob lwc gyda'r symud tŷ!
Dymuniadau gorau gyda'r swydd newydd
Pob dymuniad da yn y coleg

Tasg - hysbysiadau papur bro

Dyma restr o enwau a ymddangosodd yn y papur bro yn ddiweddar. Mae pob un ohonyn nhw'n cael ei longyfarch am wahanol resymau.

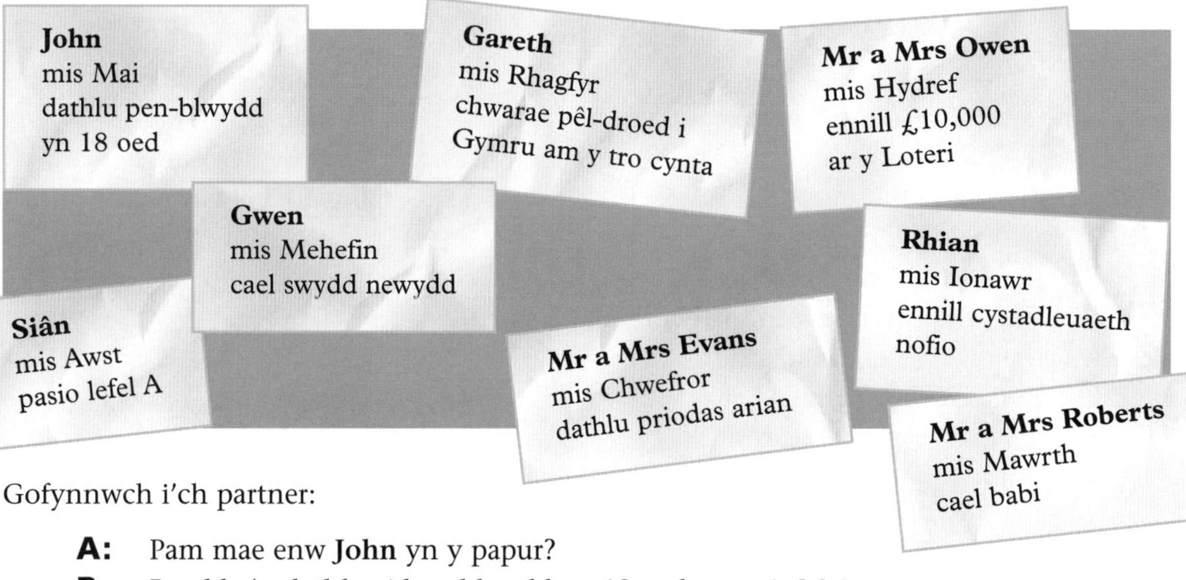

Gofynnwch i'ch partner:

A: Pam mae enw **John** yn y papur?
B: Roedd e'n dathlu ei ben-blwydd yn 18 oed ym mis Mai.
A: Pam mae enw **Siân** yn y papur?

Wedyn dwedwch longyfarchiadau wrth bob un, e.e.

Llongyfarchiadau Rhian.
Dw i'n clywed / Dw i'n deall dy fod ti wedi ennill cystadleuaeth fawr.

Ymarfer

Mae'n ddrwg gyda fi glywed am y lladrad
am y ddamwain
am dy salwch di
am dy golled di
am dy brofedigaeth di

Pob cydymdeimlad
Cofia fi at John
Cofia fi ato
Cofia fi ati
Cofia fi atyn nhw

Tasg - siarad am hysbysiadau'r mis nesa

Yn y papur bro y mis yma mae rhestr o enwau pobl fydd yn gwneud rhywbeth arbennig yn ystod y mis nesa.

Gofynnwch gwestiynau i'ch partner, e.e.

A: Pam mae enw Ann yn y papur?
B: Bydd hi'n cymryd ei phrawf gyrru y mis nesa.
B: Pam mae enwau Mr a Mrs Hughes yn y papur?

Tasech chi'n cwrdd â'r bobl yma, beth fasech chi'n ddweud?

Gobeithio y byddi di'n gwella'n fuan Siân ar ôl dy driniaeth ac yn cael dod adre cyn bo hir.

Deialog

Darllenwch y ddeialog gyda'ch partner.
Dych chi'n mynd i weld ffrind yn yr ysbyty.

A: O! Helo. Ers pryd wyt ti yn yr ysbyty?
B: Des i yma neithiwr.
A: Wel, beth ddigwyddodd?
B: Torrais i fy nghoes i yn chwarae pêl-droed / pêl-rwyd brynhawn ddoe. Ro'n i mewn poen ofnadwy.
A: Sut dest ti i'r ysbyty?
B: Ces i lifft gan gapten y tîm.
A: Mae'n ddrwg gyda fi glywed am y ddamwain.
B: Dw i'n iawn nawr, ond bydda i'n cael triniaeth yfory.
A: Gobeithio byddi di'n well. Do i i'r ysbyty eto i dy weld di ddydd Sadwrn.

Nawr newidiwch fanylion y ddamwain.

Darn Darllen

Partner 1 - Darllenwch yr hysbysiadau hyn.

Dymuniadau da i Meirion Jones, Bryn Onnen, sy wedi mynd i Ontario, Canada gydag Alun Hughes i ffilmio rhaglen ar gyfer y teledu am hanes ei ewythr John Jones. Roedd e'n ffermwr enwog, a aeth i fyw i Ganada. Bydd y rhaglen yn cael ei darlledu ddiwedd Mai.

Priodas dda a dymuniadau gorau i Gerwyn Williams, Pant-glas a Meriel Thomas, Cwmbrwynant ar eu priodas yn Jamaica. Croeso cynnes a phob hapusrwydd yn eu cartref newydd yn Aberystwyth.

Llongyfarchiadau i Lyn a Gwen, Blaen-cwm, ar enedigaeth mab bach, Guto Lewys, ail ŵyr i Rhys a Wini, Erw-lon.

Llongyfarchiadau i Tabitha Davies, Bwthyn Bach, Llanilltud ar ddathlu ei phen-blwydd yn wyth deg a phump oed ac am lanhau Eglwys Llanilltud am hanner can mlynedd.

Partner 2 - Gofynnwch y cwestiynau yma i bartner 1.

1. I ble aeth Meirion Jones?
2. Pwy aeth gyda fe?
3. Pwy oedd John Jones?
4. Ble priododd Gerwyn a Meriel?
5. Ble mae Gerwyn a Meriel yn byw nawr?
6. Beth mae Tabitha Davies yn ei ddathlu?
7. Ble oedd Tabitha yn glanhau?
8. Pwy yw Guto Lewys?

Tasg - sgwrs mewn sefyllfa

A: Mae eich ffrind gorau (B) newydd golli ei waith/gwaith yn y ffatri leol. Dwedodd rheolwr y ffatri y newyddion drwg wrtho fe/wrthi hi ddoe. Dych chi'n ffonio eich ffrind i gydymdeimlo â fe/hi.

B: Prynoch chi gi bach newydd i'r teulu ddau fis yn ôl. Yn anffodus, tua wythnos yn ôl, aeth y ci ar goll. Dych chi'n ffonio'r heddlu (A) i ofyn am help ac i roi disgrifiad o'r ci iddyn nhw. Mae'r heddlu'n cydymdeimlo â chi, ond yn anffodus dyn nhw ddim yn gallu eich helpu chi.

Sgwrsio

Dych chi'n mwynhau dathlu? (e.e. pen-blwyddi, y Nadolig).
Dych chi wedi dathlu rhywbeth mawr yn y blynyddoedd diwethaf?
Sut dych chi'n dathlu Nos Galan fel arfer?
Dych chi wedi bod yn yr ysbyty erioed?

Geirfa

colled(ion) (b) - *loss(es)*
cydymdeimlad - *sympathy*
cydymdeimlo - *to sympathise*
darlledu - *to broadcast*
disgrifiad(au) - *description(s)*
dyrchafiad - *promotion*
dyweddïad - *engagement*
genedigaeth(au) (b) - *birth(s)*
hapusrwydd - *happiness*
hysbysiad(au) - *notice(s)*
lladrad - *theft*
prawf gyrru - *driving test*
priodas aur / arian (b) - *golden / silver wedding*
profedigaeth(au) (b) - *bereavement(s)*
triniaeth(au) (b) - *treatment(s), operation(s)*
ymddangos - *to appear*
ymddeoliad - *retirement*
yn ddiweddar - *recently*

dynes
gwraig/menyw
Tafodiaith!

Cwrs Canolradd: Uned 15

Nod: Adolygu ac ymestyn

Adolygu – cwestiynau

Gofynnwch y cwestiynau yma i'ch partner:

i. Ble gaethoch chi eich geni?
ii. Ble gaethoch chi eich magu?
iii. O ble mae eich teulu chi'n dod yn wreiddiol?
iv. Beth oedd y peth diwetha i chi ei ddathlu gyda'r teulu neu ffrindiau?
v. Sut dych chi'n dathlu pethau fel arfer?
vi. At beth dych chi'n edrych ymlaen ar hyn o bryd?

Llenwi bylchau

Siop Newydd i Gwm-du

____________ (cael) pawb yn ardal Cwm-du eu plesio'n fawr yr wythnos yma ____________ y newyddion fod siop y pentre wedi ____________ ei hachub. Yn gynharach y flwyddyn yma ____________ (credu) bod y siop ar fin cael ei ____________ (cau). Roedd y Bostfeistres, Mrs Gwladys Rowlands, yn ymddeol, a doedd y Swyddfa Bost ddim yn awyddus i'w ____________ (cadw) ar agor. ____________ (trefnu) deiseb ar frys, a chafodd hi ei ____________ (arwyddo) gan bawb yn y pentre.

Roedd hyn, yn ôl Mr Twm Tomos, cadeirydd pwyllgor Cadwch y Siop yn dweud ____________ y Post fod angen y siop ar y pentre, yn enwedig yr henoed a phobl sydd heb gar.

Siaradodd grŵp o bobl y pentre ____________ rheolwyr y Swyddfa Bost, a ____________ (penderfynu) prynu'r siop. ____________ (gobeithio) gwerthu llawer o gynnyrch lleol, fel iogwrt organig a'r caws sy'n ____________ ei wneud yn ffatri 'Caws y Cwm.' Mae ffermwyr yr ardal hefyd yn edrych ymlaen ____________ gael cyfle i werthu eu cig, wyau, ffrwythau a llysiau yn lleol. Bydd un stondin o gynnyrch cartref - jam, cacennau, bara brith ac yn y blaen, yn ____________ ei threfnu gan Ferched y Wawr Cwm-du hefyd.

O ddydd Llun i ddydd Gwener bydd Miss Mair Morgan yn rhedeg y siop a'r Post. Hi oedd yn rhedeg Post Rhyd-las am ugain mlynedd ond ____________ ei gwneud yn ddi-waith y llynedd pan ____________ (cau) y Post. Mae hi wrth ei bodd yn dod yn ôl i'r ardal i weithio ond mae'n awyddus i gael pob penwythnos yn rhydd. Felly, fydd Swyddfa'r Post ddim yn cael ei ____________ ar ddydd Sadwrn, ond bydd y siop ar agor drwy'r dydd, a grŵp o bobl y pentref yn gweithio yno mewn rota.

____________ (agor) y siop yn swyddogol ar Ddydd Gŵyl Dewi. Pob ____________ i bawb sy'n rhan o fenter Siop Cwm-du!

Sgwrsio

i. Dych chi'n hoffi siopa mewn siopau bach lleol?
ii. Dych chi'n prynu cynnyrch lleol o gwbl?
iii. Pam dych chi'n meddwl ei bod hi'n bwysig cael siop mewn pentre?

Gwrando

Gwrandewch ar y bwletin newyddion ac ateb y cwestiynau yma.
Bydd eich tiwtor yn eich helpu chi.

1. Faint o bobl gafodd eu lladd yn y ddamwain?

____

2. Pryd bydd swyddi newydd yn dod i ardal Wrecsam?

____

3. Pam roedd y Prif Weinidog yn Abertawe?

____

4. Pam roedd y dynion wedi cael eu harestio?

____

5. Beth oedd y sgôr ar ddiwedd y gêm?

____

6. Sut bydd y tywydd yfory?

____

Tasg – adolygu llongyfarch a chydymdeimlo

Beth fasech chi'n ddweud wrth y bobl yma?

Tasg – adolygu arddodiaid

Gyda'ch partner, meddyliwch am gwestiynau i'w gofyn mewn ymateb i'r brawddegau. Rhaid dechrau â'r gair bach mewn print tywyll, e.e.

	Dw i'n chwilio **am** y cerdyn credyd.	**C:**	**Am** beth wyt ti'n chwilio?
i.	Dw i'n anfon tecst **at** fy ffrind.	**C:**	**At** ______________________ ?
ii.	Mae hi'n siarad **am** y tywydd.	**C:**	**Am** ______________________ ?
iii.	Maen nhw'n edrych **ar** y rhaglen.	**C:**	**Ar** ______________________ ?
iv.	Dw i wedi dweud **wrth** Angela.	**C:**	**Wrth** ______________________ ?
v.	Dyn ni'n disgwyl **am** y trên.	**C:**	**Am** ______________________ ?
vi.	Mae e'n mynd **i** Abertawe.	**C:**	**I** ______________________ ?

Darn Darllen

CYMDEITHAS RHIENI

Ysgol Aberwylan

Trefnir noson o chwarae CHWIST i godi arian at daith y plant i Stadiwm y Mileniwm yn yr haf

Gwobrau hael: bisgedi, gwin ac ati - diolch i siop Jones&Jones a'r gantores leol Gwynona Morris

Cost: £6 y pen i gael chwarae cardiau (dim ond £2 i aelodau'r Gymdeithas)
Does dim angen profiad i chwarae chwist!

Gwerthir tocynnau raffl yn ystod yr egwyl a bydd te a choffi ar gael am ddim

Neuadd yr Ysgol, 5 Chwefror 2007
am 6.30 yr hwyr. Croeso i bawb!

Atebwch y cwestiynau yma - heb edrych ar yr hysbyseb!

1. Pam mae'r Gymdeithas eisiau arian?
2. Pwy sydd wedi rhoi'r gwobrau i'r noson?
3. Pwy fydd yn cael chwarae chwist am bris llai?
4. Ar wahân i chwarae chwist, sut mae'r Gymdeithas yn mynd i godi arian ar y noson?
5. Pryd mae'r noson?
6. Pwy sy'n cael dod i'r noson?

Geirfa

ar fin - *on the point of, about to*
arwyddo - *to sign*
awyddus - *keen, eager*
cadeirydd(ion) - *chairman/men, chairperson(s)*
cantores(au) (b) - *singer(s) (female)*
cynnyrch - *produce*
chwist - *whist*
deiseb(au) (b) - *petition(s)*
egwyl (b) - *interval*
gwobr(au) (b) - *prize(s)*
hael - *generous*
henoed - *elderly people*
hysbyseb(ion) (b) - *advertisement(s)*
menter (mentrau) (b) - *enterprise(s)*
plesio - *to please*
profiad(au) - *experience(s)*
Stadiwm y Mileniwm - *Millennium Stadium*
tipyn/tamaid - *a little bit*
yn enwedig - *especially*

Cwrs Canolradd: Uned 16

Nod: Disgrifio lleoedd a phobl

Dyma restr o eiriau defnyddiol i ddisgrifio beth dych chi'n feddwl o unrhyw beth - o'r gorau i'r gwaethaf:

Gofynnwch y cwestiynau yma i'ch partner.
Bydd eich tiwtor yn rhoi dis i chi ddewis yr ateb.

Sut wyt ti'n teimlo heddiw/heno?
Sut oedd y parti diwetha est ti iddo?
Sut oedd y pryd bwyd diwetha fwytaist ti?

Tasg – trafod penwythnos mewn dinas

Gyda'ch partner, trafodwch y penwythnos gaethoch chi. Gofynnwch y cwestiynau ar y chwith i'ch partner a dewiswch un gair o'r golofn ar y dde wrth ateb. Cofiwch y treiglad ar ôl **yn / 'n.**

Cwestiwn	Ateb
Sut oedd y daith?	cyflym, araf, anobeithiol
Sut oedd y gwesty?	crand, cyfleus, prysur, tawel, swnllyd, blêr, brwnt, ofnadwy, drud, rhesymol, rhad
Sut oedd y tywydd?	berwedig, cynnes, braf, cyfnewidiol, gwlyb, ofnadwy
Sut oedd y lle?	gwych, diddorol, prysur, diflas
Sut oedd y bwyd?	blasus, drud, diflas, ofnadwy

I raddoli'r gair – i wneud y gair yn gryfach neu'n llai cryf - defnyddiwch :

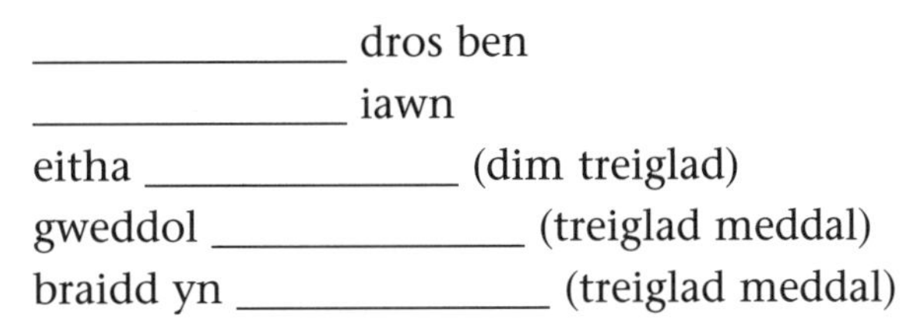

_____________ dros ben
_____________ iawn
eitha _____________ (dim treiglad)
gweddol _____________ (treiglad meddal)
braidd yn _____________ (treiglad meddal)

Tasg - disgrifio pobl

Meddyliwch am athro neu athrawes oedd yn eich dysgu chi yn yr ysgol. Disgrifiwch y person i'ch partner. Disgrifiwch olwg a phersonoliaeth y person.

Dyma rai geiriau i'ch helpu chi:

Golwg
byr, tal
tew, tenau
gwisgo sbectol
moel
gwallt hir, byr
llygaid glas, brown

Personoliaeth
hwyliog , blin
caredig, cas
amyneddgar, diamynedd
mwyn, llym
siaradus, swil
cegog, tawedog

Tasg - trafod tai

Dych chi a'ch partner yn chwilio am dŷ ar gyfer ffrind sy'n symud i'r ardal. Mae un plentyn gyda'r ffrind. Mae un ohonoch chi wedi gweld tŷ A, y llall wedi gweld tŷ B. Rhaid i chi drafod pa un yw'r gorau i'ch ffrind.

Tŷ A

Y tŷ
Tŷ bychan, un llawr, wedi'i beintio yn ddu a gwyn. 2 stafell wely, stafell ymolchi. Cegin eisiau ei moderneiddio. Gwres canolog olew. Carpedi ar y llawr. Lolfa/lle bwyta mawr. Dim garej. Gardd fach. Golygfa fendigedig o'r mynyddoedd o gwmpas. Y tŷ yng nghanol y dref, gyferbyn â'r parc.

Yr ardal
Tref fechan, dim yn rhy fawr. Digon o siopau fel Boots, Marks & Spencer. Dewis o ysgolion - Cymraeg a Saesneg. Canolfan chwaraeon drws nesaf i'r ysgol uwchradd Gymraeg. Ffordd brysur trwy ganol y dref - lorïau yn mynd a dod o'r pwll glo. Ysbyty newydd yn cael ei adeiladu.

Y tŷ
Tŷ mawr, newydd. 2 filltir o ganol pentref bach, tawel. 4 ystafell wely, cegin fawr, 2 ystafell molchi, lolfa; ystafell fwyta.
Garej dwbl. Gwres canolog. Gardd fawr a golygfa fendigedig i lawr y dyffryn. Fferm ieir led cae i ffwrdd.

Yr ardal
Pentre cyfeillgar. Llawer o bobl wedi symud i mewn. Un siop fach. Tafarn ac eglwys. Yr ysgol wedi cau. Chwe milltir i'r dre agosa.

Nawr llenwch y daflen â gwybodaeth am y ddau dŷ.

Enw	**Tŷ Partner A**	**Tŷ Partner B**
Maint (*Size*)		
Lleoliad (*Location*)		
Ystafell wely		
Cegin		
Ystafell molchi		
Lolfa		
Ystafell fwyta		
Garej		
Gardd		
Gwres		
Yn ymyl y tŷ		
Yr ardal		

Ar ôl i chi benderfynu, dwedwch wrth weddill y dosbarth, ac esboniwch eich dewis, e.e. **Baswn i'n dewis...**

Deialog **Swyddfa Heddlu Cwm-du**

A: Noswaith dda Syr/Madam. Sut galla i'ch helpu chi?
B: Noswaith dda cwnstabl. Mae rhywbeth ofnadwy wedi digwydd. Dw i wedi colli fy nghar.
A: Wedi ei golli fe? Sut?
B: Wel, es i i fy nosbarth Cymraeg fel arfer a phan gyrhaeddais i'r maes parcio roedd e wedi mynd!
A: Dych chi'n siŵr eich bod chi'n cofio lle parcioch chi fe?
B: Ydw wrth gwrs, yn yr un lle ag arfer bob wythnos ers tair blynedd ar wahân i wyliau ysgol.
A: Oedd rhywbeth i'w weld lle dych chi'n parcio fel arfer?
B: Nac oedd - ar wahân i wydr wedi torri ar y llawr.
A: Mae'n ddrwg iawn gyda fi ddweud Syr/Madam ond mae'n debyg fod eich car wedi cael ei ddwyn.
B: Wedi cael ei ddwyn!? Pam dych chi'n meddwl hynny?
A: Wel, mae pawb yn gwybod bod maes parcio'r dosbarth Cymraeg yn lle gwych i ddwyn ceir.
B: Pam?
A: Mae pawb mor brysur yn canolbwyntio ar y treigladau, dyn nhw ddim yn clywed ffenestri yn cael eu torri a cheir yn cael eu gyrru i ffwrdd ar frys.
B: O jiw!
A: Wel, gwell i ni gael manylion am y car. Pa fêc yw'r car?
B: Morgan wrth gwrs.
A: Pa liw yw e?
B: Gwyn at y ffenest a gwyrdd i'r gwaelod - a draig goch wedi ei pheintio ar y bonet.
A: Beth yw rhif y car?
B: CYM 1.
A: Beth am ei gyflwr e?
B: Perffaith, wrth gwrs. Dim crafiad, glân - fel pin mewn papur.
A: Rhywbeth arall i'n helpu ni i'w ffeindio fe?
B: Wel, dyw'r radio ddim ond yn gallu derbyn Radio Cymru a dyw'r Cryno Ddisg ddim ond yn chwarae disgiau cyrsiau Cymraeg.
A: Diolch yn fawr am eich disgrifiad manwl.
B: Dych chi'n meddwl bod gobaith gyda fi i gael fy nghar yn ôl?
A: Faswn i ddim yn disgwyl gormod - mae cymaint o bobl yn berchen car sy'n ateb y disgrifiad yna!

Nawr, rhaid i un ohonoch chi ddisgrifio eich car chi i'r plismon, ac wedyn newid rôl! Byddwch yn onest am gyflwr eich car a beth yn union sydd ynddo fe ar hyn o bryd!

Darn Darllen

Anti Nansi

Gwraig fach oedd Anti Nansi. Roedd gwallt gwyn gyda hi, yn syth, bron at ei hysgwyddau, a sbectol dew. Roedd hi dros wyth deg oed pan gwrddais i â hi am y tro cyntaf. Naw oed o'n i. Yn yr Eisteddfod Genedlaethol oedd hi. Ro'n i'n hanner chwarae telynau mewn pabell oedd yn eu gwerthu. Daeth hen wraig i'r babell yn gwisgo siaced frethyn a dechrau canu'r delyn yn wych - pob math o hen alawon. Ro'n i wedi clywed ambell un o'r blaen, ond dim llawer ohonyn nhw. Clywais i rywun yn dweud: 'Dyw Nansi ddim wedi colli tamed o'i thalent.'

Dw i ddim yn cofio sut sylweddolon ni ein bod ni'n perthyn i'n gilydd. Y peth pwysig yw ein bod ni wedi treulio'r wythnos i gyd yn canu'r delyn gyda'n gilydd. Roedd ei dwylo hi'n hen, ond ro'n nhw'n symud yn gynt na dwylo unrhyw un arall a welais i erioed. Er mai dim ond ers blwyddyn o'n i'n dysgu canu'r delyn roedd digon o brofiad gyda fi i ddilyn fy modryb, a dysgais i lawer o ganeuon gwerin ac ambell ddawns sipsi. Dwedodd hi hanes y sipsiwn, ei ffrindiau, wrtha i - ac roedd hi'n sôn llawer am y tylwyth teg. Roedd hi'n dweud ei bod hi'n eu nabod yn iawn beth bynnag! Ro'n i'n ei chredu hi. Wedyn, es i i'w gweld hi yn ei chartref lle roedd tân coed yn llosgi. Roedd hen dŷ diddorol gyda hi ym Mhen-y-bont-fawr yng nghanolbarth Cymru. Roedd pobl ddiddorol yn dod i'w gweld. Ond, Anti Nansi oedd y ddynes fwya diddorol i mi gwrdd â hi erioed. Chlywais i erioed gymaint o storïau gan neb. Roedd hi'n llawn hwyl a direidi, fel plentyn. Efallai ei bod hi wedi aros fel plentyn am nad oedd hi erioed wedi bod yn fam.

Pan fuodd hi farw roedd ei hangladd o gwmpas adeg y Nadolig. Cafodd ei chladdu yn eglwys Pennant Melangell, mewn cwm prydferth a thawel. Roedd eira ym mhob man, ond doedd neb yn y fynwent fach yn sylwi ei bod hi'n oer. Roedd yr holl bobl oedd yna'n cofio amdani hi ac yn teimlo'n gynnes a chysurus, ac yn falch eu bod nhw wedi ei nabod hi.

Eirian Conlon

Gyda'ch partner, ysgrifennwch bopeth dych chi'n wybod am Anti Nansi, yn eich geiriau eich hunain.

Sgwrsio

Disgrifiwch hen berson o'ch teulu chi, e.e. mam-gu, tad-cu.
Sut oedd e/hi'n edrych?
Sut oedd e/hi'n gwisgo?
Disgrifiwch ei dŷ/ei thŷ. Oedd pethau diddorol yn y tŷ?
Beth dych chi'n gofio am eich perthynas?

Sgwrs mewn sefyllfa

Mae Partner A yn ceisio gwerthu tŷ, felly mae'n mynd at y Swyddfa Gwerthwyr Tai. Rhaid i A ddisgrifio'r tŷ yn fanwl i B (ac yn onest). Wedyn newidiwch rôl.

Geirfa

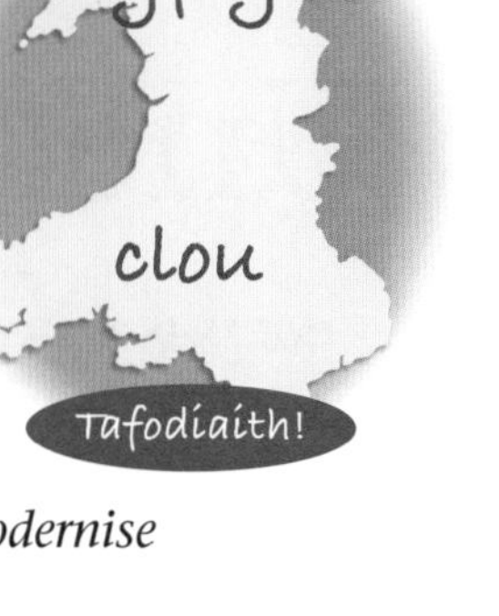

angladd(au) - *funeral(s)*
alaw(on) (b) - *melody (-ies)*
amyneddgar - *patient*
anobeithiol - *hopeless*
ateb y disgrifiad - *to match the description*
berwedig - *boiling*
brethyn - *cloth*
cân werin (caneuon gwerin) (b) - *folk song(s)*
canu'r delyn - *to play the harp*
cegog - *chopsy*
cyfleusterau - *facilities*
cyflwr - *condition*
cyfnewidiol - *changeable*
diamynedd - *impatient*
direidi - *mischief*
dros ben - *extremely* (yn dilyn ansoddair, e.e. braf dros ben)
dyffryn(noedd) - *valley*
fel pin mewn papur - *spick and span*
go lew - *fair, fairly*
graddoli - *to qualify, to graduate*
gwerthwr tai (gwerthwyr tai) - *auctioneer(s)*
gwres canolog - *central heating*
hwyliog - *jolly*
iâr (ieir) (b) - *hen(s)*
led cae i ffwrdd - *a field away*
lleoliad(au) - *location(s)*
llym - *strict*
llysenw(au) - *pseudonym, nickname*
moderneiddio - *to modernise*
moel - *bald*
mwyn - *gentle*
mynwent(ydd) (b) - *graveyard(s)*
rhesymol - *reasonable*
siaradus - *talkative*
sipsi (sipswn) - *gypsy (gypsies)*
swil - *shy*
sylweddoli - *to realise*
tawedog - *quiet, taciturn*
tylwyth teg - *fairies*

Gramadeg

Erbyn hyn, dych chi wedi arfer gyda brawddegau fel:

Mae'r car wedi cael ei ddwyn
Mae e wedi cael ei beintio'n ddu a gwyn
Dw i wedi cael fy synnu

Weithiau, byddwch chi'n clywed brawddegau fel hyn gyda 'wedi' heb y gair 'cael':

Mae'r car wedi ei ddwyn
Mae e wedi ei beintio'n ddu a gwyn
Dw i wedi fy synnu

Does dim gwahaniaeth yn yr ystyr.

Cwrs Canolradd: Uned 17

Nod: Gorchmynion

Ymarfer - gorchmynion tiwtor creulon!

Trowch y rhain yn orchmynion i **chi**. Rhaid i chi roi **-wch** ar y diwedd!

Siarad am y penwythnos
Agor eich llyfrau
Dysgu y geiriau yma
Treiglo ar ôl i ac o
Darllen y darn yma

Ateb y cwestiynau
Ysgrifennu llythyr fel gwaith cartref
Cofio gwneud eich gwaith cartref
Peidio anghofio

Y tro yma, newidiwch y rhain yn orchmynion **ti**. Rhaid i chi roi **-a** ar y diwedd.

Ymarfer

Dyw pob berf ddim yn dilyn y patrwm. Gyda'ch partner, newidiwch y rhain yn orchmynion **chi**, yna **ti**.

Rhoi'r llyfrau ar y ddesg	-	Rhowch...	Rho...
Troi i dudalen saith	-	Trowch...	Tro...
Dod i barti'r dosbarth	-	Dewch...	Dere...
Mynd i'r cwrs penwythnos	-	Cerwch... / Ewch...	Cer...
Gwneud y gwaith cartre	-	Gwnewch...	Gwna...
Mwynhau'r gwyliau	-	Mwynhewch...	Mwynha...
Gwrando ar y radio	-	Gwrandewch...	Gwranda...

Tasg - rhoi cyfarwyddiadau

Esboniwch i'ch partner: **Sut i argraffu rhywbeth ar y cyfrifiadur.**
neu **Sut i symud car o'r maes parcio.**
neu **Sut i goginio rhywbeth.**

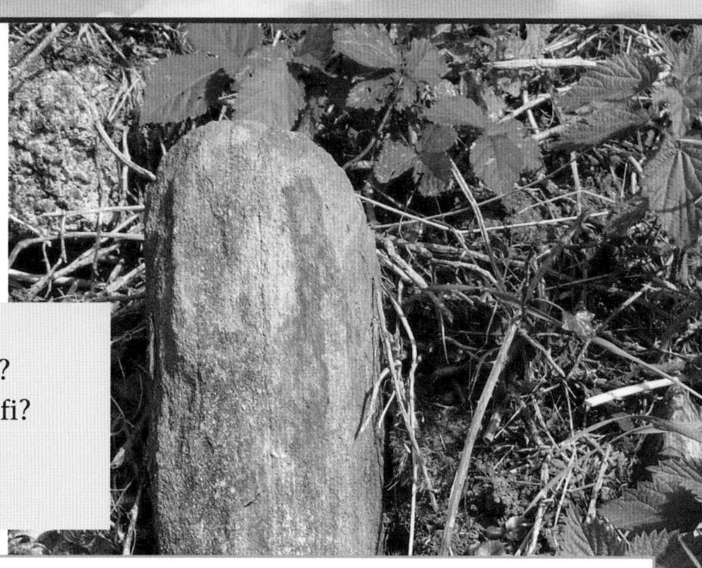

Ymarfer
Os dych chi am ofyn yn fwy cwrtais gallwch chi ddefnyddio'r patrwm **Wnewch chi...** neu **Wnei di...**

Wnei di gau'r drws i fi?
Wnei di ofyn rhywbeth i'r tiwtor?
Wnewch chi recordio'r rhaglen i fi?
Wnewch chi ddarllen hwn?
Gwnaf / Na wnaf

Tasg - gorchmynion
Dyma ddarn o gyngor i bobl sy'n ymweld â chefn gwlad Cymru. Gyda'ch partner, newidiwch y pethau **dylech chi** eu gwneud yn orchmynion, e.e. **Gwyliwch rhag...**

Tasg - sut i wella'ch bywyd
Gyda'ch partner, penderfynwch ar restr o gynghorion i bobl ar sut i wella eu bywydau. Ysgrifennwch beth i'w wneud ar y chwith a beth i beidio gwneud ar y dde, e.e. yfwch ddigon o ddŵr; peidiwch smygu.

Dilynwch y Cod Cefn Gwlad

Mwynhewch y wlad a pharchwch ei bywyd a'i gwaith

Dylech chi

- wylio rhag peryglon tân
- gau pob giât
- gadw eich cŵn dan reolaeth
- gadw at lwybrau cyhoeddus wrth groesi tir ffermio
- ddefnyddio giatiau i groesi ffensys, cloddiau a waliau
- adael llonydd i anifeiliaid, cnydau a pheiriannau
- fynd â'ch sbwriel adre gyda chi
- helpu i gadw afonydd yn lân
- gymryd gofal o goed, creaduriaid a phlanhigion gwyllt
- fod yn ofalus iawn ar ffyrdd gwledig
- beidio creu sŵn yn ddiangen

Beth i'w wneud	Beth i beidio gwneud

Deialog

Yma, mae plentyn (A) yn mynd â'i fodryb (B) i'r pwll nofio am y tro cynta.

A: Dewch i mewn, brysiwch!
B: Ble dyn ni'n talu?
A: Fan hyn - edrychwch! 'Talwch yma!'
B: Iawn. Un oedolyn ac un plentyn os gwelwch yn dda. Reit, dere 'mlaen. Ble mae'r stafelloedd newid?
A: Dewch gyda fi. Dyma nhw.
B: Sut mae'r cypyrddau yma'n gweithio?
A: Rhowch y 50c fan hyn.
B: Dyw e ddim yn cloi.
A: Tynnwch y drws atoch chi a throwch yr handlen.
B: Hwrê! Mae'n gweithio nawr ....
A: Tynnwch eich sanau!
B: Ych! Dw i ddim yn licio traed gwlyb.
A: Brysiwch!
B: 'Cymerwch gawod cyn mynd i'r dŵr.' Pam?
A: Dim syniad. Does dim ots!
B: Gwell i ni wneud. Aw! Mae'n oer ofnadwy.
A: Dewch i'r rhan fas gynta. O na! Peidiwch! Darllenwch yr arwydd!
B: Pa arwydd? 'Peidiwch â deifio.' Rhy hwyr.
A: Wel, peidiwch gwneud hynny eto.

[Ar ôl pum munud]

A: Ha ha! Dych chi'n edrych fel llyffant.
B: Diolch yn fawr. Nofia di fel hyn hefyd.
A: Na wna i wir - helpwch fi i nofio ar fy nghefn. Dim fel 'na, daliwch fi dan fy nghefn...
B: Alla i ddim wir. Dw i eisiau cwpaned o de nawr. Dere ma's!
A: Ga i aros am bum munud arall, plîs?
B: Na chei. Gwranda arna i!
A: Iawn, os cawn ni fynd i'r caffi.
B: Dere i gael cawod. Golcha dy wallt yn iawn!
A: Rhowch arian i fi sychu fy ngwallt gyda'r sychwr wedyn.
B: Cofia sychu dy draed yn iawn.
A: Dewch â thipyn o'r talc 'na i fi 'te!
B: Bydda'n ofalus... O na! Edrycha ar fy nghot ddu i!
A: Dyna'r tro olaf dw i'n mynd i nofio gyda chi!

Nawr newidiwch y gorchmynion i **chi** yn orchmynion i **ti**.

Sgwrsio

Cyngor i ymwelwyr!
Meddyliwch am rywle diddorol dych chi'n nabod yn dda. Mae eich partner yn ymweld â'r lle am y tro cynta. Rhowch gyngor iddo/iddi ynglŷn â sut i gael amser da. Dwedwch wrth eich partner am y pethau diddorol i'w gweld, y pethau diddorol i'w gwneud, y pethau diddorol i'w prynu, eu bwyta a'u hyfed. Yna, gofynnwch i'ch partner am gyngor am ymweld â rhywle mae e/hi'n ei nabod yn dda.

Sgwrs mewn sefyllfa

Dych chi a'ch partner yn mynd i edrych ar ôl plentyn bach drwg am ddiwrnod a noson. Gwnewch restr o orchmynion defnyddiol, e.e. **paid...**, **cer i...**, **gwna...**, **golcha dy...**, **taclusa dy...** Wedyn, bydd pawb yn y dosbarth yn cymharu gorchmynion.

argraffu - *to print*
bas - *shallow*
clawdd (cloddiau) - *bank(s), hedge(s)*
cnwd (cnydau) - *crop(s)*
creadur(iaid) - *creature(s), animal(s)*
creu - *to create*
cyfarwyddyd (cyfarwyddiadau) - *instruction(s)*
cymharu - *to compare*
dan reolaeth - *under control*
diangen - *unnecessary*
gadael llonydd - *to leave alone, to let be*
gorchymyn (gorchmynion) - *command(s)*
gwylio rhag - *to take care not to or in case of*
llwybr(au) cyhoeddus - *public footpath(s)*
llyffant(od) - *toad(s)*
planhigyn (planhigion) - *plant(s)*
rhan fas (rhannau bas) (b) - *shallow part(s)*

Cwrs Canolradd: Uned 18

Nod: Trafod rhaglenni teledu

Sgwrsio

Mewn grwpiau, trafodwch y math o raglenni dych chi'n eu gwylio ar y teledu fel arfer.

Dw i'n mwynhau...
Dw i wrth fy modd gyda...
Dw i'n meddwl bod ...... yn ddiddorol.
Mae'n gas gyda fi ......
Dw i'n meddwl bod...... yn ddiflas.
Fy hoff raglen i ar hyn o bryd yw ...
Pa fath o raglenni dych chi'n eu mwynhau?

Tasg - mathau o raglenni

Math o raglen	Cymraeg	Saesneg
Cwisiau		
Dramâu		
Operâu sebon		
Dogfen		
Cerddoriaeth		
Natur		
Coginio		
Garddio		
Adloniant ysgafn		
Comedi		
Rhaglenni plant		
Teithio		
Chwaraeon		
Newyddion a materion cyfoes		

Dyma raglenni sy wedi bod ar S4C yn y blynyddoedd diwetha. Gyda'ch partner, penderfynwch i ba gategori mae'r rhaglen yn perthyn. Dych chi'n gallu meddwl am raglen Saesneg sy'n debyg?

Tipyn o Stad, Clwb Garddio, Con Passionate, Dudley, Ffeil,

O Flaen dy Lygaid, Dechrau Canu, Dechrau Canmol, Pacio,

Pobol y Cwm, Risg, Sgorio, Teithiau Iolo, Uned 5, Wedi 7.

Gyda'ch partner, penderfynwch pa raglenni o'r rhestr:

i. basech chi'n mwynhau eu gweld
ii. basech chi'n eu gwylio tasen nhw'n digwydd bod ymlaen
iii. fasech chi byth yn eu gwylio

Deialog

A: Helo. Rhaglen Cartref Newydd!
B: Helo, Bethan sy 'ma, tiwtor dosbarth Cymraeg Coleg Llanaber.
A: Sut galla i'ch helpu chi?
B: Wel, meddwl y gallech chi wella ein 'stafell ddosbarth.
A: Diddorol iawn! Ble dych chi'n cynnal eich dosbarth?
B: Mewn 'stafell gyffredin yn y coleg. Ond dw i'n siŵr y gallech chi ei gwneud hi'n fwy diddorol.
A: Am beth yn union dych chi'n chwilio?
B: Wel, basai wal fideo'n braf i ddangos rhaglenni gwych S4C.
A: Iawn... wal fideo. Rhywbeth arall?
B: Ro'n i'n meddwl y gallech chi a'r tîm cynllunio feddwl am bethau eraill.
A: Beth am y dosbarth, fasen nhw'n mwynhau bod ar raglen deledu?
B: Basen nhw wrth eu bodd yn cael eu ffilmio mewn dosbarth, dw i'n siŵr.
A: Iawn. Gyda llaw, o'ch chi'n gwybod bod Laurence Llewelyn Bowen wedi bod ar gwrs WLPAN? Mae syniadau pendant iawn gyda fe am addurno 'stafelloedd dosbarthiadau Cymraeg...

Mewn grwpiau, meddyliwch sut basech chi'n trawsnewid eich ystafell ddosbarth i wneud lle perffaith i chi ddysgu Cymraeg! Rhaid i un ohonoch fod yn gynllunydd y rhaglen, un yn gyflwynydd, un yn diwtor a'r gweddill ohonoch chi fod yn gynrychiolwyr y dosbarth. Gwnewch 'ddrama' fach a'i chyflwyno i hanner arall y dosbarth!

Darn Darllen

Hanes S4C

Ar y cyntaf o Dachwedd 1982, dechreuodd S4C ddarlledu rhaglenni Cymraeg. Cafodd Channel 4 ei lansio yr un pryd, ac roedd y rhaglenni Cymraeg yn ystod yr oriau poblogaidd, a rhaglenni Channel 4 Lloegr yn ystod gweddill y dydd. Roedd pobl wedi bod yn trafod pryd a sut dylai rhaglenni Cymraeg gael eu dangos ar y teledu ers blynyddoedd. O'r diwedd roedd pobl Cymru'n gwybod ble a phryd i fynd i weld rhaglen yn Gymraeg.

Cyn 1982 roedd rhai rhaglenni Cymraeg ar BBC Cymru/Wales ac ar HTV Cymru/Wales. Ond doedd dim trefn arbennig ar amserlen rhaglenni Cymraeg, ac yn aml ro'n nhw ar amserau od iawn! Ond yn ystod y saithdegau, protestiodd llawer iawn o Gymry Cymraeg am y sefyllfa. Ar ôl clywed bod sianel newydd Saesneg - Channel 4 - yn mynd i ddechrau, penderfynodd llawer iawn o bobl yng Nghymru y dylen nhw gael sianel yn Gymraeg hefyd. Yn anffodus, doedd y llywodraeth ddim yn cytuno.

Aeth llawer o aelodau Cymdeithas yr Iaith Gymraeg o flaen llysoedd ar ôl gwrthod talu'r drwydded deledu, torri mastiau teledu ac yn y blaen a chafodd rhai ohonyn nhw eu hanfon i'r carchar. Y person mwyaf enwog i brotestio oedd Dr. Gwynfor Evans, cyn-arweinydd Plaid Cymru, a ddwedodd basai fe'n ymprydio i farwolaeth os nad oedd llywodraeth Margaret Thatcher yn newid eu meddwl. Newidion nhw eu barn, diolch byth, cyn i Gwynfor Evans ddechrau ei ympryd. Roedd dathlu mawr yng Nghymru.

Fel arfer mae tua 5 awr y dydd o raglenni Cymraeg ar S4C. Mae hyn yn cynnwys tua awr a hanner o raglenni plant a thua hanner awr o newyddion gan y BBC. Mae'r tair awr arall yn amrywiol iawn! Mae rhai rhaglenni'n cael eu gwneud gan y BBC, rhai gan HTV a rhai gan gwmnïau annibynnol eraill.

Erbyn hyn mae rhaglenni S4C wedi cael llwyddiant rhyngwladol. Mae *Pobol y Cwm*, opera sebon S4C, yn cael ei dangos mewn gwledydd eraill, ac mae rhaglenni oedd yn Gymraeg yn wreiddiol erbyn hyn wedi cael eu dangos mewn dros 60 o wledydd. Mae animeiddio S4C yn fyd-enwog, yn enwedig *Superted*, gafodd ei brynu gan Disney a'i ddangos yn America. Cafodd dwy ffilm S4C, *Hedd Wyn* a *Solomon a Gaenor*, eu rhoi ar y rhestr fer am Oscar, ond does dim ffilm Gymraeg wedi ennill Oscar eto!

Erbyn hyn, mae S4C digidol yn darlledu o hanner dydd tan hanner nos bob dydd - a mwy yn ystod yr Eisteddfod Genedlaethol! Wrth gwrs, yr un rhaglenni yw llawer ohonyn nhw ac ailddarllediadau o raglenni poblogaidd yr wythnos ac o'r gorffennol.

Wrth gwrs, mae llawer o raglenni Cymraeg i helpu pobl sy'n dysgu Cymraeg. Cofiwch hefyd bod hi'n bosibl gwylio llawer o raglenni'r sianel gydag is-deitlau Saesneg os oes rhywun yn eich tŷ chi sy ddim yn deall Cymraeg (teletestun 888) neu gydag is-deitlau Cymraeg mwy syml (teletestun 889). Mae gwylio S4C yn ffordd wych i wella eich Cymraeg heb adael eich ystafell fyw.

Cwestiynau

i. Pa raglenni gallwch chi weld ar S4C?
ii. Ble o'ch chi'n gallu gweld rhaglenni Cymraeg cyn 1982?
iii. Beth wnaeth aelodau Cymdeithas yr Iaith?
iv. Beth wnaeth Gwynfor Evans?
v. Pwy sy'n gwneud rhaglenni S4C?
vi. Pa raglenni S4C sy'n enwog tu fa's i Gymru?
vii. Beth sy'n wahanol am S4C Digidol?
viii. Sut mae S4C yn cefnogi pobl sy'n dysgu Cymraeg?

Sgwrsio

i. Dych chi'n gwrando llawer ar y radio? Pryd? Ar beth?
ii. O'ch chi'n gwrando mwy ar y radio pan o'ch chi'n ifanc?
iii. Pa un yw'ch hoff raglen deledu neu raglen radio erioed?
iv. Dych chi'n gwylio S4C neu'n gwrando ar Radio Cymru o gwbl?
v. Beth dych chi'n feddwl o raglenni i ddysgwyr fel *Catchphrase, Now You're Talking, Welsh in a Week, Cariad@iaith*?

Geirfa

gorffen
bennu/cwpla
Tafodiaith!

addurno - *to decorate*
adloniant ysgafn - *light entertainment*
amrywiol - *varied*
animeiddio - *animation*
cyfartaledd - *average*
cyflwyno - *to present*
cyflwynydd (cyflwynwyr) - *presenter(s)*
cynllunio - *to plan*
cynllunydd (cynllunwyr) - *planner(s), designer(s)*
cynrychiolydd (cynrychiolwyr) - *representative(s)*
darlledu - *to broadcast*
digwydd bod - *to happen to be*
dogfen - *documentary*
gwrthod - *to refuse*
llys(oedd) - *court(s)*
materion cyfoes - *current affairs*
teletestun - *teletext*
trawsnewid - *to transform*
trwydded(au) (b) - *licence(s)*
ympryd - *hunger strike*
ymprydio - *to fast*

Cwrs Canolradd: Uned 19

Nod: Trafod arferion pob dydd

Ymarfer

Pa mor aml fyddi di'n cael dy dalu?	Unwaith y mis
Pa mor aml fyddi di'n bwyta sglodion?	Dwywaith yr wythnos
Pa mor aml fyddi di'n mynd at y deintydd?	Tair gwaith y flwyddyn
Pa mor aml fyddi di'n talu bil trydan?	Pedair gwaith y flwyddyn
Pa mor aml fyddi'n mynd i siop?	Pum gwaith yr wythnos
Pa mor aml fyddi di'n mynd â'r car i garej?	Chwe gwaith y flwyddyn

Gofynnwch i bartner pa mor aml
mae e/hi'n gwneud y pethau hyn.

Deialog

Dysgwch y ddeialog yma gyda'ch partner.

A: Pa mor aml fyddi di'n cael bath?
B: Bron byth!
A: Pa mor aml fyddi di'n golchi dy wallt?
B: Pan fydda i'n cael cawod.
A: Pa mor aml fyddi di'n cael cawod 'te?
B: Bob yn ail ddiwrnod.
A: Diolch byth!

Meddyliwch am bethau dych chi'n
eu gwneud **bob yn ail ddiwrnod, bob
yn ail wythnos** neu **bob yn ail fis.**

Ymarfer

Pa mor aml fyddi di'n gwneud ymarfer corff?	Chwe gwaith yr wythnos
Pa mor aml fyddi di'n prynu papur newydd?	Bron bob dydd
Pa mor aml fyddi di'n mynd i'r sinema?	Dim llawer yn ddiweddar
Pa mor aml fyddi di'n mynd i gyfarfodydd?	Cyn lleied â phosibl!
Pa mor aml fyddi di'n torri dy wallt?	Pan mae'n rhaid
Pa mor aml fyddi di'n siarad Cymraeg?	Bob dydd ar hyn o bryd
Pa mor aml fyddi di'n gwrando ar Radio Cymru?	Dim llawer hyd yn hyn

Ar ôl ymarfer gofyn ac ateb gyda'ch partner, meddyliwch am un cwestiwn i'w ofyn i bawb yn y dosbarth. Nodwch yr atebion ac ar ôl gorffen, dwedwch wrth y dosbarth beth oedd y canlyniadau, e.e. Bydd hanner y dosbarth yn gwneud ymarfer corff unwaith yr wythnos.

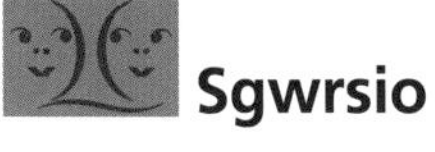

Sgwrsio

i. Pa mor aml fyddwch chi'n cwrdd â'r teulu estynedig?
ii. Ble byddwch chi'n cwrdd, fel arfer?
iii. Pa mor aml fyddwch chi'n cwrdd â ffrindiau ysgol neu ffrindiau coleg?
iv. Beth fyddwch chi'n wneud?

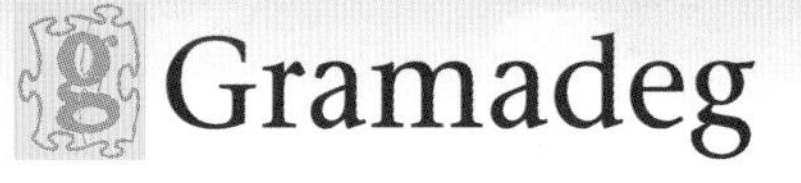

Gramadeg

Os oes rhywbeth dych chi'n wneud yn aml, neu'n arfer ei wneud, dych chi'n defnyddio'r patrymau hyn:

Bydda i'n nofio bob dydd
Byddi di'n nofio bob dydd
Bydd e/hi'n nofio bob dydd
Byddwn ni'n nofio bob dydd
Byddwch chi'n nofio bob dydd
Byddan nhw'n nofio bob dydd

Yn Saesneg, mae hwn yn y presennol, e.e. *I swim every day*.

Mae hi'n dderbyniol defnyddio **bod** yn y presennol yma hefyd yn Gymraeg, e.e.

A: Pa mor aml **wyt ti**'n nofio?
B: **Dw** i'n nofio yn y pwll bob dydd.

Ymarfer

Defnyddio **byth** yn y dyfodol (*never will*):

Wna i byth naid bynji
A i byth i Affrica
Cha i byth swydd arall
Wela i byth mo'r Antarctig

Gyda'ch partner, meddyliwch am bethau na wnewch chi byth.

Defnyddio **byth** yn yr amherffaith a'r amodol (*never used to / would never*):

Do'n i byth yn ymarfer piano pan o'n i'n blentyn
Do'n i byth yn arfer mynd i'r ysgol yn y car
Do'n i byth yn arfer tecstio ffrindiau

Faswn i byth yn gweithio mewn ffatri
Faswn i byth yn byw mewn dinas fawr
Faswn i byth yn symud i Loegr

 Gyda'ch partner, meddyliwch am bethau nad o'ch chi byth yn eu gwneud pan o'ch chi'n blant, a phethau na fasech chi byth yn eu gwneud.

Ymarfer

Defnyddio **erioed** gyda'r gorffennol ac **wedi** (*never did, never has/have*).
Mae hi'n bosibl defnyddio **erioed** ar y diwedd, neu roi'r **erioed** yn lle **ddim**, e.e.

Wnes i ddim swper mawr erioed
Wnes i erioed swper mawr

Welais i erioed y fath beth
Fues i erioed yn Sbaen
Ches i erioed amser gwell

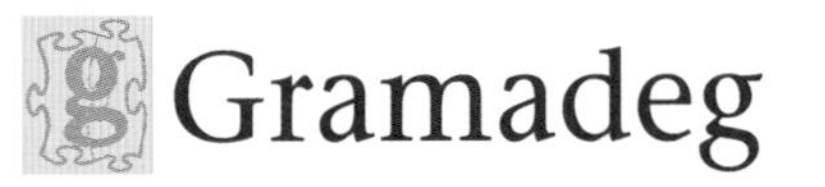

Gramadeg

Pryd dych chi'n defnyddio **byth** ac **erioed?**

byth	Presennol:	Dw i byth yn gweld fy mam-gu
	Dyfodol:	Fydda i byth yn gyfoethog
	Amodol:	Faswn i byth yn gwneud naid bynji
	Amherffaith:	Do'n i byth yn arfer edrych ar y teledu
erioed	Gyda **wedi**:	Dw i erioed wedi bod yn Sbaen
		neu Dw i ddim wedi bod yn Sbaen erioed
	Gorffennol:	Ches i erioed amser gwell
		neu Ches i ddim amser gwell erioed

Pan dych chi'n defnyddio **erioed** mewn cwestiwn, mae'n golygu *ever*, e.e.

Wyt ti erioed wedi bod yn Sbaen?
Wyt ti wedi bod yn Sbaen erioed? *Have you ever been to Spain?*

Mae rhai idiomau fel **Cymru am byth** lle mae **am byth** yn golygu *for ever*.

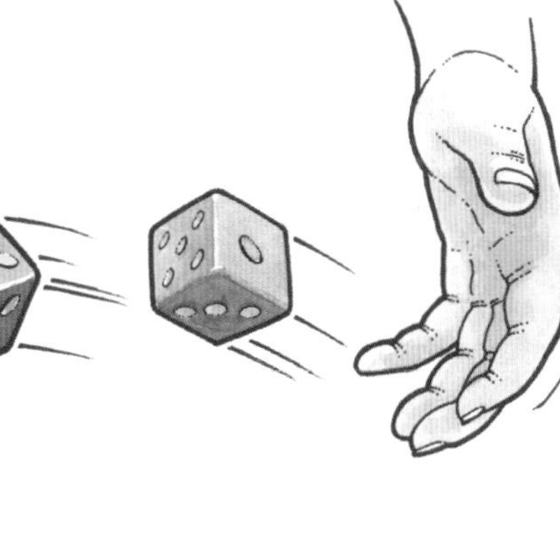

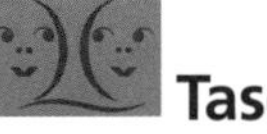

Tasg - sbardun i siarad

Rhannwch yn grwpiau o 3, yna taflwch y dis yn eich tro. Dwedwch frawddeg yn cynnwys y gair neu'r geiriau o'r rhestr yma, ar ôl taflu'r dis.

 dwy flynedd yn ôl

 pan o'n i'n ifanc

 penwythnos diwetha

 echdoe

yfory

mewn chwe mis

Rhaid i bawb arall yn y grŵp ofyn cwestiynau i'r person sy'n dweud y frawddeg, e.e.

A: [yn taflu 4]
B: Ble est ti siopa?
C: Beth brynaist ti?

A: Es i siopa echdoe.
A: Es i i Gaerdydd.
A: Prynais i siwt newydd.

Deialog

A: Prynhawn da. *[yn nerfus]*
B: Prynhawn da. Dewch i mewn. Mae hi'n braf.
A: Ydy hi? Dw i ddim yn siŵr beth dw i i fod i'w wneud...
B: Eisteddwch yma, a symudwch lan bob tro mae'r sedd nesaf atoch chi'n wag.
A: Iawn.
[saib]
A: O'r diwedd! Mae aros ac aros yn fy ngwneud i'n fwy...
B: Pardwn? Darllenwch y daflen yma.
A: Iawn.
B: Dych chi wedi bod yn Affrica yn y blynyddoedd diwethaf?
A: Dw i erioed wedi bod yn Affrica.
B: Oes annwyd arnoch chi?
A: *[yn obeithiol]* Ces i annwyd ofnadwy –
B: Pryd?
A: Y llynedd. Fasai'n well i fi fynd yn ôl i'r gwaith?
B: Na fasai. Byddwch chi'n iawn.
A: Dw i newydd gofio - ges i dipyn go lew o win gyda swper neithiwr. Fasai hi'n well i fi ddod yn ôl mis nesaf?
B: Bydd eich gwaed chi'n glir erbyn hyn.
A: O.
B: Pa mor aml fyddwch chi'n rhoi gwaed?
A: Dw i erioed wedi rhoi gwaed o'r blaen.
B: Dw i'n gweld. Dych chi ddim yn nerfus?
A: Nerfus? Fi? Nac ydw, wrth gwrs.
B: Peidiwch â phoeni. Mae'n hawdd.
A: Ydy e'n gwneud dolur?
B: Nac ydy wrth gwrs, tipyn bach fel pigiad nodwydd.
A: Pigiad! Dw i byth yn licio pigiadau.
B: Wnewch chi ddim sylwi bron.
A: I ble dylwn i fynd nawr?
B: Gorweddwch yma.
A: Fel hyn?
B: Perffaith. Nawr rhowch eich braich i mi.
A: Fel hyn?
B: Yn union. Reit, ymlaciwch eich braich.
A: Ymlacio? Sut galla i ymlacio?
B: Meddyliwch am y te a'r fisgïen... Da iawn chi! Wedi ymlacio'n dda... O na! Nyrs! Mae'r person yma wedi llewygu.

Sgwrsio
Dych chi wedi rhoi gwaed erioed? Sut brofiad oedd e?

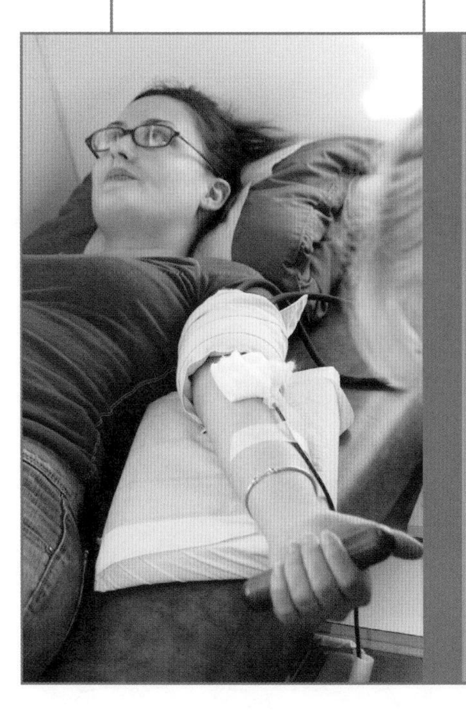

Darn Darllen

Eisteddfodau

Pan o'n i'n blentyn ro'n i'n mwynhau cystadlu mewn eisteddfodau. Dw i'n meddwl mod i wedi dechrau mewn eisteddfod capel yn Sir Fôn, pan o'n i'n ddwy oed. Yn ffodus, dw i ddim yn cofio hynny o gwbl!

Dechreuais i gystadlu yn Eisteddfod yr Urdd pan o'n i tua saith oed. Ro'n i'n mynd i ysgol fach, felly ces i'r cyfle i fod mewn partïon a chorau yn ifanc iawn. Dw i'n cofio Eisteddfod Genedlaethol yr Urdd yn Llanidloes yn dda. Roedd plant yn mynd i aros at deuluoedd lleol. Ro'n i'n aros gyda dwy ffrind oedd yn llawer henach na fi - tua un ar ddeg oed. Ro'n nhw'n mwynhau tynnu fy nghoes! Dwedon nhw fod sgerbwd yn y cwpwrdd mawr ar waelod y gwely. Ond ro'n nhw'n difaru ar ôl i fi fod yn crïo drwy'r nos. Yn y diwedd, bwytais i baced o greision yn y gwely i gysuro fy hunan. Doedd y briwsion creision ddim yn help i ni gysgu chwaith. Dw i'n synnu dim fod y tair ohonon ni wedi blino gormod i ganu'n dda y bore wedyn.

Mae Eisteddfod yr Urdd yn ddiddorol iawn - bob blwyddyn mae miloedd o blant yn cystadlu ym mhob cylch (ardal), llawer yn cael eu dewis i gystadlu yn yr Eisteddfod Sir a rhai'n cael mynd i'r Eisteddfod Genedlaethol. Des i i nabod llawer o ardaloedd amrywiol drwy Eisteddfod yr Urdd ac aros mewn cartrefi diddorol iawn. Arhosais i ar y stryd lle gaeth Tom Jones ei eni ym Mhontypridd a dysgu bod pobl Llanelli yn bwyta sglodion a salad yr un pryd!

Roedd eisteddfodau eraill, wrth gwrs. Ro'n i'n mynd i'r ŵyl Gerdd Dant bob mis Tachwedd, ac roedd e'n gyfle i weld yr un ffrindiau bob blwyddyn. Weithiau ro'n i'n ennill, weithiau ddim, ond roedd hi'n hwyl beth bynnag. Yn anffodus i fy rhieni, ro'n i'n canu'r delyn, felly roedd rhaid cario'r offeryn mawr iawn i mewn i festri capel, neuadd bentref, ysgol feithrin, yn aml lan staer...

Roedd yr Eisteddfod Genedlaethol fawr yn brofiad gwahanol. Ro'n i'n cystadlu, ond roedd cymaint o bethau eraill diddorol i'w gwneud - cyngherddau, discos, pebyll lliwgar, gweld ffrindiau, gwersylla neu garafanio. Dw i wedi bod i dros dri deg o Eisteddfodau Cenedlaethol erbyn hyn a phob un yn wahanol.

Mae Bryn Terfel yn dweud taw canu mewn Eisteddfodau oedd y profiad gorau gaeth e erioed. Dw i'n cytuno. Mae sefyll o flaen cynulleidfa sy'n amrywio o fabanod i hen bobl a'u cael i wrando arnoch yn canu'r gân maen nhw wedi ei chlywed dri deg saith o weithiau'n barod yn fwy anodd na chanu Don Giovanni yn Covent Garden!

Eirian Conlon

Cwestiynau

Trafodwch y cwestiynau hyn gyda'ch partner.

i. Pa mor ifanc oedd yr awdures yn mynd i eisteddfod am y tro cyntaf?
ii. Pam nad oedd Eisteddfod Llanidloes yn llwyddiant i'r awdures?
iii. Beth arall ddysgodd yr awdures am Gymru drwy Eisteddfod yr Urdd?
iv. Pam roedd yr awdures yn mwynhau'r Ŵyl Gerdd Dant?
v. Pa mor aml oedd hi'n ennill?
vi. Beth yw'r broblem gyda chanu'r delyn mewn eisteddfodau?
vii. Pam mae'r awdures yn mwynhau'r Eisteddfod Genedlaethol?
viii. Beth yw barn Bryn Terfel am eisteddfodau?

Sgwrsio

i. Pa mor aml fyddwch chi'n teithio ar drên?
Pryd aethoch chi ar drên ddiwethaf?
ii. Pa mor aml fyddwch chi'n teithio ar awyren?
Pryd o'ch chi ar awyren ddiwethaf?
iii. Pa mor aml fyddwch chi'n mynd mewn bws i rywle?
Pryd oedd y tro diwethaf i chi fynd ar fws?
iv. Beth yw'ch hoff ffordd chi o deithio?
Dych chi'n ceisio osgoi defnyddio un ohonyn nhw?
v. Dych chi wedi cael profiad diddorol ar drafnidiaeth gyhoeddus erioed?

Geirfa

ar hyn o bryd - *at present*
awdures(au) (b) - *female author(s)*
canlyniad(au) - *result(s)*
cysuro - *to comfort*
chwaith - *either*
difaru - *to be sorry, to regret*
dipyn go lew - *a fair amount*
echdoe - *day before yesterday*
estynedig - *extended*
gwneud dolur - *to hurt*
Gŵyl Gerdd Dant - *Cerdd Dant Festival* *(math o ganu arbennig gyda'r delyn yw cerdd dant)*
hyd yn hyn - *so far*
llewygu - *to faint*
lliwgar - *colourful*
llwyddiant - *success*
nodwydd(au) (b) - *needle(s)*
offeryn(nau) - *instrument(s)*
osgoi - *to avoid*
pigiad(au) - *prick(s), injection(s);* hefyd *sting*
sgerbwd (sgerbydau) - *skeleton(s)*
synnu - *to be surprised, to surprise*
trafnidiaeth gyhoeddus (b) - *public transport*
ymlacio - *to relax*
yn ddiweddar - *recently*

Cwrs Canolradd: Uned 20

Nod: Adolygu ac ymestyn

Adolygu - disgrifio lle

Dewiswch un o'r lleoedd yn y lluniau. Gyda'ch partner, trafodwch ymweliad ag un ohonyn nhw. Gofynnwch gwestiynau fel:

- Sut oedd y daith?
- Sut oedd y gwesty?
- Sut oedd y tywydd?
- Sut oedd y lle?
- Sut oedd y bwyd?
- Beth oedd yn arbennig am y lle?
- Fasech chi'n mynd yno eto?

Adolygu - gorchmynion

Gyda'ch partner eto, trowch y rhain yn orchmynion i **chi**:

Darllena'r darn yma	____________
Rho'r llyfrau ar y ddesg	____________
Cofia wneud dy waith cartref	____________
Paid anghofio	____________
Ateba'r cwestiynau	____________
Dysga'r geiriau yma	____________
Tro i dudalen saith	____________
Dere i barti'r dosbarth	____________
Mwynha'r gwyliau	____________
Cer i'r cwrs penwythnos	____________
Gwna'r gwaith cartre	____________

Pa orchmynion eraill mae eich tiwtor yn eu rhoi i chi?
Pa orchmynion dych chi'n eu clywed yn eich lle gwaith fel arfer?

Adolygu - arferion pob dydd

Gofynnwch i 5 person gwahanol:

Pa mor aml fyddi di'n...
- i. mynd i'r theatr
- ii. prynu llyfr newydd
- iii. mynd i'r ganolfan hamdden

Trafodwch yr atebion â'ch partner.

Tasg - llenwi bylchau

Gyda'ch partner, llenwch y bylchau yn y ddeialog yma, gan ddefnyddio'r geiriau mewn cromfachau fel sbardun.

A: Dw i'n siarad heno gyda'r seren ffilm enwog o Gymru - Ffion Philips. Mae hi wedi gwahodd gwylwyr Ffilm Cymru i'w ____________ (cartre) yn Los Angeles. Diolch i chi am sbario'r amser i'n cyfarfod ni Ffion.

Ff: Croeso. ____________ (cymryd) chi wydraid o siampên?

A: Diolch yn fawr! Wel, dyma le bendigedig!

Ff: Mae e'n braf, ______________? Mae golygfa wych o'r traeth, yn enwedig pan fydd yr haul yn machlud. Dw i byth yn blino ar yr olygfa.

A: Felly, dych chi wedi setlo yma yng Nghaliffornia?

Ff: ______________ (✔) wir. Mae'r bobl yn neis iawn.

A: Sut brofiad oedd gweithio ar yr opera sebon 'People of Hollywood' yn syth ar ôl 'Pobol y Cwm'?

Ff: ______________ yn od, a dweud y gwir. Mae'r gyfres yn wahanol iawn i Gwmderi.

A: Dw i'n gweld. Oes hiraeth arnoch chi am Gymru o gwbl?

Ff: ______________, wrth gwrs - dw i'n gweld eisiau'r teulu.

A: Felly, pa mor ______________ dych chi'n mynd yn ôl i Gymru?

Ff: Dw i'n dod adre bob ____________ Awst i'r Eisteddfod Genedlaethol! A ____________ i a Brad yn dod draw fis nesa i fedyddio ein babi newydd sbon. ______________ (edrych) ar y llun 'ma ohoni hi.

A: Wel wir, mae hi'n bert iawn.

Ff: Wrth gwrs, mae ei ____________ (trwyn) hi yn union fel fy ____________ (trwyn) i!

A: Ble mae hi nawr?

Ff: Gyda'r nani. Conchita! ______________ (dod)! Ar unwaith!

A: Dych chi a Brad wedi dewis enw iddi hi eto?

Ff: ______________ (✔) - enw fy mam-gu, Myfanwy, a mam-gu Brad, Esmerelda. Dych chi wedi clywed enw cystal ______________?

A: Nac ydw, wir. Diolch yn fawr Ffion.

Gwrando a deall

Gwrandewch ar y darn yn gynta. Yna, edrychwch ar y brawddegau isod. Mae rhywbeth yn anghywir ymhob brawddeg. Newidiwch y brawddegau i gyfateb â'r darn.

Cwestiynau

i. Mae Matthew Gruffudd yn gweithio fel athro.

____

ii. O Gaerdydd mae e'n dod yn wreiddiol.

____

iii. Symudodd e i weithio yn America ar ôl gadael yr ysgol.

____

iv. Mae e'n byw yn Los Angeles ers tri deg mlynedd.

v. Mae un mab gyda Matthew Gruffudd.

vi. Mae ei ferch e'n feddyg yn barod.

vii. Mae ei wraig e'n dod o Gymru.

viii. Roedd ei wraig e eisiau symud hefyd.

ix. Mae ei wraig e wedi dysgu tipyn bach o Gymraeg.

x. Byddan nhw'n cadw cysylltiad â'r plant drwy ffonio.

Tasg - cyfweld rhywun

Nawr, heb edrych ar y sgript, meddyliwch am gwestiynau y basech chi'n gofyn i Matthew Gruffudd. Pan fyddwch chi'n barod, gofynnwch y cwestiynau i'ch partner yn eich tro.

Cofiwch - cyn bo hir, bydd rhaid i chi wneud tasg arbennig gyda'r arholiad, sef recordio cyfweliad gyda rhywun sy'n siarad Cymraeg yn rhugl. Ceisiwch ymarfer gyda ffrindiau a dysgwyr eraill a gofyn cwestiynau iddyn nhw.

Geirfa

astudio - *to study*
bedyddio - *to christen*
cromfach(au) (b) - *bracket(s)*
cyfateb â - *to correspond to*
cyfweld - *to interview*
cyfweliad(au) - *interview(s)*
gwahodd - *to invite*
gweld eisiau - *to miss*
gwyliwr (-wyr) - *viewer(s)*
gwydraid o siampên - *a glass of champagne*
machlud - *sunset*
mae hiraeth arna i - *I'm homesick*
Unol Daleithiau - *United States*

Cwrs Canolradd: Uned 21

Nod: Trafod amserau a chyfnodau

Ymarfer

Dyna'r tro cyntaf i ni ymweld â'r lle
Dyna'r ail dro i ni ymweld â'r lle
Dyna'r trydydd tro i ni ymweld â'r lle
Dyna'r pedwerydd tro i ni ymweld â'r lle

Sawl gwaith dych chi wedi bod yno?

Dyn ni'n mynd yno unwaith y flwyddyn
Dyn ni'n mynd yno ddwywaith y flwyddyn
Dyn ni'n mynd yno dair gwaith y flwyddyn
Dyn ni'n mynd yno bedair gwaith y flwyddyn
Dyn ni'n mynd bob yn ail flwyddyn

Pa mor aml dych chi'n mynd i'r lle?

Tasg - adolygu dyddiadau

Gyda'ch partner, dwedwch y dyddiadau hyn yn Gymraeg. Bydd eich tiwtor yn eich helpu chi.

1/9/98	4/5/67	10/11/89	2/7/2002
31/2/88	25/1/76	5/3/2006	21/6/1890

Ar ddarn o bapur, ysgrifennwch ddau ddyddiad sy'n arwyddocaol i chi – pen-blwydd eich priodas, pen-blwydd aelod arall o'r teulu, diwrnod dych chi'n mynd ar wyliau, diwrnod parti. Bydd rhaid i chi drafod y dyddiadau hyn â'r grŵp.

Ymarfer

Dim ond am noson
Dim ond am ddeuddydd
Am dridiau yn unig
Am flwyddyn yn unig

Am faint wnewch chi aros?

Y tro diwetha i ni fynd, arhoson ni am wythnos
Y tro nesa i ni fynd, arhoswn ni am bythefnos
Dyna'r tro ola i ni fynd yno!

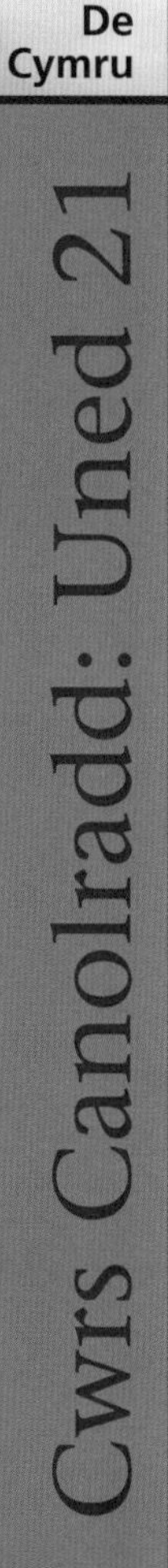

Gramadeg

i. Beth yw'r gwahaniaeth rhwng **diwetha / diwethaf** (*last*) ac **ola / olaf** (*last*)?
Ystyr **diwetha** yw *most recent*, e.e. yr wythnos diwetha, y gwyliau diwetha.
Ystyr **ola** yw *very last, last of all, final*, e.e. dyna'r tro ola, y dyn ola yn y ciw.

ii. Beth yw'r gwahaniaeth rhwng **dydd** a **diwrnod**?
Defnyddiwch **diwrnod** ar ôl rhif, e.e. dau ddiwrnod.
Defnyddiwch **diwrnod** pan fydd **o** yn dilyn, e.e. diwrnod o waith.
Defnyddiwch **diwrnod** pan fydd disgrifiad neu ansoddair yn dilyn, e.e. diwrnod da.
Ym mhob man arall, defnyddiwch **dydd**, e.e. dydd Iau, drwy'r dydd.

iii. Beth yw'r gwahaniaeth rhwng **nos** a **noson** a **noswaith**?
Defnyddiwch **noswaith** wrth gyfarch rhywun, e.e. Noswaith dda!
Defnyddiwch **noson** ar ôl rhif, e.e. dwy noson.
Defnyddiwch **noson** pan fydd **o** yn dilyn, e.e. noson o waith.
Defnyddiwch **noson** pan fydd disgrifiad neu ansoddair yn dilyn, e.e. noson dda.
Ym mhob man arall, defnyddiwch **nos**, e.e. nos Iau, drwy'r nos.

Tasg - dewis gwesty

Dych chi'n chwilio am westy i grŵp o bobl. Aethoch chi ar wefan i chwilio a chael rhestr o wyth gwesty posibl. Gyda'ch partner, trafodwch fanteision ac anfanteision pob gwesty.

Gwesty:	Llew Coch
Lleoliad:	Canol y dre
Cyfleusterau:	Uwchben tafarn
Ystafelloedd:	15
O'r maes awyr:	30m
Bwydlen:	Bwyd tafarn arferol. Noson 'cyri' ar nos Iau
Prisiau:	£25 y noson

Gwesty:	Morben Manor
Lleoliad:	Canol y wlad
Cyfleusterau:	Spa, campfa
Ystafelloedd:	50
O'r maes awyr:	50m
Bwydlen:	Bwyd Ffrengig o'r safon ucha. Bwyd organig
Prisiau:	£125 y noson

Gwesty:	Dan y Graig
Lleoliad:	Ar lan y môr
Cyfleusterau:	Dim
Ystafelloedd:	3
O'r maes awyr:	35m
Bwydlen:	Dim ond brecwast
Prisiau:	£30 y noson

Gwesty:	Chez Siân
Lleoliad:	Ger y dre
Cyfleusterau:	Dim
Ystafelloedd:	Tair
O'r maes awyr:	32m
Bwydlen:	Dim ond brecwast
Prisiau:	£26 y noson

Gwesty:	**Gwesty'r Grand**
Lleoliad:	Ar y bryn yn y dre
Cyfleusterau:	Pwll nofio
O'r maes awyr:	30m
Bwydlen:	Bwydlen fawr, bwyd traddodiadol
Prisiau:	£55 y noson

Gwesty:	**Shangri La**
Lleoliad:	Pentre ger y dre
Cyfleusterau:	Ystafell ioga
O'r maes awyr:	38m
Bwydlen:	Bwyd Thai
Prisiau:	£58 y noson

Gwesty:	**Deli Dai a Del**
Lleoliad:	Deg milltir o'r dre
Cyfleusterau:	Lle bwyta, cyfleus i fynd i gerdded
Ystafelloedd:	8
O'r maes awyr:	40m
Bwydlen:	Bwyd Cymreig o'r safon ucha
Prisiau:	£60 y noson

Gwesty:	**Best West Hotel**
Lleoliad:	Ger y draffordd
Cyfleusterau:	Dim
Ystafelloedd:	80
O'r maes awyr:	5m
Bwydlen:	Brecwast a bwffe gyda'r nos
Prisiau:	£45 y noson am ystafell

Tasg - cwyno am westy

Dych chi wedi bod ar wyliau i westy, e.e. un o'r gwestai o'r dasg ddiwetha. Dych chi ddim yn hapus o gwbl â'r gwyliau gaethoch chi. Er mwyn cwyno, rhaid i chi lenwi'r ffurflen hon.

Enw: ______________________________

Cyfeiriad: ______________________________

____

Dyddiadau aros: ______________________________

Natur y broblem: ______________________________

____

____

____

Beth hoffech chi i'r gwesty ei wneud am y peth? ______________________________

____

____

Yr aduniad

A: Helo? Trewenallt 753737.
B: Helo - Eirian Thomas?
A: Eirian Thomas yn siarad. Ga i'ch helpu chi?
B: Eirian! Ceri Roberts sy 'ma. Sut wyt ti ers talwm?
A: Mae'n ddrwg gyda fi?
B: Ceri Roberts, Ty'n Coed, Ysgol Llanwenallt.
A: O - Ceri! Wel, wel, sut wyt ti ers blynyddoedd?
B: Iawn diolch.

[Saib]

A: Felly Ceri - sut galla i dy helpu di?
B: Wel, fi all dy helpu di dweud y gwir. Dw i'n ffonio i ddweud bod aduniad yn cael ei drefnu.
A: Aduniad? Pa aduniad?
B: Aduniad Ysgol Llanwenallt. Ro'n i wedi colli cysylltiad â phawb, ond ces i alwad ffôn echnos gan Joni Jones.
A: Joni Jones?
B: Ie - rwyt ti'n cofio Joni Jones? Gwallt coch fel brwsh? Chwibanu drwy'r amser?
A: O ydw - Joni Jones. Beth oedd e eisiau?
B: Eisiau i ni i gyd gwrdd eleni. Dyn ni i gyd yn bedwar deg eleni!
A: Ydyn, dw i'n gwybod. Wel, beth sy'n digwydd?
B: Dw i ddim yn siŵr eto. Bydda i wedi rhoi dy rif ffôn di iddo erbyn yfory. Bydd e'n cysylltu wedyn. Diolch yn fawr i ti Eirian. Hwyl.
A: Aros funud - Ceri? Wyt ti'n mynd? Beth sy'n mynd i gael ei drefnu? Ceri? Ceri?

Darn Darllen

Darllenwch y memo. Yna, ysgrifennwch 5 cwestiwn yn seiliedig ar y nodyn, e.e. At bwy mae'r nodyn? Bydd eich tiwtor yn casglu'r cwestiynau.

MEMO

Dyddiad: 10 Rhagfyr
At: Staff yr adran
Oddi wrth: Y rheolwr

Byddwn ni'n cyfarfod yng nghyntedd y gwesty ar 21 Ionawr am 9. Fyddwn ni ddim yn torri am goffi yn y bore, ond byddwn ni'n cael cinio o 12.15 tan 1.00. Byddwn ni'n gweithio tan 7 o'r gloch o leia, felly fydd hi ddim yn bosibl i chi ddal y trên yn ôl. Bydd rhaid i chi drefnu gwesty yn yr ardal. Fasech chi mor garedig â gadael i ysgrifenyddes y cwmni wybod beth fydd eich trefniadau? Pan fyddwn ni wedi cael eich neges, byddwn ni'n cysylltu â rheolwr y cwmni yn America i gadarnhau.

Sgwrsio

i. Dych chi'n un (d)da am drefnu pethau? Yn eich tŷ chi, pwy sy'n trefnu:
   a. gwyliau
   b. pacio am wyliau
   c. pethau ariannol
   ch. siopa am anrhegion
   d. mynd â'r car i'r garej

ii. Dych chi wedi bod ar bwyllgor erioed (ar wahân i'r gwaith)?

iii. Dych chi wedi bod mewn aduniad erioed?

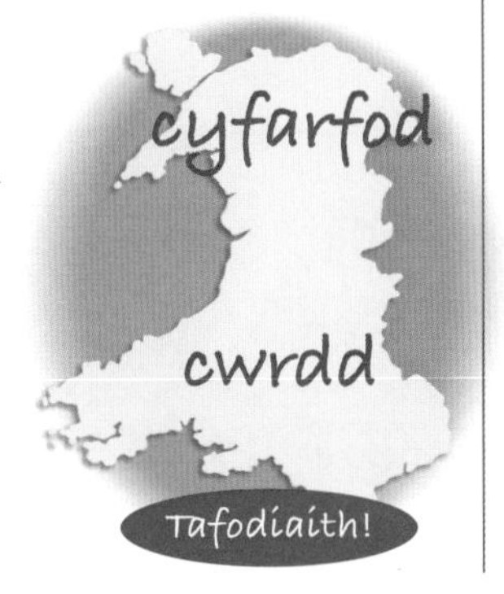

Geirfa

aduniad(au)	- *reunion(s)*
anfantais (anfanteision) (b)	- *disadvantage(s)*
arwyddocaol	- *significant*
cyfleuster(au)	- *facility (-ies)*
cyntedd(au)	- *porch(es), entrance hall(s)*
chwibanu	- *to whistle*
gwahaniaeth(au)	- *difference(s)*
gwefan(nau) (b)	- *website(s)*
mantais (manteision) (b)	- *advantage(s)*
seiliedig	- *based*

Cwrs Canolradd: Uned 22

Nod: Trafod hwn a hon

Ymarfer

Sut i ddweud *this*, *that* a *these* yn Gymraeg.

Y dyn yma	Y tŷ yna
Y ferch yma	Y gegin yna
Y plant yma	Y ceir yna

Pa un yw dy dŷ di?	Hwn!	**Gwrywaidd**
Pa un yw dy gegin di?	Hon!	**Benywaidd**
Pa rai yw dy geir di?	Y rhain!	**Lluosog**

Gyda'ch partner, rhowch y geiriau yma yn y cwestiwn:

dosbarth, cath, cŵn, mam, cot, llyfr, cyfrifiadur, ysgol, swyddfa, cwpanau.

Os yw'r peth yn haniaethol, dych chi'n defnyddio **hyn** (*this*) neu **hynny** (*that*), e.e.

Mae'r broblem yn waeth!	Ydy, mae hyn yn waeth o lawer!
Mae'r sefyllfa'n ofnadwy!	Ydy, mae hynny'n ofnadwy!

Ymarfer

Wrth ysgrifennu (neu wrth siarad weithiau, ac yn enwedig wrth siarad yn ffurfiol), mae pobl yn defnyddio **hwn/hon** yn lle **yma** (*this*, *these*), e.e. y llyfr yma = y llyfr hwn (*this book*). Os yw'r gair yn lluosog, defnyddiwch **hyn** yn syth ar ôl y gair. Mae **hyn** yn eitha cyffredin wrth siarad yn y De.

Y tŷ hwn	**Gwrywaidd**
Y gegin hon	**Benywaidd**
Y ceir hyn	**Lluosog**

Mwynheuais i ddarllen y llyfr hwn
Y ddrama hon yw'r orau gan Shakespeare
Mae'r nofelau hyn yn ardderchog

Newidiwch y brawddegau yma i ddefnyddio **hwn / hon / hyn**:

Mae'r gath yma ar goll
Mae'r bachgen yma'n ddrwg iawn
Mae'r ceir yma'n hen ofnadwy
Mae'r gegin yma'n enfawr

Ymarfer

Wrth ysgrifennu eto, (neu siarad yn ffurfiol), mae pobl yn defnyddio **hwnnw**, **honno**, **hynny**, yn lle **yna** (*that, those*), e.e. y llyfr yna = y llyfr hwnnw (*that book*).

Y tŷ hwnnw	**Gwrywaidd**
Y gegin honno	**Benywaidd**
Y ceir hynny	**Lluosog**

Mwynheuais i ddarllen y llyfr hwnnw
Y ddrama honno yw'r orau gan Shakespeare
Mae'r nofelau hynny'n ardderchog

Newidiwch y brawddegau yma i ddefnyddio **hwnnw / honno / hynny**:

Mae'r gath yna ar goll
Mae'r bachgen yna'n ddrwg iawn
Mae'r ceir yna'n hen ofnadwy
Mae'r gegin yna'n enfawr

Ymarfer

Os dych chi'n gallu pwyntio neu ddangos y peth, dych chi'n defnyddio **hwnna! honna!** a **rheina!**

Pa gar wyt ti eisiau?	Hwnna!
Pa gegin wyt ti eisiau?	Honna!
Pa lyfrau wyt ti eisiau?	Rheina!

Gyda'ch partner, rhowch y geiriau yma yn y cwestiwn:

tiwtor, cath, cŵn, taflen, cot, llyfr, cyfrifiadur, cadair, cwpanau.

A: Pa lyfr wyt ti am ddewis? Yr un mawr neu'r un bach?
B: Mae hwn yn edrych braidd yn drwm; pryna i hwnna!

A: Pa gacen wyt ti am fwyta? Y gacen gaws neu'r gacen siocled?
B: Mae hon yn rhy felys; cymera i honna.

A: Pa 'sgidiau sy'n dy ffitio di orau?
B: Mae'r rhain braidd yn dynn; tria i'r rheina!

Deialog

Yn y tŷ bwyta

A: Beth yw hwn?
B: Octopws, dw i'n meddwl.
A: Beth yw'r rhain?
B: Malwod? Nage, rhyw fath o fwyd môr.
A: Dw i ddim eisiau bwyta'r rheina wir.
B: Beth yw hon 'te? Taten yw hi?
A: Dyw hi ddim yn edrych fel taten i mi. A beth yw hwn?
B: Mae e'n dweud taw gwymon yw e.
A: Gwymon? Dw i ddim yn bwyta pethau brwnt fel hwnna.
B: Wyt ti wedi bwyta bara lawr erioed?
A: Ych! Nac ydw wir!
B: Ddim gwymon yw hwnna beth bynnag, ond cabatsen wedi ffrïo.
A: Wedi ffrïo! Pam nad ydyn nhw'n ei ferwi e fel pawb arall? A beth yw hwn?
B: *[heb edrych, yn rhy brysur yn bwyta]* Cawl o ryw fath, dw i'n meddwl.
A: Mae e'n denau iawn. Ych! Dw i ddim yn lico blas hwn o gwbl.
B: Beth wyt ti'n wneud? Bowlen o ddŵr yw honna.
A: DŴR?
B: I ti gael golchi dy ddwylo, y lemon.
A: Lemon? Na, dw i wedi bwyta hwnnw'n barod. O leia ro'n i'n gwybod beth oedd e!

Darn Darllen

Gyda'ch partner, darllenwch y darn yma. Rhowch linell dan y geiriau dych chi ddim yn eu deall.

Dw i'n caru canu *(addasiad o Golwg)*

Pan dorrodd llais y boi soprano Aled Jones pan oedd o'n 16 oed, doedd dim angen poeni bod ei yrfa gerddorol ar ben. Roedd y bachgen o Landegfan ym Môn yn gwybod y basai'n canu eto ryw ddydd, meddai. Mae'r boi soprano hwnnw'n fariton bellach, ac mae ei albwm cynta', **Aled**, yn cyrraedd y siopau yr wythnos nesa.

"Pan o'n i'n blentyn, do'n i ddim yn canu er mwyn bod yn enwog, ond am fy mod i'n caru canu, ac ro'n i'n gwybod fy mod i'n mynd i ganu eto, hyd yn oed tasai hynny ddim ond yn y bath," meddai.

Ond mae Aled Jones, a gyrhaeddodd y pump ucha yn y siartiau Prydeinig yng nghanol yr wythdegau gyda'r gân 'Walking in the Air' wedi gwneud ychydig yn well na hynny. Erbyn hyn, mae wedi arwyddo cytundeb i recordio pum albwm gyda chwmni Universal, y cwmni sy'n gyfrifol am gantorion byd-enwog fel Bryn Terfel a'r tenoriaid Russell Watson ac Andrea Bocelli.

"Ro'n i'n gwybod y baswn i'n canu ac yn gwneud rhywbeth ym myd *showbiz*, ond do'n i ddim yn gwybod y baswn i'n gallu canu'n glasurol neu wneud y math o ganu dw i'n ei wneud rŵan," meddai wedyn. Digwyddodd hyn i gyd drwy'r rhaglen *Songs of Praise*. Aled Jones yw un o gyflwynwyr y rhaglen emynau bob nos Sul sy'n teithio gwledydd Prydain ac yn cynnwys hoff emynau cynulleidfaoedd mewn ardaloedd gwahanol. "Ro'n i'n canu bob wythnos ar y rhaglen ac yn derbyn miloedd o lythyrau'n gofyn i mi ryddhau record hir."

Ar ddechrau 2003, bydd Aled yn hyrwyddo ei albwm newydd yn Japan, lle cafodd lwyddiant mawr pan oedd yn ifanc. "Ro'n i wrth fy modd yno fel plentyn," meddai. "Mi wnes i ryddhau pymtheg albwm yn Japan ac aethon nhw i gyd i rif un. Felly, gobeithio bydd y bobl yn licio'r albwm yma hefyd."

Geirfa

achub	-	*to save*
arwyddo	-	*to sign*
bara lawr	-	*laver bread*
bariton	-	*baritone*
byd-enwog	-	*world-famous*
cabatsen (cabaits)	-	*cabbage* (bresych)
clasurol	-	*classical*
cynulleidfa(oedd) (b)	-	*audience(s), congregation(s)*
cytundeb(au)	-	*contract(s), agreement(s)*
emyn(au)	-	*hymn(s)*
gwymon	-	*seaweed*
gyrfa gerddorol (b)	-	*musical career*
haniaethol	-	*abstract*
llifogydd	-	*floods*
rhyddhau	-	*to release, to free*
siart(iau) (b)	-	*chart(s)*
taflen(ni) (b)	-	*leaflet(s)*
tynn	-	*tight*

Tasg - cwestiynau

Gyda'ch partner, paratowch gwestiynau i'w gofyn i Aled Jones, ar sail yr erthygl yma. Rhaid i chi feddwl am wyth cwestiwn i ofyn iddo.

Sgwrsio

Tasai rhaid i chi adael eich tŷ o fewn munud (oherwydd llifogydd neu dân), pa dri pheth fasech chi'n ceisio eu hachub, ar wahân i'r teulu? Ar ôl munud, rhaid i chi ddweud wrth y dosbarth beth fasai'r tri pheth y basech chi'n eu hachub, a dweud pam maen nhw'n bwysig i chi.

Tasai rhaid i chi ddewis tri CD i'w hachub o'r tŷ, pa CD (neu recordiau neu dapiau) fasech chi'n eu hachub?

Cwrs Canolradd: Uned 23

Nod: Arddodiaid cymhleth

Ymarfer

Paid torri ar fy nhraws i!
Paid torri ar ei draws e!
Paid torri ar ei thraws hi!
Paid torri ar ein traws ni!
Paid torri ar eu traws nhw!
Paid torri ar draws neb!

Paid chwerthin am fy mhen i!
Paid chwerthin am ei ben e!
Paid chwerthin am ei phen hi!
Paid chwerthin am ein pennau ni!
Paid chwerthin am eu pennau nhw!
Paid chwerthin am ben neb!

Paid dweud popeth ar fy ôl i!
Paid dweud popeth ar ei ôl e!
Paid dweud popeth ar ei hôl hi!
Paid dweud popeth ar ôl Lowri!
Paid dweud popeth ar ein holau ni!
Paid dweud popeth ar eu holau nhw!

Paid rhedeg o 'mlaen i!
Paid rhedeg o'i flaen e!
Paid rhedeg o'i blaen hi!
Paid rhedeg o flaen Lowri!
Paid rhedeg o'n blaenau ni!
Paid rhedeg o'u blaenau nhw!

Deialog 1

Dysgwch y ddeialog yma gyda'ch partner.

A: Paid siarad ar draws y dosbarth!
B: Dw i ddim yn siarad ar draws neb.
A: Wel paid siarad ar fy nhraws i!
B: Dw i ddim yn siarad ar dy draws di.
A: Paid chwerthin am fy mhen i!
B: Dw i ddim yn chwerthin am dy ben di.
A: Paid dweud popeth ar fy ôl i!
B: Dw i ddim yn dweud popeth ar dy ôl di ...wps!

Tasg - gwaith pâr

Gyda'ch partner, ceisiwch ateb y cwestiynau yma.

i. Rwyt ti'n sefyll o flaen John. Beth mae e'n ddweud?
Rwyt ti'n sefyll o 'mlaen i!
Mae e'n dweud fod ti'n sefyll o'i flaen e!

ii. Rwyt ti'n chwerthin am ben Mari. Beth mae hi'n ddweud?

iii. Rwyt ti'n rhedeg ar ôl Sara. Beth mae hi'n ddweud?

iv. Rwyt ti'n siarad ar draws y tiwtor. Beth mae e'n ddweud?

v. Rwyt ti'n rhedeg o gwmpas Mrs Evans. Beth mae hi'n ddweud?

vi. Rwyt ti'n gweithio wrth ochr Elin. Beth mae hi'n ddweud?

vii. Rwyt ti'n byw tu ôl i Gareth. Beth mae e'n ddweud?

Gramadeg

Gyda rhai arddodiaid mae angen rhoi'r **fy... / dy...** yn y canol, e.e. **ar fy nhraws i**, **ar dy draws di**. Weithiau, mae'r cyfan yn gorffen ag **i**, a does dim angen rhoi dim byd yn y canol wedyn, e.e. **tu ôl i fi**, **tu ôl i ti**.

Arddodiaid gyda 'fy ...' / 'dy ...' yn y canol

ar draws
am ben
ar ôl
o flaen
o gwmpas
ar gyfer
ar bwys
ar hyd
yn ymyl
wrth ochr

Arddodiaid gyda 'i' ar y diwedd

tu ôl i
heibio i
tu mewn i

Deialog 2

Yn y Pantomeim - Hugan Fach Goch *(Little Red Riding Hood)*

A: Hasta! Mae'r Pantomeim yn dechrau nawr!
B: O na! Mae rhywun mawr iawn yn eistedd o'n blaenau ni... gyda lot o wallt.
A: O jiw - mae babi yn eu hymyl nhw hefyd, ac mae hi'n swnllyd yn barod.
B: Ych a fi! Dw i'n casáu babis mewn theatr. O na!

A: Beth sy'n bod nawr?
B: Dw i'n nabod y bachgen sy'n eistedd wrth ei hochr hi.
Fe oedd yn rhedeg ar fy ôl i ddoe.
A: Pam oedd e'n rhedeg ar dy ôl di?
B: Bwli yw e. Edrychwch! Mae'r blaidd yn cuddio yn fan'na!
A: Ble?
B: Dych chi'n gweld y goeden fawr 'na? I'r dde ohoni hi.
A: Nage - i'r chwith ohoni hi mae e nawr.
B: O ie! Edrychwch ar Hugan Fach Goch. Mae e'n cripian ar ei hôl hi...
A: Paid siarad ar ei thraws hi. Dw i ddim yn clywed...
B: O! edrychwch ar y blaidd nawr! Mae e'n cuddio tu ôl iddi hi.
A: Sh! Mae pawb yn chwerthin am ein pennau ni. Bydd yn dawel.
B: Ond edrychwch! Mae e reit wrth ei hochr hi. Hei! Hugan Fach Goch!
Mae e reit wrth dy ochr di!
HFG: SShh!!

Darn Darllen

Sain Ffagan

Dych chi wedi bod yn Sain Ffagan erioed? Dyma Amgueddfa Werin Cymru, ac mae'n werth ei gweld. Ar dir plasty Sain Ffagan, llai na phum milltir o Gaerdydd, mae dros bedwar deg o adeiladau wedi eu symud, garreg wrth garreg, o bob rhan o Gymru.

Cafodd y plasty ei roi i bobl Cymru ym 1946, ac ym 1948 agorwyd yr Amgueddfa. Mae'r castell yn fendigedig, ac o'i gwmpas e mae gardd brydferth iawn. Ond wrth gwrs, mae cannoedd o gestyll ar agor ar draws Ewrop. Beth sy'n arbennig am Sain Ffagan yw'r

adeiladau eraill - bythynnod, ffermdai, capeli, melinau - sy'n dangos sut oedd pobl Cymru yn byw ers talwm.

Pan ewch i mewn i'r safle, gwelwch chi arddangosfa ddiddorol o offer ffermio, gwisgoedd ac offerynnau cerddorol Cymru. Mae tŷ bwyta yna hefyd! Wedyn, gallwch chi grwydro'r 100 erw fel dych chi eisiau. Mae 'Siop Gwalia' o Ben-y-bont ar Ogwr yn ddiddorol iawn, ac un ochr i'r siop fel siop groser ers talwm. Wrth ei hochr hi mae rhan o'r siop yn gwerthu bwyd Cymru. Uwch ei phen hi mae caffi bach yn cynnig paned a chacennau blasus!

Ewch heibio i'r siop, tu ôl iddi, a gwelwch chi Sefydliad y Glowyr. Adeilad crand iawn yw hwn o ardal Caerffili. Tu mewn iddo, mae Llyfrgell, Neuadd Gyngerdd, Ystafell Filiards a stafelloedd eraill. Os trowch i'r chwith ar ôl dod allan o'r Sefydliad gwelwch chi res o dai lle byddai'r glowyr yn byw. Dyma rai o'r adeiladau mwya diddorol yn Sain Ffagan - tai Rhyd-y-Car o Ferthyr Tudful. Mae chwech o dai, y cyntaf fel y basai fe ym 1805 pan gafodd y rhes ei chodi, yr ail fel y basai fe ym 1855, wedyn 1895, 1925, 1955 ac yn olaf ym 1985. (Cafodd y tai eu symud i Sain Ffagan yn fuan wedyn.) Mae gan bob tŷ ardd fach hefyd, sy'n dangos fel mae garddio wedi newid mewn dwy ganrif!

Ym mis Ebrill 2001, penderfynodd y Cynulliad y dylai Amgueddfa Genedlaethol Cymru fod am ddim i bawb! Felly does dim rhaid i neb dalu i ymweld â Sain Ffagan, sy'n rhan o'r Amgueddfa Genedlaethol. Y tro nesaf dych chi yn yr ardal, ewch i Sain Ffagan, yn enwedig os dych chi yno yn ystod Calan Mai, Gŵyl Ifan (Mehefin 21 - y dydd hiraf), neu Galan Gaeaf. Cewch chi ddathlu'r hen wyliau Celtaidd!

Ym mhob adeilad bron mae rhywun sy'n gwybod llawer iawn am hanes yr adeilad hwnnw. Mae bron pob un yn siarad Cymraeg ac wrth eu bodd yn siarad â phobl sy'n dysgu Cymraeg. Felly mae Sain Ffagan yn lle perffaith i ymarfer eich Cymraeg a dysgu am hanes Cymru.

Cwestiynau

Trafodwch y cwestiynau yma gyda'ch partner.

i. Ble yn union mae Amgueddfa Werin Cymru?
ii. Pryd dechreuodd pobl ymweld â'r Amgueddfa?
iii. Beth sy'n agos i fynedfa'r Amgueddfa?
iv. Faint o dir sy gyda'r Amgueddfa?
v. Beth sy yn siop Gwalia?
vi. Beth sy yn Sefydliad y Glowyr?
vii. Pam mae stryd Rhyd-y-Car yn ddiddorol?
viii. Beth ddigwyddodd yn Ebrill 2001?
ix. Pam dylech chi fynd yno ar Fai'r cyntaf neu Hydref 31?
x. Beth allwch chi wneud os ewch chi i Sain Ffagan?

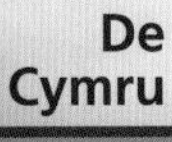

Sgwrsio

i. Dych chi'n un (d)da am roi cyfarwyddiadau i bobl?
ii. Dych chi'n un (d)da am ffeindio'ch ffordd o gwmpas dinas ddieithr? Dych chi'n hoffi chwilio am lefydd mewn dinas ddieithr?
iii. Dych chi fel arfer yn gyrru neu'n darllen y map pan dych chi'n teithio gyda rhywun i rywle newydd?
iv. Dych chi'n tueddu i fynd ar goll yn aml? Oes profiadau gyda chi o fod ar goll erioed?

i ffwrdd
bant
Tafodiaith!

Geirfa

arddangosfa (-feydd) (b)	-	*exhibition(s)*
blaidd (bleiddiaid)	-	*wolf (wolves)*
bwthyn (bythynnod)	-	*cottage(s)*
Calan Gaeaf	-	*Halloween*
Calan Mai	-	*1st of May, May Day*
cripian	-	*to crawl*
chwerthin am ben	-	*to laugh at*
dieithr	-	*unfamiliar*
garreg wrth garreg	-	*stone by stone*
gŵyl Geltaidd (gwyliau Celtaidd) (b)	-	*Celtic festival(s)*
Gŵyl Ifan	-	*Midsummer's Day*
melin(au) (b)	-	*mill(s)*
mynedfa (mynedfeydd) (b)	-	*entrance(s)*
offer	-	*tools*
plasty (plastai)	-	*mansion(s)*
rhes(i) (b)	-	*row(s)*
Sefydliad y Glowyr	-	*Miners' Institute*
torri ar draws	-	*to interrupt, lit. to cut across*
tueddu	-	*to tend to*
yn union	-	*exactly*

Cwrs Canolradd: Uned 24

Nod: Adolygu'r treigladau

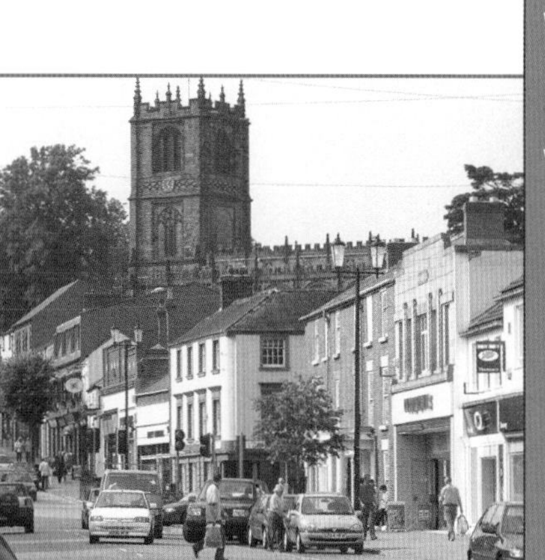

Dyma'r rhai mwya cyffredin!

Y Treiglad Trwynol

i. ar ôl **yn**
ii. ar ôl **fy**

C Mae fy nghefnder i yng Nghaerdydd
T Mae fy nhad-cu i yn Nhreffynnon
B Mae fy mrawd i ym Mangor
G Mae fy ngŵr/ngwraig i yng Ngwynedd yn rhywle
P Mae fy mhlant i ym Mhontypridd
D Mae fy neintydd i yn Nolgellau

Dewiswch un o'r treigladau yma i ddweud ble mae rhywun o'ch teulu chi!

Y Treiglad Llaes

i. ar ddechrau brawddeg negyddol, e.e. thalodd hi ddim byd
ii. ar ôl **ei** benywaidd, e.e. ei theulu hi
iii. ar ôl **a** (*and*) a **na** (*or* negyddol), e.e. dw i'n lico te a choffi; dw i ddim wedi bwyta brecwast na chinio
iv. ar ôl **na** (*than*), e.e. mae'n well gyda fi de na choffi

Gyda'ch partner, dwedwch:

A: Dw i'n lico ... a ...
B: Dw i ddim yn lico ... na ...

yn cynnwys y geiriau yma: te/coffi, cennin/tatws, tomato/caws, pys/pannas, cyri/pasta.

Y Treiglad Meddal

i. ar ôl **dy**, **ei** (gwrywaidd)
ii. ar ôl **o**, **i**, **wrth**, **am**, **ar**, **at**, **dan**, **dros**, **drwy**, **gan**.

Ymarfer

Gyda'ch partner, dwedwch:

A: O ble mae ... Gareth yn dod?
B: Mae ei ... e'n dod o ...

yn cynnwys y geiriau yma: tad/Pontypridd, mam/Tal-y-bont, brawd/Caerdydd, cefnder/Prestatyn, mam-gu/Caernarfon, tad-cu/Dolgellau.

iii. ar ddechrau brawddeg negyddol (ar wahân i TCP, wrth gwrs), e.e. Ddarllenais i ddim byd.
iv. ar ddechrau cwestiwn, e.e. Ddarllenoch chi rywbeth?

Ymarfer

Gyda'ch partner, atebwch y cwestiwn â brawddeg negyddol, e.e.

A: Ddarllenoch chi rywbeth?
B: Naddo, ddarllenais i ddim byd.

yn cynnwys y geiriau yma: gweld rhywbeth, bwyta rhywbeth, llosgi rhywbeth, deall rhywbeth, gorffen rhywbeth, coginio rhywbeth, talu rhywbeth.

v. ar ôl **un**, **y** (neu **'r**) os yw'r gair yn fenywaidd, e.e. un ferch, y gath.
vi. ar ôl **dau** a **dwy**, e.e. dau ben, dwy fraich.
vii. ar ôl **dyma**, neu **dyna**, e.e. Dyma waith caled!
viii. ansoddair ar ôl enw benywaidd, e.e. cath fawr.

Ymarfer

y un dau / dwy dyma / dyna	cath, merch, braich, taflen, pêl, gwraig, llaw, rhan, draig tŷ, dyn, car, pen, gŵr, lle, gwin, mis, rhif	mawr, bach, coch, du, twp, gwych, rhad, diflas, bendigedig, poeth, drud, taclus, llwyd

Gyda'ch partner, dewiswch un gair o'r canol. Rhaid i'ch partner ddewis gair addas ar y chwith ac ar y dde, a rhoi'r treiglad iawn. Cofiwch: dyw geiriau gwrywaidd ddim yn treiglo ar ôl **y** ac **un**, a dyw'r ansoddair ddim yn treiglo ar ôl enw gwrywaidd. Bydd eich tiwtor yn helpu.

ix. Gwrthrych (*object*). Mae gwrthrych berf gryno'n treiglo'n feddal, e.e. Ges i ddigon, Gwelais i ferch.
x. Berfau ar ôl goddrych (*subject*), e.e. ar ôl i John fynd, rhaid iddi hi adael.
xi. Enwau ac ansoddeiriau ar ôl **yn** (neu **'n**), ond nid berfau, e.e. Dw i'n briod, Dw i'n priodi.

Mae rhagor o reolau, ond dyma'r rhai pwysica.
Mae'n well dysgu enghreifftiau na gwybod rheolau.

Tasg - cywiro darn heb dreigladau

Mae'r darn bach yma wedi colli llawer o'r treigladau. Rhowch gylch o gwmpas y camgymeriadau, a rhowch y treiglad cywir i mewn. (cliw - mae 10 camgymeriad!) Gyda'ch partner a'r tiwtor, trafodwch y camgymeriadau.

> Helo. Dw i'n byw yn Caersŵs. Fy enw i yw Maria, a hoffwn i dweud rhywbeth bach am fy cefndir i. Dw i'n dod o Llundain yn wreiddiol, dw i'n priod â Gustav, ac mae dau mab gyda ni, Klaus a Johan. Gaeth Klaus parti pen-blwydd mawr wythnos diwetha: mae e'n deg oed. Mae Caersŵs yn ardal prydferth iawn, a baswn i ddim eisiau symud!

Tasg - nabod arddodiaid

Gyda'ch partner, darllenwch y ddeialog yma.
Rhowch linell dan bob arddodiad (*preposition*).

A: Dw i'n meddwl mynd am benwythnos i Ffrainc.
B: Grêt! Awn ni ar long.
A: Falle awn ni dan ddŵr y sianel mewn trên.
B: Beth am fynd dros glogwyni Dover ar awyren?
A: Na, awn ni drwy dwnnel yr Eurostar.
B: Clywais i gan forwr bod storm ar y ffordd.
A: Awn ni at fynedfa'r porthladd i weld cyn penderfynu.
B: Paid dod heb ddigon o arian i brynu bwyd a gwin!

Tollau

Deialog

Gyda'ch partner, darllenwch y ddeialog yma.

A: Wyt ti'n nabod Ceri o'r grŵp 'Bore Gwener'?
B: Ydy ei chyfnither hi'n byw yng Nghaernarfon?
A: Nac ydy, ond mae ei chefnder hi'n byw ym Mangor.

B: Ydy ei thiwtor Cymraeg hi'n dod o Langefni?
A: Nac ydy, ond mae ei hathrawes piano hi'n dod o Gaergybi.
B: Ydy ei chi hi newydd gael dau gi bach?
A: Nac ydy, ond mae ei pharot hi newydd ddysgu siarad.
B: Beth mae e'n ddweud?
A: 'Helo Ceri', wrth gwrs. Wel - wyt ti'n nabod Ceri neu beidio?
B: Nabod Ceri? Ydw, wrth gwrs. Hi oedd fy ffrind gorau i ers talwm. Ond dw i ddim wedi siarad â hi ers tipyn.
A: Nac wyt, mae'n amlwg.

Mae gen i ___
Mae ___ gyda fi
Tafodiaith!

Darn Darllen

Atgofion

Pan o'n ni'n blant doedd pobl ddim yn ofni dynion drwg rownd pob cornel fel heddiw. Falle fod pobl ddrwg o gwmpas ond do'n ni ddim yn gwybod amdanyn nhw. Chaiff plant heddiw ddim rhedeg yn rhydd fel ro'n ni'n wneud ers talwm. Chofia i ddim llawer am chwarae yn yr ysgol gynradd, ond dw i'n cofio un lle yn dda iawn.

Pan o'n i'n blentyn, ro'n i'n mynd yn aml i Gwm Cywarch, yng nghanol Sir Feirionnydd (Gwynedd erbyn hyn). Roedd fy mam-gu a 'nhad-cu'n byw mewn bwthyn bach ar ochr mynydd. Bob haf ro'n i'n cwrdd â fy nghefndryd yno, ac yn chwarae yn y caeau o fore gwyn tan nos.

Roedd dringo hen goed yn boblogaidd iawn - hyd yn oed pan oedd un neu ddau ohonon ni'n syrthio i'r llawr neu i'r nant. Dw i ddim yn cofio neb yn cael dolur ofnadwy - thorrodd neb fraich na choes erioed. Roedd fy mrawd yn ymweld â'r ysbyty bach yn y dref yn aml ond ddigwyddodd dim iddo yng Nghwm Cywarch.

Y peth gorau am y cwm oedd y nant. Roedd hi'n rhedeg lawr y mynydd fel rhuban. Roedd un rhaeadr fach a phwll o ddŵr oedd yn ddigon dwfn i nofio ynddo fo. Roedd hi'n fendigedig dringo'r cerrig llithrig - roedd y lle'n fwsog i gyd ac yn brydferth iawn.

Yn un lle roedd twnnel bach sgwâr o dan y ffordd i'r nant fynd lawr at yr afon yng ngwaelod y cwm. Roedd hi'n ddigon mawr i fedru cripian trwyddi - a gwlychu'n ofnadwy wrth gwrs!

Dros yr afon roedd pont - wel, boncyff hen goeden a dweud y gwir. Ffordd wych i groesi'r afon wrth gwrs a chyfle i ni wlychu eto! Doedd fy nghyfnither ddim yn licio gwlychu ei thraed heb sôn am ei dillad, felly roedd hi'n croesi'n ofalus iawn.

Yn yr haf roedden ni'n bwyta mefus gwyllt, ac yn yr hydref roedden ni'n casglu cnau - os oedd y gwiwerod wedi gadael rhai i ni. Ro'n ni'n fwy llwyddiannus yn casglu mwyar duon.

Dw i ddim yn cofio glaw yn y cwm - dim ond haul poeth. Dyw hynny ddim yn bosibl wrth gwrs, ond mae'r cof yn beth rhyfedd.

Dyw fy nhad-cu a mam-gu ddim yn fyw nawr, ond dw i'n mynd â fy mhlant i Gwm Cywarch bob haf iddyn nhw weld lle roedd eu mam a'u hewythr yn chwarae ers talwm. Oes nefoedd fel hon yn eich atgofion chi?

Sgwrsio

i. Dych chi'n cofio rhywle arbennig iawn pan o'ch chi'n blant? Ble o'ch chi'n chwarae? Oedd gemau arbennig i lefydd arbennig?

ii. Dych chi wedi bod yn ôl i lefydd lle o'ch chi'n arfer chwarae? Os dych chi, ydy'r lle wedi newid neu ydy e'n dal i fod yn debyg?

Geirfa

arddodiad (arddodiaid) - *preposition(s)*
atgof(ion) - *memory (-ies)*
boncyff(ion) - *tree trunk(s)*
cael dolur - *to be hurt*
camgymeriad(au) - *mistake(s)*
cefndir(oedd) - *background(s)*
cenhinen (cennin) (b) - *leek(s)*
ci bach (cŵn bach) - *puppy (-ies)*
clogwyn(i) - *cliff(s)*
cneuen (cnau) (b) - *nut(s)*
cywiro - *to correct*
draig (dreigiau) (b) - *dragon(s)*
enghraifft (enghreifftiau) (b) - *example(s)*
goddrych(au) - *subject(s)*
gwiwer(od) (b) - *squirrel(s)*
gwrthrych(au) - *object(s)*
llithrig - *slippery*
llwyddiannus - *successful*
mefus gwyllt - *wild strawberries*
morwr (morwyr) - *sailor(s)*
mwsog - *moss*
mwyar duon - *blackberries*
nant (nentydd) (b) - *brook(s)*
nefoedd (b) - *heaven*
o fore gwyn tan nos - *from dawn to dusk*
panasen (pannas) (b) - *parsnip(s)*
rhaeadr(au) (b) - *waterfall(s)*
rhuban(au) - *ribbon(s)*

Cwrs Canolradd: Uned 25

Nod: Adolygu ac ymestyn

Adolygu - tasg siarad

Edrychwch ar yr hysbysebion yma. Rhaid i chi ddewis un hysbyseb a rhaid i'ch partner ddewis yr hysbyseb arall. Gofynnwch gwestiynau am y nosweithiau. Perswadiwch eich partner i ddod i'ch noson chi.

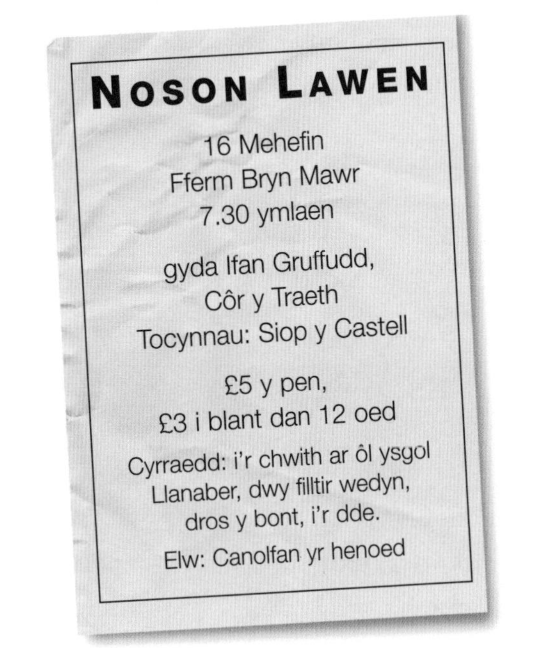

Cyngerdd Mawreddog

16 Mehefin
Neuadd Aberwylan
8.00 ymlaen

gyda Wyn Lewis,
pianydd byd-enwog

Tocynnau: Siop y Sosban
£7 y pen, £5 i blant dan 12 oed

Cyrraedd: ar yr A490,
drwy Lan-saint, i ganol Aberwylan,
i'r chwith ar y sgwâr

Elw: Ysbyty Aberwylan

Gofynnwch:

i. Ble mae'r noson
ii. Sut mae cyrraedd
iii. Pa ddyddiad
iv. Faint o'r gloch
v. Y gost
vi. Sut mae cael tocyn
vii. Pwy sy'n cymryd rhan
viii. At beth mae'r elw'n mynd

Adolygu - byth / erioed

Gyda'ch partner, rhowch **byth** neu **erioed** yn y bwlch.

i. A i ____________ at y deintydd yna eto!
ii. Welais i ____________ mohono fe yn y lle wedyn.
iii. Doedd Diane ____________ yn arfer mynd i'r eglwys.
iv. Chlywais i ____________ y fath beth.
v. Wyt ti wedi bod yn Sbaen ____________ ?
vi. Wna i ____________ briodi eto!
vii. Do'n i ____________ wedi gweld y dyn o'r blaen!
viii. Dyw e ____________ yn ymolchi!

Darnau Darllen

Darllenwch naill ai lythyr 1, neu lythyr 2. Ar ôl darllen un llythyr, cerwch i siarad â rhywun sy wedi darllen y llythyr arall i drafod beth oedd y gwahaniaethau. Sut basech chi'n ateb y llythyr yma?

Llythyr 1

Annwyl Mr Evans,

Dw i'n ysgrifennu ar ran pwyllgor neuadd y pentre, Cwm Du. Fel dych chi'n gwybod, mae canolfan i'r hen bobl yn cael ei hadeiladu yn y pentre ar hyn o bryd. Bydd hi'n cael ei hagor ar 11 Ionawr, ac roedd y pwyllgor yn meddwl y basai'n braf tasech chi'n canu unawd yn y noson agoriadol. Chawn ni byth noson fel hon yn y pentre eto!

Ges i'r pleser o'ch clywed chi mewn cyngerdd yn ddiweddar, ac ro'n i a fy ffrindiau'n meddwl eich bod chi'n dda iawn. Bydd hon yn noson fawr iawn gyda'r dywysoges Ann yno i agor y ganolfan yn swyddogol, felly bydd rhaid canu 'We'll Keep a Welcome in the Hillsides'. Yn anffodus, fydd y pwyllgor ddim yn gallu talu costau i chi.

Yn gywir,
Miss M. Hughes

Llythyr 2

Annwyl Mr Jones,

Dw i'n ysgrifennu ar ran pwyllgor neuadd y pentre, Cwm Glas. Fel dych chi'n gwybod, mae neuadd newydd yn cael ei hadeiladu yn y pentre ar hyn o bryd. Bydd hi'n cael ei hagor ar 21 Chwefror, ac roedd y pwyllgor yn meddwl y basai'n braf tasai eich côr chi'n canu yn y noson agoriadol. Chawn ni byth noson fel hon yn y pentre eto!

Ges i'r pleser o'ch clywed chi mewn cyngerdd yn ddiweddar, ac ro'n i a'r gŵr yn meddwl eich bod chi'n dda iawn. Bydd hon yn noson fawr iawn gyda'r tywysog Charles yno i agor y neuadd yn swyddogol, felly bydd rhaid canu 'God Save the Queen'. Bydd y pwyllgor yn gallu talu £50 o gostau i chi.

Yn gywir,
Mrs L Morgan

Adolygu - treigladau

Gyda'ch partner, darllenwch y darn yma yn uchel. Mae'r geiriau sy'n ffitio yn y bylchau ar y dde. Rhaid i'ch partner chi ddweud y gair, gyda'r treiglad cywir, wrth gwrs!

Annwyl Marged,	
Dw i'n ysgrifennu atat i ynglŷn â'r ____________. Diolch	**priodas**
i ti am ____________ i ganu'r delyn. Basai 'Ar Hyd y Nos'	**cytuno**
yn ____________ !	**gwych**
Mae hi'n eglwys ____________ ac mae'n hawdd dod o hyd iddi.	**mawr**
Cer heibio i'r ysgol ____________, ac yna tro i'r dde. Ar ôl i ti	**cynradd**
basio'r ____________, parcia'r car ar y chwith. Mae'r landlord	**tafarn**
yn ffrind da i ni, a dwedodd e y basai'n iawn i ni __________ yno.	**parcio**
Byddi di'n chwarae yng ____________ yr eglwys, wrth i ni gerdded	**cefn**
i mewn. ____________ ni ddim cyfle i gael sgwrs tan yn hwyrach,	**cawn**
felly diolch o flaen llaw am helpu. Dyn ni'n edrych ymlaen at	
dy ____________ di ar y cyntaf o Fai.	**gweld**
Hwyl, Sara	

Gwrando

1. Beth mae Nia Jones yn ei wneud ym Mhatagonia?
2. Pam dyw Nia ddim yn dweud "Bore da"?
3. I ble mae Nia'n mynd i fwyta heno?

4. Pa fwyd dyw Nia ddim yn ei hoffi?
5. Beth wnaeth hi cyn mynd i Batagonia?
6. Sut mae pobl Patagonia wedi helpu Nia gyda'i sgript? Nodwch un ffordd.

7. Ym mha ffordd mae agwedd pobl ifanc wedi newid?
8. Pryd dechreuodd tiwtoriaid o Gymru fynd i Batagonia i ddysgu Cymraeg?
9. Pam mae pobl Patagonia'n teimlo'n agosach i Gymru erbyn hyn? Nodwch 2 ateb.

Geirfa

agoriadol - *opening*
agwedd(au) (b) - *attitude(s)*
dibynnu - *to depend*
elw - *profit*
gwahaniaeth(au) - *difference(s)*
hysbyseb(ion) (b) - *advertisement(s)*
llysieuwraig (b) - *vegetarian (female)*
perswadio - *to persuade*
swyddogol - *official*
tywysog(ion) - *prince(s)*
tywysoges(au) (b) - *princess(es)*
ymuno â - *to join*

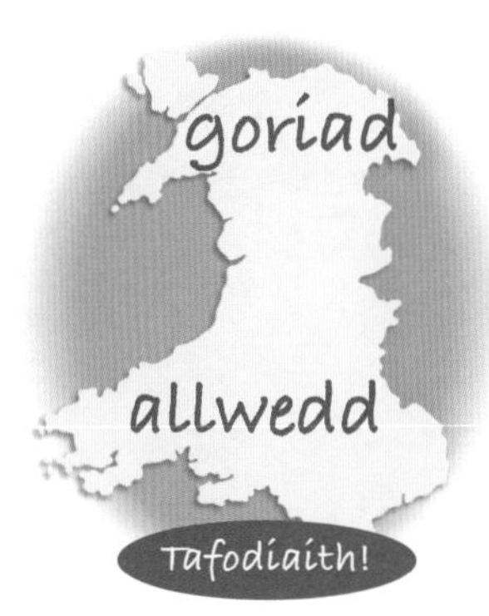

Cwrs Canolradd: Uned 26

Nod: Trafod diddordebau

Ymarfer

Dw i'n mwynhau garddio
Dw i'n lico pêl-droed
Dw i wrth fy modd yn coginio
Dw i wrth fy modd â DIY
Dyna beth dw i'n lico wneud fwya yw canu
Mae'n well 'da fi edrych ar y teledu na dim byd arall!

Tasg - rhoi trefn ar y diddordebau

Gyda'ch partner trafodwch y rhestr yma o ddiddordebau. Ceisiwch gytuno ar y drefn - y pethau dych chi'n hoffi fwya (ar y brig) neu ddim yn eu hoffi (ar y gwaelod). Pa weithgareddau dylech chi fod yn eu gwneud?

Rhif 1-8	Diddordeb
	gwylio pêl-droed
	canu
	coginio
	DIY
	ymarfer corff
	edrych ar y teledu
	darllen
	gweithio yn yr ardd

Ymarfer

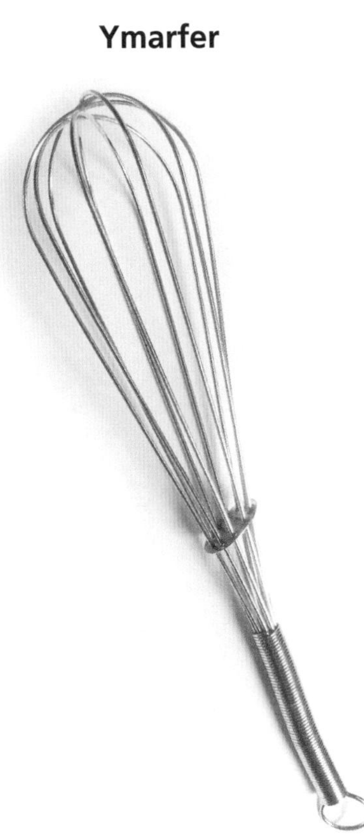

Mae diddordeb gyda fi mewn coginio
Mae diddordeb gyda fi mewn celf fodern
Mae diddordeb gyda fi mewn llyfrau
Mae diddordeb gyda fi yng nghoginio Jamie Oliver
Mae diddordeb gyda fi yng ngwaith Picasso
Mae diddordeb gyda fi yn llyfrau Daniel Owen

Beth yw'r gwahaniaeth rhwng y ddwy frawddeg yma:
Mae diddordeb gyda fi yng nghoginio Jamie Oliver
Mae diddordeb gyda fi mewn coginio Jamie Oliver
Trafodwch â'ch tiwtor!

Oes diddordeb gyda chi mewn hanes?
Mae diddordeb gyda fi yn y cyfnod Rhufeinig
Mae diddordeb gyda fi yn y cyfnod Celtaidd
Mae diddordeb gyda fi yng nghyfnod y Rhufeiniaid
Mae diddordeb gyda fi yng nghyfnod y Celtiaid
Oes diddordeb gyda chi yn hanes Cymru?
Oes diddordeb gyda chi yn hanes Iwerddon?
Oes diddordeb gyda chi mewn hanes cynnar?
Oes diddordeb gyda chi mewn hanes diweddar?

Sgwrsio

Atebwch y cwestiynau uchod.
Dych chi'n gwylio rhaglenni am hanes?
Dych chi'n darllen llyfrau hanes?
Dych chi'n gwybod unrhyw beth am hanes eich ardal neu eich pentre chi?

Deialog

A: Beth wyt ti'n wneud yn dy amser hamdden, Dudley?
D: Dw i wrth fy modd yn coginio, wrth gwrs.
A: Oes diddordebau gyda chi, Venus a Serena?
V a S: Dyn ni wrth ein bodd yn ymarfer tennis gyda'n gilydd drwy'r dydd.
A: Beth amdanat ti, Victoria?
V: Dw i wrth fy modd yn canu - ac yn edrych ar David yn chwarae pêl-droed, wrth gwrs.
A: Wel Bryn, beth wyt ti wrth dy fodd yn wneud yn dy amser hamdden?
B: Dw i'n cytuno â Victoria. Dw i wrth fy modd yn gwylio pêl-droed hefyd.
A: Pêl-droed, wir? Beth am ganu opera?
B: Dyna beth yw fy ngwaith i. Gofynnoch chi beth dw i wrth fy modd yn wneud yn fy amser hamdden!

Meddyliwch am ddiddordebau pobl enwog eraill i'w rhoi yn y ddeialog.

Tasg - cwestiynau am ddiddordebau

Bydd eich tiwtor yn rhoi cardiau i bob grŵp. Rhaid i chi droi un cerdyn ar y tro, ac ateb y cwestiynau yma. Rhaid i chi ddychmygu'r atebion! Gall y grŵp ofyn rhagor o gwestiynau.

1. Ers faint dych chi'n **pysgota**?
2. Sut dechreuoch chi **bysgota**?
3. Pa mor aml dych chi'n **pysgota**?
4. Pa mor dda dych chi'n **pysgota**?
5. Ydy **pysgota**'n hobi drud?
6. Sut basai rhywun yn dysgu sut i **bysgota**?

Deialog

Sgwrs rhwng Twm a Taid (tad-cu)

Taid: Wyt ti'n dod ma's gyda fi y penwythnos yma?
Twm: I ble?
Taid: I'r gymdeithas trenau bach.
Twm: Na wna i wir. Dw i eisiau aros adre.
Taid: Pam? Mae 'na hwyl i'w gael gyda'r injian stêm yn tynnu'r trenau bach.
Twm: Mae'n well gyda fi chwarae gyda fy modelau yn yr atig.
Taid: Beth yn union wyt ti'n wneud i fyny fan'na?
Twm: Wel, dw i'n gosod y traciau mewn gwahanol batrymau...
Taid: Mae'n llawer mwy o hwyl gosod traciau drwy'r coed!
Twm: Ond mae'n gas 'da fi fod yn oer!
Taid: Cei di fenthyg siwt fawr i'w gwisgo dros dy ddillad.
Twm: Mae gormod o waith ysgol gyda fi!
Taid: Mae digon o amser gyda ti i ddiflannu am oriau i'r atig 'na!
Twm: Bydda i'n llwgu! Does dim bwyd yn agos at y goedwig.
Taid: Dyn ni'n mynd â fflasg o gawl poeth a brechdanau - a cei di flas ar fara brith gwraig Bob!
Twm: Pam dych chi eisiau fi i ddod i helpu?
Taid: Pan o't ti'n fachgen bach ro't ti wrth dy fodd yn dod ar y trên bach. Mae mwy o draciau nawr. A dyn ni angen dipyn o 'waed newydd' yn y gymdeithas. Dere, byddi di wrth dy fodd. Wir!
Twm: O'r gorau - do i gyda chi ddydd Sadwrn - os dewch chi i weld fy ngrŵp 'rap' i'n chwarae yn y clwb nos Sadwrn.
Taid: Oes rhaid i fi?
Twm: Dewch! Os diffoddwch chi eich teclyn clywed, chlywch chi ddim llawer beth bynnag.
Taid: Iawn!

Darn Darllen

Dechrau Dawnsio

Yma mae Pam Evans-Hughes yn sôn am ei diddordeb mewn dawnsio.

Dechreuais i ddawnsio pan o'n i'n ddim ond tair oed. Tri deg pedair o flynyddoedd yn ddiweddarach ar ôl priodi a chael dau o blant, dw i'n dal i ddawnsio. A dweud y gwir, dw i'n gwneud mwy nag erioed!

Dawnsio tap a dawns-a-chân oedd fy hoff steil o ddawns, pan o'n i'n blentyn. Rhwng chwech a deuddeg oed, dawnsiais i mewn cyngherddau gyda Keith Harries, Hughie Green a'r canwr Ronnie Hilton. Ro'n i'n wyth oed pan ddechreuais i ddawnsio *Ballroom* a *Latin American*. Saith mlynedd wedyn, ar ôl i fi fynd trwy'r arholiadau i gyd, ro'n i'n gallu dysgu'r rhain fy hun. Yn wir, mae un o fy nisgyblion i wedi cynrychioli Cymru ar *Come Dancing*.

Tra o'n i yn y Brifysgol yn Llanbedr Pont Steffan, ro'n i'n dal i ddawnsio. Yno, dysgais i grwpiau gwahanol i gystadlu yn yr Eisteddfod Ryng-golegol, sut i ddawnsio'r *Charleston* yn y Gystadleuaeth Ddawns Genedlaethol, a fi fy hun yn gwneud dawns tap yn lle dawns y glocsen! Doedd yr Eisteddfod ddim wedi gweld dim byd tebyg erioed o'r blaen, a dydy hi ddim wedi gweld dim tebyg ers hynny am wn i!

Ers deng mlynedd, dw i wedi bod yn goreograffydd ar y pantomeim Nadolig lleol, a nifer o sioeau cerddorol fel *Cabaret*, *Godspell* a *La Cage Aux Folles*. Dw i hefyd yn dysgu dawnsio tap, dawnsio *jazz*, dawnsio disgo i blant ac oedolion, a dw i wedi ailddechrau dawnsio ar lwyfan gyda fy mhartner dawnsio, Russell.

Dw i hefyd wedi bod yn gweithio yn Gymraeg yn ddiweddar gyda Theatr Outreach yng Nghlwyd. Dyn ni wedi cynhyrchu dwy fideo o'r enw STONC A ROC, fideos sy'n helpu plant i ymarfer a gwella eu Cymraeg drwy symud, dawns a chân.

Dw i ddim eisiau rhoi'r gorau i ddawnsio eto, a dw i'n gobeithio bydda i'n dawnsio am o leia 37 mlynedd arall!!

Cwestiynau - trafodwch â'ch partner

i. Pryd dechreuodd Pam ddawnsio?
ii. Enwch rai o'r bobl enwog mae hi wedi bod yn dawnsio gyda nhw.
iii. Beth mae un o'i disgyblion hi wedi wneud?
iv. Beth wnaeth hi pan oedd hi yn y coleg?
v. Pa sioeau cerdd mae hi wedi bod yn gweithio arnyn nhw yn ddiweddar?
vi. Pwy yw Russell?
vii. Beth yw pwrpas y fideo STONC A ROC?
viii. Ydy hi'n gobeithio dal ati i ddawnsio?

Sgwrsio

i. Beth yw eich diddordebau (ar wahân i ddysgu Cymraeg wrth gwrs)?
ii. Dych chi'n mwynhau gwneud pethau 'cymdeithasol', gyda chriw mawr o bobl?
iii. Dych chi'n mwynhau gweithio ar rywbeth ar eich pen eich hun i ymlacio?
iv. Pan o'ch chi'n blant, beth o'ch chi'n wneud yn eich amser hamdden?
v. Oes unrhyw ddiddordeb o'ch plentyndod wedi para hyd heddiw?

Geirfa

isio
ishe
Tafodiaith!

ar y brig - *on the top*
cei di flas ar, cael blas ar - *you'll enjoy, to enjoy*
celf fodern (b) - *modern art*
Celtiaid - *Celts*
coreograffydd (coreograffwyr) - *choreographer(s)*
cyfnod Celtaidd - *Celtic period*
cyfnod Rhufeinig - *Roman period*
cymdeithas(au) (b) - *association(s), society (-ies)*
cymdeithasol - *social*
cynrychioli - *to represent*
dal ati - *to carry on*
dal i (ddawnsio) - *to carry on (dancing)*
dawns y glocsen (b) - *clog dance*
dawnsio llinell - *line dancing*
diflannu - *to disappear*
diffodd - *to switch off, to extinguish, to put out*
disgybl(ion) - *pupil(s)*
dychmygu - *to imagine*
ers hynny - *since then*
gwaed newydd - *new blood*
gwyddbwyll - *chess*
hanes diweddar - *modern history, recent history*
llwgu - *to starve*
patrwm (patrymau) - *pattern(s)*
plentyndod - *childhood*
rhoi'r gorau i - *to give up*
Rhufeiniaid - *Romans*
sioe gerdd (sioeau cerdd) - *musical(s)*
teclyn clywed - *hearing aid*
trefnu blodau - *flower arranging; to arrange flowers*
ymlacio - *to relax*

Cwrs Canolradd: Uned 27

Nod: Trafod gwaith

Ymarfer

Dych chi'n gweithio?
Ydw, dw i'n gweithio...
Nac ydw, dw i wedi ymddeol ers...

Dych chi'n mwynhau eich gwaith?
O'ch chi'n mwynhau'r gwaith?
Dw i wrth fy modd - mae'n amrywiol iawn.
Mae'n swydd ddiddorol!
Ydw, ar y cyfan.
Mae'n dibynnu ar y diwrnod!
Wel, mae'n talu'r morgais!
Dw i'n casáu'r swydd - mae'n ddiflas iawn.

Beth dych chi'n wneud ar ddiwrnod cyffredin?
Beth o'ch chi'n wneud ar ddiwrnod cyffredin?

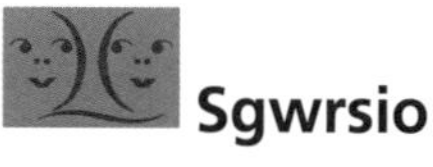

Sgwrsio

i. O'ch chi'n gweithio yn ystod y gwyliau, pan o'ch chi'n ifanc?
ii. Dych chi'n meddwl ei bod hi'n syniad da i bobl ifanc weithio?
iii. Ddylai myfyrwyr orfod gweithio i gynnal eu hunain yn y coleg?
iv. Dych chi wedi gwneud llawer o swyddi gwahanol? Beth oedd eich swydd fwya anghyffredin? Pa un oedd y fwya diddorol i chi?

Tasg - swyddi delfrydol

Pa un yw'r swydd ddelfrydol? Rhowch y rhestr hon mewn trefn o 1 (y swydd orau) i 8 (y swydd waetha). Rhaid i chi gytuno â'ch partner.

Rhif 1-8	Swydd
	chwaraewr (pêl-droed, neu un o'r chwaraeon eraill)
	canwr
	actor
	cogydd
	tiwtor Cymraeg
	gwleidydd
	plismon
	nyrs

Pa swydd fasech chi'n casáu ei gwneud?

Tasg - ceisio am swydd

NANI
i edrych ar ôl plant 1 a 5 oed
Rhaid i'r ymgeisydd llwyddiannus siarad Cymraeg â'r plant drwy'r amser. Mae'r tad yn actor enwog ac yn awyddus i'r plant fod yn rhugl yn Gymraeg, ond dyw'r fam ddim yn siarad Cymraeg nac yn dod o Gymru. Lleolir y swydd yn Efrog Newydd, ond disgwylir i'r ymgeisydd llwyddiannus deithio gyda'r teulu ble bynnag mae'r ffilm ddiweddara. Cyflog i'w drafod.

GWARCHOD CŴN
Mae cwmni o Warchodwyr Cŵn yn chwilio am aelod brwdfrydig newydd i'r tîm.
Rhaid i'r ymgeisydd llwyddiannus fod yn berson taclus iawn; rhaid iddo fe/iddi hi hoffi cŵn yn fawr a mwynhau mynd am dro ym mhob tywydd. Dim ond Cymraeg mae'r cŵn yn siarad! Oriau hyblyg. Cyflog i'w drafod.

TIWTOR CYMRAEG
Yn eisiau: tiwtor Cymraeg newydd i ddechreuwyr yn unig. Rydyn ni'n chwilio am rywun sy wedi dysgu Cymraeg ei hun mewn dosbarthiadau ac am helpu rhai eraill sy'n dechrau dysgu. Oriau: 3 bore, 2 noson yr wythnos.
Cyflog i'w drafod.

ARBENIGWR CYFRIFIADUROL
Mae Cwmni Cyfrifiadurol Rhyngwladol yn chwilio am Arbenigwr Cyfrifiadurol sy'n siarad Cymraeg. Bydd yr ymgeisydd llwyddiannus yn creu rhaglenni cyfrifiadurol, yn rhoi cyngor yn Gymraeg i gwsmeriaid pan fydd problemau'n codi ac yn teithio o amgylch ysgolion yn esbonio'r rhaglenni.
Cyflog: i'w drafod.

NYRS
Mae un swydd nyrsio yn wag yn yr Ysbyty Cymunedol lleol. Rhaid i'r ymgeisydd llwyddiannus allu siarad Cymraeg yn enwedig gyda phlant bach a hen bobl. Cyflog i'w drafod, ac yn dibynnu ar yr oriau gwaith.

Cwestiynau

i. Pa swydd sy'n apelio atoch chi?
ii. Beth yw manteision ac anfanteision pob swydd?
iii. Pa gwestiynau fasech chi'n gofyn i bobl oedd yn ceisio am y swyddi yma?
iv. Gofynnwch i bawb yn y dosbarth pa swydd fasen nhw'n mynd amdani.

Deialog

Yn y Cyfweliad

A: Eisteddwch Mr/Ms Richards.
B: Diolch yn fawr.
A: Ga i ofyn pam trïoch chi am y swydd yma?
B: Gwelais i eich hysbyseb yn *Y Cymro*, ac roedd hi'n swnio'n ddiddorol.
A: Does dim profiad gyda chi yn y maes.
B: Nac oes, ond ar ôl blynyddoedd yn yr un swydd, ro'n i'n meddwl y basai newid cyfeiriad yn syniad da.
A: Pa gymwysterau sy gyda chi ar gyfer y swydd?
B: Dim byd ar bapur, ond mae diddordeb mawr gyda fi.
A: Beth yn union sy'n apelio atoch chi, felly?
B: Dw i wrth fy modd gyda bywyd gwyllt.
A: Pam dych chi'n meddwl y dylen ni roi'r swydd 'ma i chi?
B: Dw i'n meddwl basai fy mhrofiad yn fy ngwaith ar hyn o bryd yn ddefnyddiol iawn.
A: Beth yw'ch swydd bresennol chi?
B: Tiwtor Cymraeg ydw i - ers ugain mlynedd.
A: Felly dych chi wedi arfer rheoli dosbarth - ond beth am reoli mwncïod?
B: Wel, mae saith o blant gyda fi.
A: Dw i'n gweld. Diolch am eich diddordeb Mr/Ms Richards. Byddwn ni'n eich ffonio cyn diwedd yr wythnos i ddweud dych chi wedi cael y swydd neu beidio.

Darn Darllen

Gwaith Mewn Gwisg Ffansi

Pan oeddwn i yn y coleg ges i gynnig swydd ddiddorol. Roedd y cwmni colur a phersawr Estée Lauder yn hysbysebu persawr newydd. Roedden nhw angen rhywun i ganu'r delyn mewn tair siop fawr - Brown's Caer, Lewis's Lerpwl a Lewis's Manceinion. Wythnos ym mhob siop o hanner awr wedi naw tan hanner awr wedi pump! Ond roeddwn i'n cael dau 'amser paned' ac awr i ginio. Dyma'r newyddion da cyntaf - os o'n i'n cadw'r dderbynneb, baswn i'n

cael bwyta fy nghinio yn unrhyw le, a chael fy arian yn ôl! Dw i'n meddwl mai dyna pam derbyniais i'r swydd.

Roedden nhw'n fodlon talu am westy i mi yn y tair dinas. Yn anffodus ro'n i'n byw braidd yn rhy agos at Gaer a mynnodd mam mod i'n dod adre bob nos. Ond gwnes i'r gorau o wythnos yn Lerpwl ac wythnos ym Manceinion!

Yn anffodus roedd rhaid i mi wisgo gwisg morwyn briodas binc golau iawn. Dw i'n meddwl mod i i fod i edrych fel Sinderela yn y ddawns. Ond ro'n i newydd ddod adre o wyliau mewn gwlad boeth ac roedd gen i ormod o liw haul. Roedd rhaid i mi gael fy ngholuro bob bore gan ferched stondin Estée Lauder ac ro'n nhw'n cwyno'n ofnadwy bod hi'n amhosibl gweld y colur ar fy nghroen. Wrth gwrs, roedd rhaid i fi wisgo'r persawr newydd drwy'r dydd, bob dydd. Erbyn diwedd y tair wythnos ces i ddwy neu dair potel yn anrheg ganddyn nhw - a rhoiais i bob un i mam a nain - roedd yr oglau'n troi arna i!

Mae'n rhaid mod i wedi cael blas ar y gwisgo ffansi 'ma, gan taw gweithio fel actores wnes i ar ôl gadael y coleg. Wrth gwrs, dych chi'n gwisgo dillad gwahanol ar gyfer pob rhan, ond roedd dwy swydd yn arbennig yn rhoi mwy o gyfle nag arfer i wisgo pethau anghyffredin.

Y swydd gyntaf oedd actio mewn cyfres o 'Sgetsus' ar S4C. Dw i'n cofio bod yn blismones, yn nyrs, yn chwaraewr rygbi, yn bob math o bobl o bob math o wledydd. Roedd dynwared yn rhan o'r rhaglen, ac roedd hi'n hwyl fawr ceisio edrych fel enwogion gyda chymorth gwisgoedd a cholur - diolch byth am ambell 'wig'. Dyma rai o'r bobl y gwnes i geisio eu dynwared - o'r perta i'r mwya salw! Marilyn Monroe, Joan Collins, Edwina Currie, aelodau o deulu brenhinol Lloegr (merched a dynion), Aled Jones yn hogyn bach a Huw Llywelyn Davies y sylwebydd rygbi - gyda mwstas! Peidiwch gofyn sut o'n i'n edrych yn y sgets am Jeffrey Archer.

Tua diwedd fy nghyfnod fel actores, ces i swydd gyda CADW sy'n edrych ar ôl adeiladau hanesyddol Cymru. Roedd plant ysgolion lleol yn dod i lefydd enwog yng Nghymru ac ro'n ni'n actio'r hanes gyda nhw. Eto o'r perta i'r mwya salw, ces i'r cyfle i actio'r dywysoges Gwenllïan yng nghastell Cydweli, morwyn fach o oes Fictoria yng Nghastell Coch, telynor teithiol (wrth gwrs) yng nghestyll Dolwyddelan a Dinbych, mynach yn abatai Glyn y Groes, Llangollen a Dinas Basing, Maes-glas - a rhywun blêr iawn oedd yn y gwaith haearn ym Mlaenafon!

Erbyn hyn ga i wisgo fy nillad fy hun ac o'r diwedd dw i'n gwybod pwy ydw i. Diolch byth mod i'n gwneud y swydd fwya normal yn y byd erbyn hyn - tiwtor Cymraeg!

Eirian Conlon

i. Beth oedd manteision swydd gynta'r awdures?
ii. Beth oedd anfanteision y swydd?
iii. Pam nad oedd hi'n ddiolchgar am yr anrheg gafodd hi ar ddiwedd y swydd?
iv. Pam oedd yr awdures yn gwisgo fel pobl enwog?
v. Pam oedd CADW yn rhoi gwaith i actorion?
vi. Oedd yr awdures yn cael cyfle i edrych yn bert wrth wneud y gwaith drama gyda'r plant?
vii. Beth sy'n wahanol am ei swydd erbyn hyn?

Sgwrsio

i. Pan o'ch chi'n blant, beth o'ch chi'n feddwl basech chi'n wneud fel gwaith ar ôl tyfu?
ii. Dych chi'n difaru gwneud rhai penderfyniadau? Pam?

Geirfa

abaty (abatai) - *abbey(s)*
anghyffredin - *unusual*
amrywiol - *varied*
arbenigwr (arbenigwyr) cyfrifiadurol - *computer expert(s)*
awyddus - *keen, eager*
ble bynnag - *wherever*
brwdfrydig - *enthusiastic*
cogydd(ion) - *cook(s), chef(s)*
colur - *makeup*
coluro - *to make up*
cymhwyster (cymwysterau) - *qualification(s)*
cynnal eu hunain - *to support themselves*
dechreuwr (-wyr) - *beginner(s)*
delfrydol - *ideal*
derbynneb (derbynebau) (b) - *receipt(s)*
diweddar (diweddara) - *recent (most recent)*
dynwared - *to imitate, to impersonate*
enwogion - *famous people, stars*
ges i gynnig (cael cynnig) - *I was offered (to be offered)*
gwarchod cŵn - *to mind dogs*
gwarchodwyr cŵn - *dog minders*
gwleidydd(ion) - *politician(s)*
hanesyddol - *historical*
hyblyg - *flexible*
i fod i - *supposed to*
i'w drafod - *to be discussed*
lleoli - *to locate*
lliw haul - *suntan*
morgais (morgeisi) - *mortgage(s)*
morwyn briodas (morynion priodas) (b) - *bridesmaid(s)*
mynach(od) - *monk(s)*
mynnu - *to insist*
oglau (aroglau) - *smell ('gwynt' weithiau yn y De)*
persawr - *perfume*
stondin(au) (b) - *stall(s)*
sylwebydd(ion) - *commentator(s)*
taclus - *tidy*
telynor(ion) teithiol - *itinerant harpist(s)*
troi arna i - *to make me feel sick*
ymgeisydd (ymgeiswyr) - *candidate(s)*
yn eisiau - *wanted*
ysbyty (ysbytai) cymunedol - *community hospital(s)*

Cwrs Canolradd: Uned 28

Nod: Trafod gwyliau

Deialog I

A: Dych chi'n mwynhau mynd ar wyliau?
B: Ydw wrth gwrs.
A: Dych chi'n mynd dramor fel arfer?
B: Ydw. Dw i'n lico mynd i'r cyfandir.
A: Ble dych chi'n mynd?
B: I Sbaen a Phortiwgal fel arfer.
A: Beth dych chi'n wneud yno?
B: Ymlacio, wrth gwrs.

Deialog II

A: Dych chi'n mwynhau teithio?
B: Ydw wir. Dw i wrth fy modd yn pacio bag cefn, a bant â fi ar antur!
A: Dych chi'n trefnu llawer cyn mynd?
B: Nac ydw wir - basai hynny'n ddiflas iawn.
A: Ble dych chi'n aros fel arfer?
B: Fasech chi byth yn credu rhai storïau sy gyda fi - dw i wedi aros mewn llefydd ofnadwy, a dych chi ddim eisiau clywed am rai o'r pethau ofnadwy dw i wedi gorfod eu bwyta!
A: Druan ohonoch chi!
B: Ddim o gwbl - mae hynny'n rhan o'r hwyl.

Deialog III

A: Dych chi'n hoffi mynd ar wyliau?
B: Ydw - dw i'n meddwl y byd o wyliau yng Nghymru.
A: Ble dych chi'n hoffi mynd i aros?
B: Dw i'n mwynhau aros mewn bwthyn yn y mynyddoedd.
A: Dych chi wedi bod dramor erioed?
B: Nac ydw - dyw'r ci ddim yn hoffi hedfan!

Ymarfer

Pa un yw'r lle oera dych chi wedi bod ynddo ar wyliau?
Pa un yw'r lle poetha dych chi wedi bod ynddo?
Pa un yw'r lle rhata dych chi wedi bod ynddo?
Pa un yw'r lle druta dych chi wedi bod ynddo?
Pa un yw'r lle pella o Gymru dych chi wedi bod ynddo?

Dw i'n meddwl taw'r lle oera oedd **Alaska.**
Dw i'n meddwl taw'r lle poetha oedd **Dubai.**
Dw i'n meddwl taw'r lle rhata oedd **Tenerife.**
Dw i'n meddwl taw'r lle druta oedd **Monte Carlo.**
Dw i'n meddwl taw'r lle pella o Gymru oedd **Thailand.**

Gyda'ch partner, atebwch y cwestiynau yma.

Ymarfer

Dw i ddim yn hoffi teithio
Ddim i Ffrainc es i ar fy ngwyliau diwetha
A i byth i Tenerife eto
Welais i erioed mo'r Taj Mahal
Faswn i ddim yn aros mewn hostel
Es i ddim ar wyliau o gwbl y llynedd
Do'n i ddim yn teithio'n dda iawn, pan o'n i'n blentyn
Dw i ddim wedi bod yn America erioed
Fydda i ddim ar y bws i Blackpool yr wythnos nesa

Gyda'ch partner, newidiwch y brawddegau yma'n rhai cadarnhaol.
Yna, newidiwch y brawddegau i siarad am Gareth, e.e. Dyw Gareth ddim yn hoffi teithio.

Tasg - trosi brawddegau

Trowch y brawddegau hyn yn rhai negyddol:

1. Mae e'n mynd i'r maes awyr am ddau o'r gloch.
2. O Heathrow mae e'n hedfan.
3. Buon nhw yn yr Almaen unwaith o'r blaen.
4. Gwelon nhw'r amgueddfeydd yn Berlin.
5. Dylen nhw fod wedi mynd ar y trên.
6. Roedd popeth yn ddrud iawn.
7. Dyna'r gwyliau gorau gaethon nhw erioed.
8. Prynon nhw lawer o anrhegion.
9. Ân nhw i'r Almaen eto y flwyddyn nesa.
10. Mae llawer o'u ffrindiau'n mynd yno hefyd.

Deialog

Yn y Maes Awyr

A: Faint o'r gloch yw hi?
B: Chwarter wedi tri.
A: Ers faint dyn ni yma?
B: Ers pump awr o leiaf.
A: Basai paned yn dda.
B: Basen nhw wedi medru agor y caffi.
A: Pwy fasai eisiau gweithio am chwarter wedi tri y bore?
B: Ie am wn i. Ble mae'r awyren 'na tybed?
A: Mae hi'n dal yng Nghaerdydd. Dw i'n siŵr y bydd hi yma cyn hir.
B: Sut oedd dy wyliau di beth bynnag?
A: Bendigedig! Beth amdanat ti?
B: Iawn, ar y cyfan.
A: Ar y cyfan?
B: Ie, ar wahân i'r llifogydd a'r stormydd.
A: Golloch chi'ch trydan?
B: Do, ond dim ond am dri diwrnod.
A: Gaethoch chi fwyd da?
B: Mae'n dibynnu pa fath o fwyd wyt ti'n lico. Digon o salads, diolch byth.
A: Gaethon ni fwyd diddorol iawn. Dw i ddim yn siŵr beth oedd yn y cawl, ond roedd e'n flasus.
B: O't ti'n aros ar lan y môr?
A: O'n. Welais i erioed dywod du o'r blaen - ond roedd e'n teimlo'r un fath yn union.
B: Basai'n well gyda fi aros yng Nghymru y tro nesaf. Ro'n i'n meddwl ei fod e'n edrych yn frwnt iawn.

Darn Darllen

Ar wyliau

Erbyn hyn dych chi'n gwybod llawer am fy niddordebau i. Dw i'n athrawes Gymraeg ac felly'n mwynhau siarad a dysgu ieithoedd. Dw i'n mwynhau cwrdd â phobl o bob math o gefndiroedd. Dw i wrth fy modd gyda bwyd, yn enwedig bwydydd gwahanol a sbeislyd! Dw i'n lico gwin yn fawr. Dw i'n mwynhau cerddoriaeth, yn enwedig cerddoriaeth werin o bob math. Dw i'n mwynhau edrych ar gelf, dawnsio a drama. Dw i ddim yn rhy hoff o fod yn wlyb nac yn oer - unig anfantais Cymru i fi yw'r tywydd. Felly mae'n amlwg taw'r un peth sy'n fy mhlesio yn fwy na dim yw... gwyliau!

Ers i mi gofio dw i wedi bod yn edrych ymlaen at y gwyliau nesaf a thrwy lwc roedd fy rhieni hefyd wrth eu bodd yn teithio. Yn anffodus, pan o'n i'n ddwy oed, es i'r Iseldiroedd gyda nhw a dau ffrind oedd heb blant. Ro'n i'n unig blentyn ar y pryd. Do'n i ddim yn deithiwr perffaith! Ar ôl y profiad ofnadwy yma, ches i ddim mynd dramor am flynyddoedd. Doedd dim ots! Roedd mynd o amgylch Cymru a'r Alban yn ardderchog, yn enwedig adeg yr Eisteddfod Genedlaethol. Roedd carafán yn well na phabell, ond roedd y ddwy yn hwyl.

Tua pedair ar ddeg o'n i, pan fentrodd fy rhieni dramor eto. O hynny ymlaen, ro'n ni'n mynd yn aml - gyda'r garafán, gwyliau pecyn, ymweld â ffrindiau. Unwaith i fi ddechrau yn y coleg, roedd rhagor o wyliau: gyda ffrindiau, gyda'r cariad, a gyda'r teulu wrth gwrs! Ro'n i'n fyfyrwraig dlawd ac roedd mam a dad yn cynnig talu!

Yn ffodus (neu'n naturiol!), pan briodais i roedd fy ngŵr mor awyddus â fi i deithio. Yn anffodus, doedd hi ddim yn bosibl i ni gael mis mêl hir, ond o fewn tair wythnos llwyddon ni i ymweld ag India, Siapan, Hong Kong a Tsieina cyn mynd yn ôl i India. Gwyliau blinedig ond bythgofiadwy.

Wna i ddim eich diflasu chi gyda fy hanesion gwyliau ond dyma fy rhestr bersonol i o uchafbwyntiau fy nheithiau hyd yn hyn:

Y traethau gorau	Gogledd Iwerddon
Y bobl neisia	Groeg
Y bwyd gorau i lysieuwyr	Twrci / De Sbaen
Y bwyd gwaetha i lysieuwyr	Ffrainc / Portiwgal
Y bwyd mwya od	Siapan
Y lle prydfertha	Gogledd yr Eidal
Y ddinas orau i blant	Barcelona / Amsterdam
Y gwin gorau	Galicia / Portiwgal
Yr amgueddfa orau	Gare d'Orsay, Paris
Y lle gwaetha	Salou, Catalonia
Y lle mwyaf gwahanol	Tsieina
Y bobl 'customs' casa	Unol Daleithiau'r America

Eirian Conlon

Cwestiynau

Ysgrifennwch o leia wyth cwestiwn yn seiliedig ar y darn darllen ar ddarn o bapur. Ar ôl gorffen, gwnewch eich rhestr chi o'ch uchafbwyntiau – y teithiau gorau / gwaetha dych chi wedi eu cael erioed.

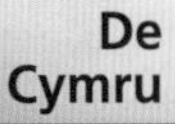

Sgwrsio

i. Dych chi'n cofio gwyliau pan o'ch chi'n blant?
ii. Ble o'ch chi'n mynd?
iii. Beth o'ch chi'n wneud fel arfer?
iv. Dych chi wedi bod yn ôl, fel oedolyn, i rai o'r llefydd hyn?
v. Oedd y llefydd wedi newid?

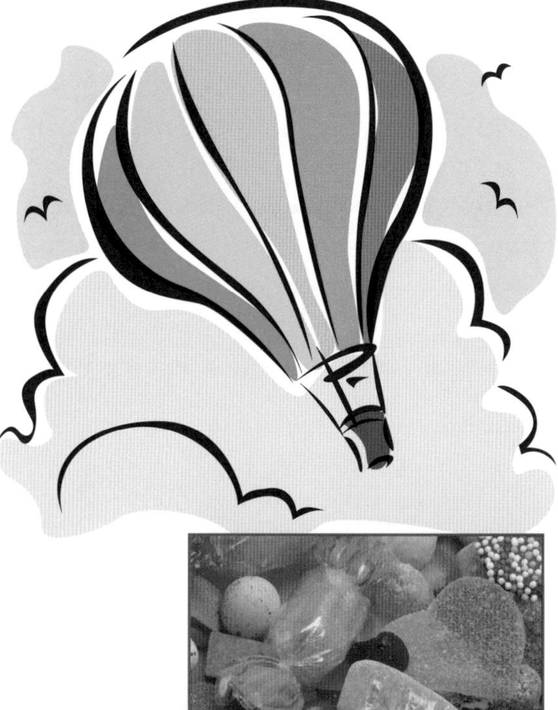

Geirfa

antur (b) - *adventure*
ar y cyfan - *on the whole*
ar y pryd - *at the time*
bythgofiadwy - *unforgettable*
cyfandir(oedd) - *continent(s)*
diflasu - *to bore*
gwyliau pecyn - *package holiday*
llysieuwr (-wyr) - *vegetarian(s)*
meddwl y byd o - *to think the world of*
mentro - *to venture*
myfyrwraig (b) - *female student*
oedolyn (oedolion) - *adult(s)*
plesio - *to please*
prydferth - *beautiful, pretty*
sbeislyd - *spicy*
seiliedig - *based*
Tsieina - *China*
uchafbwynt(iau) - *climax(es)*
yr Iseldiroedd - *Netherlands, Holland*
yr un fath yn union - *the same exactly*

Cwrs Canolradd: Uned 29

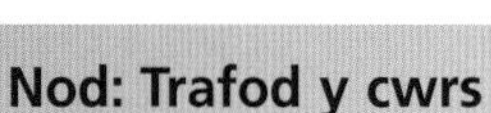

Nod: Trafod y cwrs

Ymarfer

A: Ers faint dych chi'n gwneud y cwrs yma?
B: Ers blwyddyn.

A: Ers faint dych chi gyda'r dosbarth yma?
B: Ers dwy flynedd.

A: Ers faint dych chi'n dysgu Cymraeg?
B: Ers tair blynedd.

A: Ers faint dych chi'n byw yn eich cartref?
B: Ers pedair blynedd.

A: Ers faint dych chi'n gweithio yn eich swydd?
B: Ers pum mlynedd.

A: Ers faint dych chi'n byw yn y dre yma?
B: Ers chwe blynedd.

A: Ers faint dych chi'n byw yn yr ardal yma?
B: Ers saith mlynedd.

Un ar ddeg o flynyddoedd
Deuddeg o flynyddoedd
Tri deg saith o flynyddoedd

Tasg - gofyn i'ch partner

Ers faint wyt ti'n gyrru car?
Ers faint wyt ti'n briod?
Ers faint wyt ti'n fam / yn dad? Ers faint wyt ti'n dad-cu / fam-gu?
Ers pryd wyt ti'n mwynhau garddio?

Dyfalwch
- i. Pwy yn y dosbarth sy wedi byw yng Nghymru am yr amser hira?
- ii. Pwy sy newydd symud i mewn?
- iii. Pwy sy wedi bod yn dysgu Cymraeg am yr amser hira?

Gramadeg

- i. Mae treiglad meddal ar ôl **dwy**, e.e. dwy flynedd
- ii. Does dim treiglad ar ôl **tair**, **pedair**, **chwe**, e.e. chwe blynedd
- iii. Mae treiglad trwynol ar ôl **pum**, **saith**, **wyth**, **naw** a **deg**, pum mlynedd
- iv. Mae treiglad trwynol mewn rhifau cymhleth ar ôl **un**, e.e. un mlynedd ar ddeg

Tasg - beth sy fwya anodd wrth ddysgu Cymraeg?

Gyda'ch partner, trafodwch y rhestr yma. Penderfynwch beth yw'r pethau mwya anodd am ddysgu Cymraeg a'u rhoi nhw mewn trefn o 1 (y pethau mwya anodd) i 8 (y pethau lleia anodd).

Rhif 1-8	Problem
	deall y treigladau
	cofio pethau
	siarad â phobl
	deall y newyddion
	cael yr amser i adolygu
	darllen llyfrau Cymraeg
	tafodieithoedd gwahanol
	sefyll arholiad

Yn eich barn chi:
- i. Ydy hi'n fwy anodd i hen bobl ddysgu iaith arall?
- ii. Ydy hi'n fwy anodd i bobl sy ddim yn dod o Gymru?
- iii. Ydy sefyll arholiadau'n beth da?

Ymarfer

Taswn i'n dechrau dysgu Cymraeg, baswn i'n ymarfer bob dydd
Taswn i'n dechrau dysgu Cymraeg, baswn i'n ymuno â chwrs dwys
Taswn i'n dechrau dysgu Cymraeg, baswn i'n symud i ardal Gymraeg
Taswn i'n dechrau dysgu Cymraeg, baswn i'n priodi Cymro / Cymraes

Dylwn i fod wedi gweithio mwy
Dylwn i fod wedi adolygu mwy
Dylwn i fod wedi mynd i fwy o nosweithiau Cymraeg
Dylwn i fod wedi darllen mwy

Beth fasech chi'n wneud yn wahanol, tasech chi'n dechrau eto?

Deialog

Aelod newydd i'r dosbarth:

Tiwtor: Dyn ni'n croesawu Les i'r dosbarth heddiw.
Les: Helo! Sut dych chi i gyd?
Tiwtor: Felly Les, ers faint dych chi'n dysgu Cymraeg?
Les: Ers tair blynedd.
Tiwtor: Da iawn. Ble o'ch chi'n dysgu?
Les: Yn Llundain.
Tiwtor: Do'n i ddim yn gwybod bod yna wersi Cymraeg yn Llundain.
Les: Oes, mae llawer o gyrsiau, ond mae'n anodd cael cyfle i ymarfer.
Tiwtor: Pryd symudoch chi i Gymru?
Les: Tua phedwar mis yn ôl.
Tiwtor: Beth dych chi'n feddwl o'r ardal yma?
Les: Bendigedig! Mae hi mor wahanol i Lundain... Ond ro'n i'n arfer byw yng Nghymru.
Tiwtor: Pam symudoch chi 'te?
Les: Wel, tua phedair blynedd yn ôl ces i swydd yn Llundain.
Tiwtor: Fel beth?
Les: Fel Aelod Seneddol.
Tiwtor: Dw i'n gweld. Dych chi'n dod o Gymru'n wreiddiol?
Les: Ydw wrth gwrs. Dw i'n dod o'r Gogledd. Roedd mam-gu'n siarad Cymraeg ond neb arall. Pan o'n i'n ifanc doedd dim llawer o wersi Cymraeg yn yr ysgol. A dweud y gwir, do'n i ddim yn awyddus i ddysgu beth bynnag.
Tiwtor: Pam penderfynoch chi ddysgu Cymraeg yn Llundain, o bob man?
Les: Wel, roedd hiraeth arna i am Gymru a dweud y gwir. Do'n i ddim yn nabod llawer o bobl ac roedd e'n syniad da i wella fy ngyrfa i hefyd.
Tiwtor: Felly beth sy'n dod â chi'n ôl i Gymru 'te?
Les: Dw i newydd gael swydd arall.
Tiwtor: Fel beth?
Les: Fel aelod o'r Cynulliad.
Tiwtor: Diddorol iawn. A dych chi'n awyddus i wella eich Cymraeg?
Les: Bydd rhaid i fi! Dw i eisiau priodi fy nhiwtor Cymraeg cynta i!

Darn Darllen

Gofynnwyd i rai o'r myfyrwyr sy wedi dysgu Cymraeg sôn am eu profiadau yn dysgu'r iaith. Dyma'r atebion a gafwyd:

Tiwtor: Beth oedd y sbardun i chi ddechrau dysgu Cymraeg mewn dosbarth?

Pauline: Dod i fyw mewn gwlad wahanol gyda iaith wahanol ac eisiau bod yn rhan o'r gymdeithas.

Vicky: Symud yn ôl i Gymru ar ôl byw yn Lloegr am chwe blynedd.

Jill : Dw i'n dod o Fanceinion, ond es i i'r coleg yn Aberystwyth. Ro'n i'n gwneud gradd Ffrangeg ac Almaeneg, felly ro'n i'n meddwl ei bod yn gwrtais i ddysgu iaith y wlad ei hun i ddechrau. Hefyd cwympais i mewn cariad gyda rhywun oedd yn caru'r iaith - felly dysgais i hefyd i wneud argraff dda arno fe.

Tiwtor : Beth yw manteision dysgu Cymraeg i chi?

Lawrence: Dw i'n siarad Cymraeg gartre gyda 'mhlentyn - mae hi'n mynd i ysgol Gymraeg - a dw i'n defnyddio'r iaith yn fy ngwaith fel llyfrgellydd.

Cerys : Er mwyn gallu troi o un iaith i'r llall gyda rhieni eraill y tu allan i'r ysgol - a hefyd i deimlo'n fwy Cymreig.

Vicky : Mae dysgu Cymraeg wedi agor bywyd cymdeithasol gwahanol a bywiog i fi.

Tiwtor : Beth dych chi wedi ei fwynhau fwya am ddysgu Cymraeg?

Wil : Cael cyfle i drafod pynciau diddorol ac i gwrdd â phobl ddiddorol, cymdeithasu gyda chriw o ffrindiau, cefnogi ein gilydd gyda'r dysgu.

Helen : Dw i wedi mwynhau gweithio gyda dosbarth nos dros y blynyddoedd - roedd hi'n anodd i ddechrau ond mae'n llawer o hwyl!

Cerys : Sgwrsio a chwrdd â phobl newydd, a hyder i siarad â Chymry Cymraeg yn Gymraeg.

Tiwtor : Beth yw eich cyngor chi i rywun sy eisiau dysgu Cymraeg yn rhugl?

Pauline : Cerwch i ddosbarth, ymunwch â phethau cymdeithasol Cymraeg, ymlaciwch a mwynhewch ddefnyddio iaith wahanol.

Jill : Cymerwch unrhyw gyfle i siarad!

Helen : Dych chi'n dysgu'n fwy cyflym os dych chi'n defnyddio'r iaith. Daliwch ati! Nawr dw i'n siarad Cymraeg â'r plant, gyda ffrindiau a phan dw i'n gweithio.

Wil : Peidiwch bod yn ofnus - peidiwch meddwl fod pawb yn well na chi - dim ond trwy ymarfer mae'r iaith yn dod. Os dych chi'n gwneud camgymeriadau, peidiwch â phoeni. Nid ffŵl dych chi ond arwr!

Cwestiynau

Trafodwch y pwyntiau y mae'r dysgwyr yma'n eu codi. Dych chi'n cytuno â nhw?

Sgwrsio

i. Pryd oedd y tro cynta i chi ddod i Gymru?
ii. Pryd oedd y tro cynta i chi glywed yr iaith Gymraeg?
iii. Dych chi'n nabod Cymru yn dda?
iv. Beth dych chi'n hoffi fwya / leia am Gymru?
v. Beth mae eich teulu chi yn feddwl o'r ffaith eich bod chi'n dysgu Cymraeg / eich bod chi'n byw yng Nghymru?

Geirfa

argraff (b) - *impression*
arwr (arwyr) - *hero(es)*
bywiog - *lively*
bywyd cymdeithasol - *social life*
camgymeriad(au) - *mistake(s)*
cefnogi ein gilydd - *to support each other*
cwrs (cyrsiau) dwys - *intensive course(s)*
cydymdeimlo - *to sympathise*
cymdeithasu - *to socialise*
ffaith (ffeithiau) (b) - *fact(s)*
hyder - *confidence*
llyfrgellydd (llyfrgellwyr) - *librarian(s)*
Manceinion - *Manchester*
o bob man - *of all places*
parhau - *continue*
pwnc (pynciau) - *subject(s)*
roedd hiraeth arna i - *I was homesick*
sbardun(au) - *incentive(s), spur(s)*

nionod
winwns
Tafodiaith!

Cwrs Canolradd: Uned 30

Nod: Adolygu ac ymestyn

Cwestiynau

Ble dych chi'n byw?
Sut ardal yw hi?
Pa fath o dŷ sy gyda chi?
Oes teulu gyda chi?
Dych chi'n gweithio?
    Beth dych chi'n fwynhau fwya am eich swydd?
Beth yw'ch diddordebau chi?
Aethoch chi ar wyliau llynedd?
    Pam dewis y lle hwnnw?
Fyddwch chi'n mynd ar eich gwyliau y flwyddyn nesa?
Ble basech chi'n hoffi mynd?
Pa fath o waith basech chi'n hoffi ei wneud?
Ble licech chi fyw?
Ers faint dych chi'n dysgu Cymraeg?
Beth yw eich hanes chi'n dysgu?

Tasg - llenwi bylchau

Gyda'ch partner, llenwch y bylchau yn y darn yma. Os oes geiriau mewn cromfachau, defnyddiwch nhw fel sbardun.

Pan ofynnodd Mr Hughes, rheolwr y tîm rygbi, i mi fynd ar y ___________ (taith) i Iwerddon, ro'n i wrth fy __________. Do'n i erioed wedi bod yno o'r __________ ond ro'n i wedi clywed llawer am y lle. Roedd y tîm i fod i chwarae tair gêm, mewn nifer o ___________ (pentref) o gwmpas Wexford - o leia, dyna'r cynllun. Mis Chwefror ____________ hi a'r tywydd wedi bod yn eitha stormus cyn y penwythnos hwnnw.

____________ (cyrraedd) y bws Abergwaun am un, yn barod i hwylio am dri o'r gloch. Fodd bynnag, doedd dim car __________ bws yn cael mynd ar y llong, achos __________ hi'n rhy wyntog i fentro allan i'r bae. Roedd rhai o'r tîm yn arfer hwylio i Iwerddon bob dwy ____________ (blwyddyn) i weld y gêm rygbi fawr, ac roedden nhw'n dweud storïau ____________ (wrth) ni am groesi mewn tywydd stormus. Roedd un ____________ (o) nhw wedi bod ar y môr am ugain awr ym 1996 - dyna'r croesiad ____________ (drwg) erioed, meddai fe. Doedd dim byd i'w wneud, felly ____________ (cerdded) ni draw i'r dafarn leol. Am ____________ (9.45), daeth neges arall i ddweud na fyddai'r llong yn hwylio'r noson honno, nac ar y dydd Sadwrn chwaith. Doedd dim dewis ond mynd adre ar y bws: welon ni ____________ fferi na'r môr o gwbl! Wrth wrando ____________ y radio y bore wedyn, clywon ni fod llawer o ddamweiniau wedi digwydd yn ystod y tywydd mawr dros nos, felly ro'n i'n falch mod i wedi aros ____________ ____________ (yn + Cymru).

Gaethon ni hwyl yn y dafarn? ____________ (✔), wrth gwrs, ond ____________ i'n mwynhau gweld Iwerddon rywbryd hefyd!

Tasg - gwrando ar y bwletin

Gwrandewch ar y bwletin newyddion. Mae 8 eitem. Does dim cwestiynau, ond rhaid i chi esbonio pam mae'r bobl yma yn y newyddion. Ar ôl gorffen, bydd eich tiwtor yn rhoi'r sgript i chi. Rhaid i chi benderfynu pa gwestiynau fasai'n cael eu gofyn ar bob eitem.

i. Matthew Williamson
ii. John Davies
iii. Elin Thomas
iv. Philip Bevan
v. Ceridwen Pierce
vi. Ann Robinson
vii. Mari Piper
viii. Colin Rush

Tasech chi'n cynllunio bwletin newyddion i Radio Cymru, ym mha drefn fasech chi'n rhoi'r storïau yma?

Darn Darllen

allan o *Golwg* Awst 2006

Cafodd Hywel Glyn Hughes ei fagu yn Llanelwy a'r Felinheli, ond mae bellach wedi ymgartrefu yn Perth yng ngorllewin Awstralia ac yn dweud y basai'n 'anodd iawn' iddo alw draw i'r Eisteddfod Genedlaethol eleni.

Ei gariad at bêl-droed aeth ag e allan o Gymru yn wreiddiol. Pan oedd Hywel yn athro yn Llandudno, cafodd gynnig gwaith yn hyfforddi pêl-droed yn yr Unol Daleithiau. Pan ddaeth y gwaith hwnnw i ben ymhen blwyddyn, penderfynodd godi pac a theithio draw i Awstralia i ymweld â ffrind. 'Gwyliau oedd e i fod, a chyfle i weld a faswn i a thri arall yn gallu dechrau ein busnes hyfforddi pêl-droed ein hunain,' meddai Hywel. 'Ond des i allan yma cyn y lleill, ac erbyn iddyn nhw gyrraedd, ro'n i wedi ffeindio gwaith ac wedi ymsefydlu. Dw i'n dal i weithio i'r un cwmni, cwmni gwaith ymchwil a chysylltiadau busnes, a bellach dw i'n un o'r rheolwyr.'

Mae ei wraig Maria'n enedigol o Awstralia ond mae ei rhieni hi'n dod o Ynys Sisili yn ne'r Eidal. Dyna pam mae enw hir gyda'u merch fach bymtheg mis oed, sef Siân Mai Bongiovanni-Hughes. 'Dim ond Cymraeg dw i'n siarad efo Siân, dw i ddim yn gallu siarad Saesneg efo hi o gwbl, hyd yn oed mewn cwmni. Mae Maria'n siarad Saesneg ac Eidaleg efo hi, ac mae rhieni Maria, sy'n byw i lawr y lôn ac sy'n helpu i warchod, yn siarad Eidaleg a thafodiaith Sisili efo hi. Mae hi'n deall yr ieithoedd yma i gyd - gallwch chi ddweud yr un peth wrthi mewn pedair iaith wahanol a bydd hi'n deall.'

Ond ers dod yn dad, a babi arall ar y ffordd, mae hiraeth am Gymru'n tyfu hefyd. 'Basai'n well gyda fi fagu fy mhlant yng ngogledd Cymru a basai eu Cymraeg nhw'n fwy rhugl. Dyn ni hefyd yn byw ar gyrion dinas, a basai'n well gyda fi eu magu yn y wlad. Ond dw i ddim eisiau gweithio am weddill fy oes, ac mae'n bosib gwneud arian ar hyn o bryd. Dw i wedi gweithio bron pob diwrnod ers pan dw i yma!'

Cwestiynau

1. Pam basai hi'n anodd i Hywel ddod i'r Eisteddfod eleni?
2. Beth oedd swydd gynta Hywel yng Nghymru?
3. Pam aeth e i'r Unol Daleithiau?
4. Pam gadawodd e'r Unol Daleithiau?
5. Beth oedd ei fwriad gwreiddiol, wrth fynd i Awstralia?
6. Beth yw ei waith e nawr?
7. Pa ieithoedd mae ei ferch fach yn eu clywed?
8. Sut mae ei rieni yng nghyfraith yn helpu?
9. Rhowch ddau reswm pam mae Hywel eisiau dod adre i Gymru.
10. Ble hoffai Hywel fyw?

Sgwrsio

1. Dych chi'n bwriadu sefyll arholiad Cymraeg?
2. Sut dych chi'n mynd i ddefnyddio'r Gymraeg dros y gwyliau?
3. Fyddwch chi'n ymweld â'r Eisteddfod neu'n ei gwylio ar y teledu?
4. Dych chi'n mynd i ymuno â dosbarth Cymraeg y flwyddyn nesa?

Geirfa

yn ymyl
ar bwys
Tafodiaith!

amgylchedd	-	*atmosphere*
ar gyrion	-	*on the outskirts*
bwriad(au)	-	*intention(s)*
bwriadu	-	*to intend*
codi pac	-	*to pack one's bags*
croesiad	-	*crossing*
cyffur(iau)	-	*drug(s)*
cyhuddiad(au)	-	*accusation(s)*
cysylltiad(au)	-	*connection(s), link(s)*
diogelwch	-	*safety*
genedigol	-	gair i ddweud eich bod wedi cael eich geni yn rhywle
Gleision Caerdydd	-	*Cardiff Blues*
hinsawdd (b)	-	*climate*
hyfforddi	-	*to train*
hyfforddwr (-wyr)	-	*trainer(s)*
lawr y lôn	-	*down the road*
llefarydd	-	*spokesperson*
lleill	-	*others*
rhanbarthol	-	*regional*
sefyll arholiad	-	*to sit an examination*
ymchwil	-	*research*
ymchwiliad	-	*investigation*
ymgartrefu	-	*to settle down, to make a home*
ymsefydlu	-	*to settle, to become established*

Atodiad y Gweithle - Canolradd

uned 1

1.1 Beth wnaethoch chi

Gofynnwch i 5 person beth wnaethon nhw yn y gwaith yr wythnos yma:

Enw	ddoe	echdoe	y diwrnod cynt	y diwrnod cyn hynny

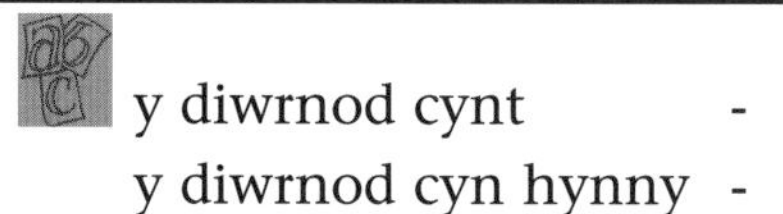

y diwrnod cynt - *the day before*
y diwrnod cyn hynny - *the day before that*

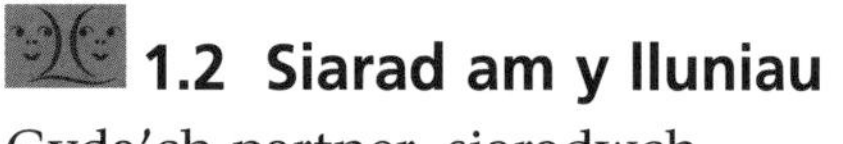

1.2 Siarad am y lluniau

Gyda'ch partner, siaradwch am y lluniau yma. Beth wnaeth y bobl yma yr wythnos diwetha:

uned 2

2.1 Beth fydd rhaid ei wneud

Ysgrifennwch beth fydd rhaid i chi wneud yn y gwaith yr wythnos yma neu'r wythnos nesa, er enghraifft:

Dydd Llun, rhaid i fi fynd i gyfarfod am dri o'r gloch.

Dydd Llun:	
Dydd Mawrth:	
Dydd Mercher:	
Dydd Iau:	
Dydd Gwener:	

Gofynnwch i'ch partner beth fydd rhaid iddo fe / iddi hi wneud yr wythnos yma.

2.2 Diwrnod gwaith arferol

Darllenwch y paragraff yma am ddiwrnod gwaith John a Mair, sy'n gweithio mewn swyddfa yn y dre.

Dyma ddiwrnod gwaith arferol yn ein swyddfa ni. Rhaid i ni ddod yma erbyn hanner awr wedi wyth, yna dyn ni'n agor y post. Rhaid i ni gael ein coffi cynta am naw o'r gloch! Byddwn ni'n ateb negeseuon e-bost wedyn, ac fel arfer rhaid i ni gael cyfarfod drwy'r bore. Cawn ni ginio rhwng hanner dydd ac un, a rhaid i ni ddod yn gynnar, neu bydd y bwyd gorau wedi mynd! Yn y prynhawn, rhaid i ni wneud pob math o bethau, a dyn ni'n gadael am chwech, pan fydd y gofalwr yn cloi'r lle. Ar ôl i ni fynd adre, dyn ni'n rhy flinedig i wneud dim byd!

Gyda'ch partner, newidiwch y geiriau i siarad amdanyn **nhw**,
e.e. *Dyma ddiwrnod gwaith arferol yn swyddfa John a Mair....*
Yna, newidiwch y geiriau i sôn am ddiwrnod arferol yn eich lle gwaith chi.

MEMO

____

____

____

____

____

____

____

____

____

____

3.1 Ysgrifennu memo

Ysgrifennwch femo at eich pennaeth yn ymddiheuro am rywbeth dych chi wedi ei wneud yn y gwaith yn ddiweddar.

3.2 Beth fasech chi'n wneud...

Atebwch y cwestiynau yma gan drafod eich lle gwaith:

i. Beth fasech chi'n newid am eich lle gwaith?
ii. Pa swydd arall fasech chi'n hoffi wneud, tasech chi'n gorfod symud?
iii. Beth dych chi'n hoffi fwya am eich gwaith presennol?
iv. Beth fasech chi'n wneud, tasech chi'n ymddeol yfory?
v. Fasech chi'n mynd ar streic?

uned 4

4.1 Siarad am y bobl yn y swyddfa

Gorffennwch y brawddegau yma.

1. Y person cynta i gyrraedd y gwaith fel arfer yw ______________________
2. Y person cynta i adael y gwaith yn y prynhawn yw ______________________
3. Y person hena yn y gwaith yw ______________________
4. Y person ifanca yn y gwaith yw ______________________
5. Y person sy wedi bod yma hira yw ______________________
6. Y person sy'n byw bella o'r gwaith yw ______________________
7. Y person sy'n byw agosa i'r gwaith yw ______________________
8. Y person sy'n deall cyfrifiaduron orau yw ______________________
9. Y person sy'n siarad Cymraeg orau yw ______________________
10. Y person mwya anlwcus yw ______________________

Nawr, dyfalwch beth oedd y bobl eraill yn y dosbarth wedi eu rhoi yn atebion, e.e. **Dw i'n meddwl bod John wedi dweud taw'r person....**

4.2 Llogi lle

Dych chi'n chwilio am le i drefnu cyfarfod yng Nghymru. Edrychwch ar yr hysbysebion yma a thrafod manteision ac anfanteision pob un. Pa un yw'r rhata? Pa un yw'r druta? Pa ffactorau sy'n effeithio ar eich dewis?

Gwesty'r Metropolitan
Llandrindod
Lle gwych i gynnal cyfarfodydd!
Bwyd bwffe
£25 y pen y dydd
Reit yng nghanol Cymru
Adnoddau cyfrifiadurol ar gael
3 ystafell fawr

Gwesty'r Harbwr Coch
Aberaeron
Lle bach tawel, hyfryd
Bwyd *a la carte*
£30 y pen y dydd
Ardal hardd iawn
Un ystafell gyfarfod. Rhaid trefnu ymlaen llaw os oes angen offer
Staff dwyieithog

Gwesty'r Bae
Bae Caerdydd
Awyrgylch y brifddinas
Bwyd bwffe
£45 y pen y dydd
Cyfleus i'r maes awyr a'r Cynulliad
Offer a thechnegydd ar gael
System awyru (*Air-con*)
4 ystafell gyfarfod

Hostel yr Ynys
ger Biwmaris
Dewch i gynnal cyfarfod yma
Brechdanau, coffi
£15 y pen y dydd
Cyfleus i Fangor ac i Iwerddon
Adnoddau cyfrifiadurol ar gael
Un ystafell fechan i 12 o bobl

adnoddau - *resources*
offer - *equipment*
awyrgylch - *atmosphere*
technegydd (technegwyr) - *technician*

4.3 Bwcio

Ysgrifennwch nodyn e-bost i fwcio un o'r llefydd yma ar gyfer cyfarfod. Cofiwch roi'r dyddiad a'r amser, beth sydd ei angen arnoch chi a beth yw pwrpas y cyfarfod.

At: ____________________
Dyddiad: ____________________
Oddi wrth: ____________________

uned5

5.1 Cyfrifoldebau

Rhestrwch bump o bobl yn eich lle gwaith chi, os oes modd.
Yna, siaradwch am beth yw cyfrifoldebau'r bobl wahanol, e.e.

Jenny Jones - Jenny yw'r rheolwr a hi sy'n rhedeg y cwmni.
Enid Rosser - Enid sy'n coginio bwyd i'r staff yn y ffreutur.

Meddyliwch am ragor o bobl sy wedi gadael eich lle gwaith.
Dwedwch beth oedd eu cyfrifoldebau nhw, e.e.

John Thomas - John oedd yn arfer rhedeg y siop. Mae e wedi ymddeol ers blwyddyn.
Gwenda Evans - Gwenda oedd yn helpu gyda'r gwaith clerigol.

5.2 Ymddeol

Beth sy'n dda a beth sy'n ddrwg am ymddeol? Trafodwch:

- Fyddwch chi'n gweld eisiau cydweithwyr?
- Dych chi'n edrych ymlaen at wneud rhywbeth ar ôl ymddeol?
- Sut bydd eich sefyllfa ariannol chi ar ôl ymddeol?

Pethau da am ymddeol	Pethau drwg am ymddeol
1. ______	______
2. ______	______
3. ______	______

Yna, cymharwch eich rhestri chi â rhestri rhywun arall yn y dosbarth.

gweld eisiau - *to miss*

uned 6

6.1 Ateb cwestiynau am y cyfarfod

Gyda'ch partner, atebwch y cwestiynau yma, gan ddefnyddio **Nage** + brawddeg:

i. Ym Mangor mae'r cyfarfod? Nage, yng Nghaerdydd mae'r cyfarfod
ii. Cyfarfod sy'n dechrau am ddeg yw e? ______
iii. Dydd Llun mae'r cyfarfod? ______
iv. Cyfarfod drwy'r dydd yw e? ______
v. Trafod y prosiect newydd fyddwn ni? ______
vi. Doreen yw'r cadeirydd? ______
vii. Elen sy'n ysgrifennu'r cofnodion? ______
viii. Am dri bydd e'n gorffen? ______

prosiect - *project*
cadeirydd - *chairperson*
cofnodion - *minutes*

6.2 Absenoldeb

Pam roedd y bobl yma yn absennol? Dewiswch un rhif (o 1 i 7) i'w roi wrth bob enw. Yna, rhaid i'ch partner ddyfalu ble roedd pawb ddoe, e.e. Yn y feddygfa oedd John? Rhaid i chi ofyn cwestiynau i'ch partner hefyd. Y cynta i orffen sy'n ennill!

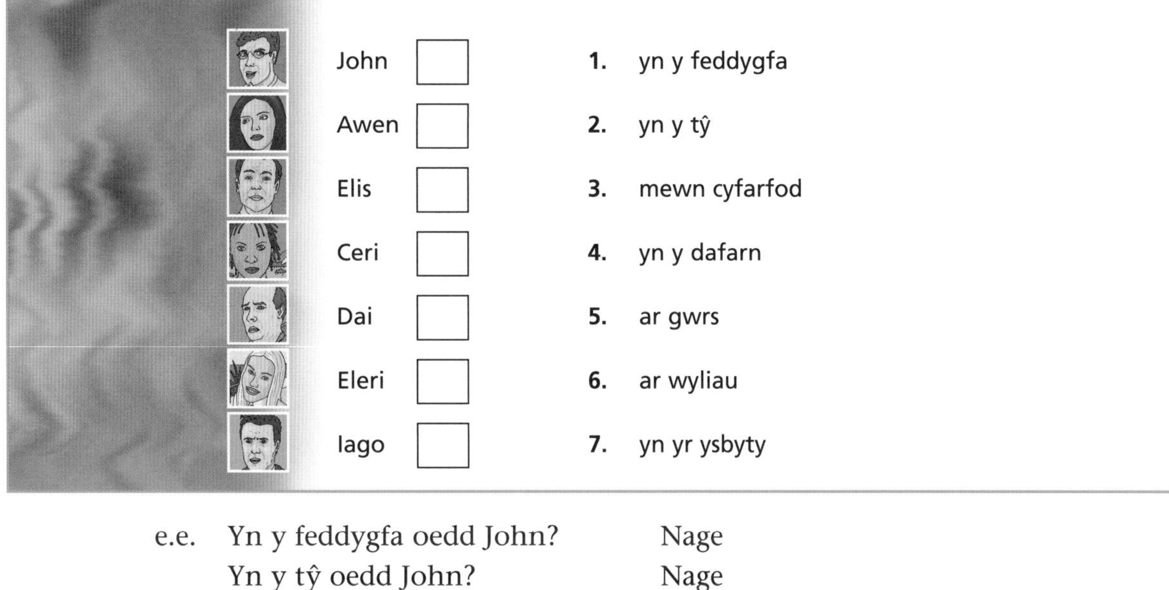

Enw			
John	☐	**1.**	yn y feddygfa
Awen	☐	**2.**	yn y tŷ
Elis	☐	**3.**	mewn cyfarfod
Ceri	☐	**4.**	yn y dafarn
Dai	☐	**5.**	ar gwrs
Eleri	☐	**6.**	ar wyliau
Iago	☐	**7.**	yn yr ysbyty

e.e.	Yn y feddygfa oedd John?	Nage
	Yn y tŷ oedd John?	Nage
	Ar gwrs oedd John?	Ie!

uned 7

7.1 Cymryd neges

Llenwch y bylchau yn y neges yma, yna ei darllen yn uchel i'ch partner - yn gyflym! Rhaid i'ch partner ddweud wrth y dosbarth beth oedd eich neges.

Annwyl __________

Fydda i ddim yn y gwaith yfory - rhaid i fi fynd i ______________ .
Wela i mohonoch chi y diwrnod wedyn chwaith - dw i'n mynd i ______________. Pob hwyl yn y cyfarfod mawr yfory, ac ymddiheuriadau na fydda i'n gallu bod yno. Dw i'n siŵr y byddwch chi'n ______________.

Hwyl,

__________________.

7.2 Darllen ac ysgrifennu yn y gwaith

Pa fath o bethau dych chi'n eu darllen yn eich gwaith? Trafodwch gyda'ch partner a gwneud rhestr, e.e. adroddiadau, ceisiadau, negeseuon e-bost, gwefannau, llythyrau, llyfrau.

Pa fath o bethau dych chi'n eu hysgrifennu? At bwy? Dych chi'n gallu anfon negeseuon e-bost at eich ffrindiau neu'r teulu o'r gwaith?

cais (ceisiadau) - *application(s)*
adroddiad(au) - *report(s)*
gwefan(nau) (b) - *website(s)*

uned 8

8.1 Holiadur

Gofynnwch y cwestiynau yma i bawb yn eich gwaith:

i. Dych chi'n defnyddio'r cyfrifiadur yn aml yn y gwaith?
☐ Drwy'r amser ☐ Yn aml ☐ Weithiau ☐ Byth

ii. Dych chi'n delio â'r cyhoedd yn eich gwaith o gwbl?
☐ Drwy'r amser ☐ Yn aml ☐ Weithiau ☐ Byth

iii. Dych chi'n defnyddio'r Gymraeg o gwbl yn eich gwaith?
☐ Drwy'r amser ☐ Yn aml ☐ Weithiau ☐ Byth

iv. Dych chi wedi cwrdd â phennaeth y cwmni / sefydliad erioed?
☐ Bob dydd ☐ Sawl gwaith ☐ Unwaith neu ddwy ☐ Erioed

v. Dych chi wedi bod yn hwyr i'r gwaith erioed?
☐ Bob dydd ☐ Sawl gwaith ☐ Unwaith neu ddwy ☐ Erioed

Nawr, dwedwch beth oedd canlyniadau'r holiadur wrth eich partner,
e.e. Mae dau ohonyn nhw'n delio â'r cyhoedd drwy'r amser.
Does neb ohonyn nhw wedi cwrdd â phennaeth y cwmni!

uned 9

9.1 Ysgrifennu llythyr byr

Ysgrifennwch lythyr byr at rywun yn y gwaith yn gofyn am rywbeth, ar ddarn o bapur sgrap. Bydd eich tiwtor yn ailddosbarthu'r llythyrau. Nawr, atebwch y llythyr, gan wrthod y cais. Esboniwch pam dych chi'n gwrthod!

ailddosbarthu - *to redistribute*

9.2 Cyfieithu llythyr

Cyfieithwch y llythyr yma i'r Gymraeg. Trafodwch eich cyfieithiad gyda'ch partner.

> Dear Sir or Madam,
>
> Thank you for your letter regarding the new building. We will send you a copy of the plans for your information. You're welcome to send comments to us. We look forward to hearing from you.
>
> Yours sincerely,
> John Jones

Oes llythyrau dych chi'n eu hanfon yn aml o'r gwaith?

uned 10

10.1 Gofyn cwestiynau am y gwaith

Gofynnwch y cwestiynau yma i'ch partner, yna'u hateb.

i. Beth wnest ti yn y gwaith ddoe?
ii. Beth fydd rhaid i ti wneud yn y gwaith wythnos nesa?
iii. Beth ddylet ti wneud wythnos yma?
iv. Beth wyt ti'n feddwl o ____________ (enw person yn y gwaith)?
v. Dweda beth na wnest ti y bore 'ma cyn dod i'r gwaith neu'r dosbarth.
vi. Beth yw dy ddyletswyddau di yn y gwaith? (e.e. Fi sy'n...)

10.2 Cerrig milltir

Beth yw'r cerrig milltir mwya pwysig yn eich gyrfa chi? Ysgrifennwch nhw ar ddarn o bapur, yna'u trafod mewn grwpiau o dri. Er enghraifft, dechrau swydd newydd, cael dyrchafiad, trefnu rhywbeth pwysig, cael plant.

carreg filltir (cerrig milltir) (b) - *milestone(s)*

uned 11

11.1 Mae arna i gymwynas i...

Dewiswch 5 person yn y swyddfa / yn eich lle gwaith. Rhaid i chi ddweud pam mae arnoch chi gymwynas neu ffafr iddyn nhw. Os nad oes rheswm go iawn, rhaid i chi feddwl am un!

Pwy	Pam
1. ______________	______________________________
2. ______________	______________________________
3. ______________	______________________________
4. ______________	______________________________
5. ______________	______________________________

Nawr, gofynnwch i'ch partner pwy mae e / hi wedi ei ddewis, a'r rheswm.

lleoliad(au) - *location(s)*

11.2 Trefnu cinio ymddeol

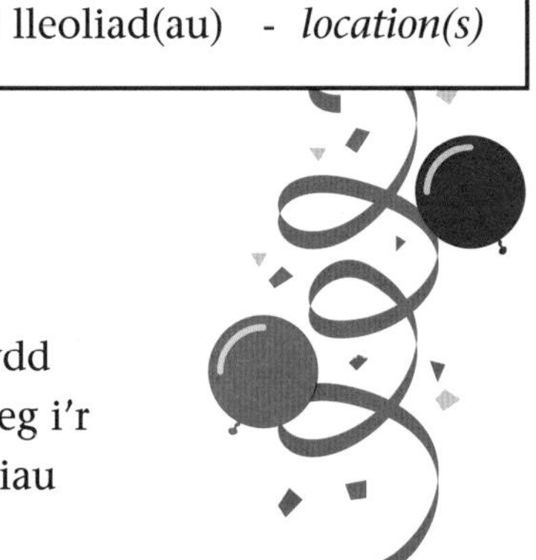

Mae rhywun poblogaidd yn eich lle gwaith yn ymddeol. Rhaid i chi drefnu cinio neu noson i ffarwelio â fe / hi. Mewn parau, penderfynwch pa fath o noson fydd hi, y lleoliad, pwy fydd yn dod, pwy fydd yn siarad a beth fyddwch chi'n ei roi yn anrheg i'r person sy'n ymddeol. Ar ôl gorffen, dwedwch beth yw'r cynlluniau wrth bawb arall yn y grŵp.

Pa fath o barti ymddeol fasech chi'n hoffi ei gael?
Beth fyddan nhw'n ei ddweud amdanoch chi?

12.1 Hyfforddiant mewn swydd

Pa fath o hyfforddiant fasai'n ddefnyddiol i chi yn y gwaith? Meddyliwch am dri pheth gwahanol, neu dri math o gwrs a pham basai'r cwrs yma'n ddefnyddiol i chi.

	Cwrs	Pam basai'n ddefnyddiol?
1.	______________	______________________________
2.	______________	______________________________
3.	______________	______________________________

Nawr, cymharwch eich rhestr chi â rhestr pawb arall yn y grŵp.

12.2 Cwestiynau 'cael'

Gofynnwch y cwestiynau yma i'ch partner, a'u hateb.

- Gan bwy dych chi'n cael eich cyflogi?
- Gan bwy gaethoch chi eich cyfweld?
- Gan bwy dych chi'n cael eich rheoli?
- I beth gaethoch chi eich penodi yn y lle cynta?
- Dych chi'n cael eich trin yn dda yn y lle gwaith?

uned 13

13.1 Newyddion am y gwaith

Darllenwch yr eitemau newyddion yma:

1. Agorwyd estyniad newydd i ffatri Eric Jones yn Llandeilo y bore 'ma gan y Tywysog Charles. Gobeithir y bydd swyddi i gant o bobl erbyn y flwyddyn nesa. Mae'r ffatri'n gwneud peiriannau sy'n pacio pethau.

2. Cafodd tri o weithwyr yn swyddfa'r cyngor yn Llanaber eu diswyddo. Ro'n nhw wedi bod yn gwylio gemau cwpan y byd yn ystod oriau gwaith. Gofynnwyd i'r cyngor am sylw, ond doedd neb ar gael. Dywedodd un o'r gweithwyr fod llawer o bobl yn gwneud yr un peth, ac maen nhw'n bwriadu apelio.

3. Enillwyd gwobr 'Gweithiwr y Flwyddyn' gan Mary Morris sy wedi bod yn glerc yn yr Adran Gyllid ers tri deg mlynedd. Dywedodd ei phennaeth nad oedd Mary wedi colli un diwrnod o waith oherwydd salwch yn yr amser hwnnw. Cyflwynwyd blodau i ddiolch iddi am ei gwasanaeth gan y pennaeth.

4. Caewyd ffatri gaws Felin Wen heddiw. Dim ond dwy flynedd yn ôl agorwyd y ffatri ar ôl derbyn grant o filiwn o bunnoedd gan y Cynulliad. Dywedodd llefarydd ar ran y cwmni fod gormod o gystadleuaeth o wledydd Dwyrain Ewrop. Bydd tri deg o weithwyr yn colli eu gwaith.

Yn gynta, tanlinellwch bob enghraifft o ferf *amhersonol*, e.e. berf + **-wyd** neu **-ir**. Yna, meddyliwch am ddau gwestiwn i'w gofyn am bob eitem, a'u gofyn i bawb arall yn y dosbarth.

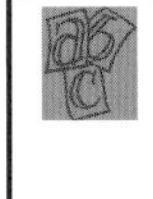

estyniad - *extension*
sylw(adau) - *comment(s)*
tanlinellu - *to underline*

13.2 Newid brawddegau

Gyda'ch partner, darllenwch y brawddegau yma a'u newid, ar sail y wybodaeth yn yr eitemau newyddion yn 13.1.

i. Cafodd adeilad newydd ei agor gan Eric Jones.
ii. Agorwyd yr estyniad ddoe gan Charles a Camilla.
iii. Mae ffatri Eric Jones yn pacio caws.
iv. Diswyddwyd pedwar o bobl o gyngor Llanaber.
v. Roedd gweithwyr y cyngor wedi colli eu swyddi am ddod yn hwyr i'r gwaith.
vi. Dyw'r gweithwyr ddim yn mynd i apelio.
vii. Cafodd gwobr 'Gweithiwr y Flwyddyn' ei hennill gan Margaret Morris.
viii. Mae hi'n gweithio yn yr Adran Gyllid ers ugain mlynedd.
ix. Cafodd cloc ei gyflwyno iddi gan y pennaeth.
x. Caewyd ffatri gaws Felin Wen yr wythnos diwetha.
xi. Agorwyd ffatri Felin Wen ddwy flynedd yn ôl.
xii. Mae'r ffatri wedi cau oherwydd nad oes llawer o bobl yn bwyta caws.

uned 14

14.1 Sgwrs mewn sefyllfa

Gyda'ch partner, dewiswch un o'r sefyllfaoedd yma:

Sefyllfa 1

A: Mae eich partner wedi ceisio am swydd newydd ond ddim wedi ei chael. Cydymdeimlwch â fe / hi, a gofyn beth fydd ei gynlluniau yn y dyfodol.

B: Dych chi wedi ceisio am swydd newydd ond ddim wedi ei chael. Bydd eich partner yn cydymdeimlo â chi. Dwedwch pam na chawsoch chi mo'r swydd a beth yw'ch cynlluniau yn y dyfodol.

Sefyllfa 2

A: Mae eich partner wedi cael ei ddiswyddo. Cydymdeimlwch â fe / hi a gofyn pam.

B: Dych chi wedi cael eich diswyddo. Bydd eich partner yn gofyn cwestiynau i chi. Rhaid i chi feddwl am resymau pam dych chi wedi colli eich gwaith.

14.2 Ysgrifennu llythyr

Ysgrifennwch lythyr yn diolch i rywun sy'n gweithio gyda chi am gymwynas a wnaeth yn ddiweddar. Defnyddiwch tua 100 o eiriau. Dyma rai syniadau:

Annwyl ________

Hoffwn ysgrifennu atoch chi i ddiolch am ______________
Roedd yn help mawr eich bod wedi ______________
Nawr, bydda i'n gallu ______________
Daeth eich help chi ar amser da iawn, oherwydd ______________

Os oes rhywbeth yr hoffech chi i fi wneud ______________
Os galla i wneud rhywbeth i'ch helpu chi ______________

Cofion cynnes,

____

uned 15

15.1 Eich rheolwr llinell

Gofynnwch y cwestiynau yma i'ch partner a'u hateb.

i. Pwy yw'ch rheolwr llinell chi?
ii. Pa mor aml dych chi'n gweld eich rheolwr llinell?
iii. Dych chi'n dod ymlaen yn dda?
iv. Ydy eich rheolwr llinell yn cyfarwyddo eich gwaith chi?
v. Ydy eich rheolwr llinell yn trin pawb yn yr un ffordd?
vi. Faint o gyfle mae eich rheolwr llinell yn ei roi i chi wneud pethau newydd?
vii. Fasech chi eisiau newid eich rheolwr llinell? Pam?
viii. Hoffech chi fod yn rheolwr llinell ar rywun arall?

rheolwr llinell - *line manager*
cyfarwyddo - *to direct*

uned 16

16.1 Disgrifio'r lle gwaith

Gyda'ch partner, disgrifiwch eich lle gwaith yn ofalus. Disgrifiwch:

i. yr adeilad - ei liw, a'i faint
ii. nifer yr ystafelloedd
iii. cynllun a chynnwys eich ystafell chi
iv. yr offer sy yn eich ystafell
v. faint o staff sy'n gweithio yno

16.2 Cyngor gyrfaoedd

Mewn grwpiau neu fel dosbarth, trafodwch y cwestiynau yma:

i. Tasech chi'n rhoi cyngor i berson ifanc am ddewis gyrfa, beth fasech chi'n ddweud?
ii. Pa gyngor gaethoch chi yn yr ysgol neu'r coleg?
iii. O'ch chi'n gwybod o'r dechrau taw dyma beth o'ch chi eisiau ei wneud?

16.3 Sgwrs mewn sefyllfa

Mae partner A yn gynghorydd gyrfaoedd a'r partner arall (B) yn berson ifanc sy newydd adael yr ysgol. Rhaid i A roi cyngor i B a gofyn cwestiynau am yr yrfa orau iddo / iddi.

cynllun	- *design, plan*
cynnwys	- *content*
cynghorydd gyrfaoedd	- *careers adviser*

uned 17

17.1 Gorchmynion

Rhestrwch y gorchmynion dych chi'n eu clywed yn y gwaith yn aml - drwy ofyn yn gwrtais yn gynta, e.e. Wnei di lungopïo'r rhain? Wnei di droi'r gwres ymlaen? Wnei di anfon neges at _____ ? Wnei di drefnu ystafell? Wnei di ffonio ____ ?

1. ______
2. ______
3. ______
4. ______
5. ______
6. ______

Yna, trowch y rhain yn **orchmynion** i **ti**,
e.e. Wnei di agor y drws? > Agora'r drws!

17.2 Troi e-bost yn orchmynion

Darllenwch y neges yma, oddi wrth gydweithiwr. Trowch y cynnwys yn orchmynion i **chi**, a'u hysgrifennu dan y neges.

Helo Jerry,
Dw i'n mynd i ffwrdd yr wythnos nesa. Wnei di roi gwybod i'r swyddfa ganolog? Mae angen gwneud ambell beth - wyt ti'n gallu ateb unrhyw ymholiadau? Hefyd, wnei di drefnu ystafell ar gyfer y 5ed, a bwcio'r bwyd? O ie, bydd angen i ti fynd at y cwmni arferol i logi car i fi. Does dim angen dweud wrth Lowri. Un peth arall, wnei di ddiolch iddi am edrych ar ôl y pysgodyn aur?
Cofia gysylltu â fi ar y rhif symudol os oes problem fawr.
Hwyl,
Jenny

1. __________
2. __________
3. __________
4. __________
5. __________
6. __________

uned18

18.1 Gwneud rhaglen

Mae cwmni teledu yn dod i'ch lle gwaith chi i wneud rhaglen 'pry-ar-y-wal' i'w dangos ar S4C. Mewn grwpiau, trafodwch:

- i. Beth fasai'n addas iddyn nhw ffilmio?
- ii. Pa fath o raglen fasai hi?
- iii. Beth fasai'r problemau i'r cwmni sy'n gwneud y rhaglen?
- iv. Pwy fasai'r bobl fwya diddorol i'w ffilmio?
- v. Pa fath o ymateb fasai'r rhaglen yn ei gael?

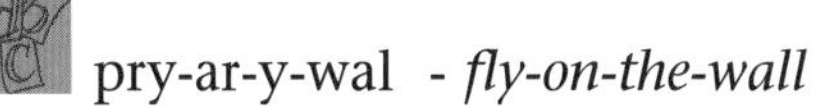
pry-ar-y-wal - *fly-on-the-wall*

18.2 Ysgrifennu memo

Mae cwmni teledu yn dod i'ch lle gwaith chi i ffilmio (gw. 18.1 uchod). Ysgrifennwch femo at bawb yn y cwmni yn dweud wrthyn nhw am y prosiect yma a beth fydd disgwyl iddyn nhw wneud. Nodwch pryd bydd y ffilmio'n digwydd a beth mae'r cwmni neu'r sefydliad yn gobeithio ei gael allan o'r rhaglen.

MEMO

At: Pawb ar y staff
Ynglŷn â: Ffilmio rhaglen S4C

Annwyl Gydweithwyr,

uned19

19.1 Cwestiynau 'Pa mor aml...'

Gyda'ch partner, trafodwch y cwestiynau yma:

i. Pa mor aml fyddi di'n mynd â gwaith adre gyda ti?
ii. Pa mor aml fyddi di'n gweithio ar ddydd Sadwrn?
iii. Pa mor aml fyddi di'n gweithio'n hwyr?
iv. Pa mor aml fyddi di'n cael problemau gyda chyfrifiaduron?
v. Pa mor aml fyddi di'n delio â'r cyhoedd?
vi. Pa mor aml fyddi di'n cwrdd â phobl eraill sy'n gweithio yn yr un maes?
vii. Pa mor aml fyddi di'n mynd i gyfarfodydd neu gyrsiau?
viii. Pa mor aml fyddi di'n cael cyfle i siarad Cymraeg?

yn yr un maes - *in the same field*

19.2 Pethau na wnewch chi byth mohonyn nhw

Meddyliwch am bethau na wnewch chi byth mohonyn nhw yn eich lle gwaith, e.e.

Cha i byth ddyrchafiad!
Symuda i byth i swydd arall!
Fwyta i byth yn y ffreutur yma!
Cha i byth le i barcio!
Orffenna i byth un prosiect ar amser!

Nawr, bydd rhaid i chi ddyfalu pwy ddwedodd beth.

uned20

20.1 Disgrifio cwrs

Dych chi wedi bod ar gwrs yn ymwneud â'r gwaith. Atebwch y cwestiynau yn y tabl ac yna gofynnwch i'ch partner am y cwrs yr aeth e/hi iddo.

Cwestiwn	Chi	Eich partner
Sut oedd y daith?		
Sut oedd y gwesty?		
Sut oedd yr adnoddau?		
Sut oedd y bwyd?		
Sut oedd y cwrs ei hun?		
Fasech chi'n mynd ar y cwrs yma eto?		

20.2 Cyfweld rhywun yn y gwaith

Bydd rhaid i chi gyfweld rhywun sy'n siarad Cymraeg yn rhugl cyn bo hir. Beth am ymarfer gyda rhywun yn eich lle gwaith? Dyma rai cwestiynau y gallwch chi eu gofyn, a gallwch ymarfer gofyn y cwestiynau yn y dosbarth yn gynta.

i. Ers faint dych chi'n gweithio yma?
ii. Beth yn union dych chi'n wneud?
iii. Dych chi'n mwynhau'r gwaith? Pam?
iv. Fasech chi'n newid rhywbeth am eich lle gwaith? Beth?
v. Sut dych chi'n dod ymlaen â'ch cydweithwyr?
vi. Dyma'r swydd o'ch chi eisiau ei gwneud ers pan o'ch chi'n ifanc?
vii. Beth yw'r peth mwya anodd am y swydd?
viii. Faint o Gymraeg dych chi'n ei defnyddio yn y gwaith?

uned 21

Beth	Pryd
Cyfarfod cyffredinol	1 Mehefin
Pwyllgor llywio	21 Mehefin
Cyfweliadau	30 Mehefin
Gwyliau	6-14 Gorffennaf
Eisteddfod	2 Awst
Cwrs hyfforddi	3 Medi
Cynhadledd	10-11 Medi
Cyfarfod lleol	15 Medi
Apwyntiad deintydd	25 Medi
Taith flynyddol	2 Hydref
Hanner tymor	20-24 Hydref
Pwyllgor cyllid	3 Tachwedd

21.1 Trafod dyddiadau yn y gwaith

Gyda'ch partner, trafodwch pryd mae'r pethau yma'n digwydd, e.e. Pryd mae'r cyfarfod cyffredinol nesa?

cyfarfod cyffredinol - *general meeting*
pwyllgor llywio - *steering committee*
pwyllgor cyllid - *finance committee*

Trafodwch y pethau sy'n mynd i godi yn eich lle gwaith chi yn y flwyddyn i ddod. Pryd maen nhw?

21.2 Trefnu gwesty i gydweithiwr

Mae eich partner yn mynd i gyfarfod neu gynhadledd ac yn gofyn i chi drefnu gwesty iddo. Gofynnwch i'ch partner am y wybodaeth yma:

Dyddiadau: 2 Mawrth - 4 Mawrth
Nosweithiau: 2
Nifer o bobl: 1
Ble: Llanaber
Gwesty (dewis 1): Y Black Bull
Gwesty (dewis 2): Cerrig Gleision
Bwyd: Brecwast a swper - llysieuol
Pwrpas: Cwrdd â chleient
Teithio: Trên - angen tocyn
(8.30 ar 2 Mawrth; o Lanaber
am 2 o'r gloch ar 4 Mawrth)

uned22

22.1 Tân yn y gwaith - sgwrsio

i. Tasai tân yn llosgi eich lle gwaith i'r llawr, beth fasech chi'n ceisio ei achub gynta?
ii. Tasai popeth wedi cael ei losgi, beth fasai'n digwydd i chi?
iii. Dych chi'n cael ymarferion rhag tân weithiau?
iv. Oes tân wedi digwydd yn eich lle gwaith?
v. Dych chi'n gwybod ble mae'r diffoddyddion tân?
vi. Oes yswiriant gyda chi?

ymarferion rhag tân	-	*fire prevention drills*
diffoddydd(ion) tân	-	*fire extinguisher(s)*
yswiriant	-	*insurance*

22.2 Llythyr cwyno

Darllenwch y llythyr yma. Sut basech chi'n ei ateb?

Annwyl Syr / Madam,

Dw i newydd gael eich llythyr drwy'r post yn sôn am eich cynnyrch diweddara. Ro'n i'n siomedig iawn fod y llythyr yn uniaith Saesneg! Oes polisi dwyieithog gyda'r cwmni? Cofiwch fod llawer o bobl yn siarad Cymraeg yn yr ardal yma. Bydda i'n ysgrifennu at fy Aelod Cynulliad am hyn.

Yr eiddoch yn gywir,
Guto Pryderi ap Rhys

uned23

23.1 Cyflwyno'r lle gwaith

Mae person newydd wedi dod i weithio gyda chi. Chi sy'n gorfod mynd â fe / hi o gwmpas eich lle gwaith yn dangos yr adeiladau. Os oes cyfle i wneud hyn go iawn, gwnewch hynny. Os na fydd hyn yn bosibl, ewch â rhywun o'r dosbarth neu'r tiwtor gyda chi.
Dyma rai ymadroddion defnyddiol:

Dyma'r __________
Ar bwys / Wrth ymyl yr adeilad mae _______
Gallwch chi barcio o flaen __________
Mae'r swyddfa'n agor am __________ ac yn cau am __________
Mae'r ffreutur drws nesa i'r siop lyfrau
Ga i gyflwyno __________
Byddwch chi'n dod i arfer â sŵn y traffig...

23.2 Darllen map

Ffeindiwch fap sy'n arwain i'r lle gwaith. Os nad oes map parod ar gael, mae'n bosib argraffu map o'r lleoliad o'r we. Gyda'ch partner, siaradwch am sut i gyrraedd y lle gwaith o lefydd gwahanol. Oes ffyrdd sy'n haws na rhai eraill, neu'n gynt? Pa mor hawdd yw dod o hyd i'r lle gwaith?

uned 24

24.1 Cywiro'r cofnodion

Darllenwch y cofnodion yma. Mae 10 treiglad ar goll - cywirwch nhw!

Cofnodion cyfarfod 13 Tachwedd

Presennol: JJ, TT, ED, LM.

1. **Parti Ymddeol y Prif Gweithredwr**

Pwrpas y cyfarfod oedd trafod y lle gorau i cynnal parti ymddeol y pennaeth. Dwedodd JJ ei fod yn rhy prysur i chwilio am lle addas. Dywedodd TT fod gwesty'r Cliff yn gwneud bwyd da iawn. Cytunwyd bod hyn yn syniad da, ac roedd digon o lle i wyth deg o bobl yno. Bydd rhaid i ED cysylltu â nhw yn syth i wneud yn siŵr fod nos Iau, 11 Rhagfyr yn rhydd. Gallai fod yn anodd cael lle, gan fod llawer o partïon Nadolig yn cael eu cynnal yr amser yma. Gofynnodd LM a fasen ni'n gallu cael peiriant carioci yn y parti a cytunodd pawb fod hyn yn iawn.

Bydd ED yn anfon gwahoddiadau at pawb drwy e-bost yfory. Diolchwyd i ED am hyn. Trafodir y manylion yn cyfarfod nesaf y pwyllgor.

Tasech chi'n trefnu parti ymddeol i'ch pennaeth chi, sut basech chi'n mynd ati? Ble basech chi'n mynd? Pwy fasai'n dod?

uned 25

25.1 Deialog

Gyda'ch partner, darllenwch y ddeialog yma a llenwi'r bylchau wrth fynd ymlaen.

A: Bore da, ______________ Llanaber. Ga i'ch helpu chi?

B: ______________ sy 'ma. Ga i siarad â ______________?

A: ______________ sy'n siarad.

B: Bore da. Dw i'n ffonio ynglŷn â'r cyfarfod dych chi wedi ei drefnu fore dydd ______________ nesa.

A: Ie, y cyfarfod yn ______________ .

B: Allwch chi ddweud wrtha i am beth yn union mae'r cyfarfod?

A: Wel, byddwn ni'n trafod ______________ fwya. Ond wrth gwrs, mae pethau pwysig eraill i'w trafod.

B: Iawn. Allwch chi ddweud wrtha i yn union ble mae'r cyfarfod?

A: Galla. ______________ (cyfeiriadau)

B: A phryd yn union fydd y cyfarfod yn gorffen?

A: Mae'n anodd dweud. Hwn yw'r cyfarfod ola ar y mater.

B: Dw i'n gweld. Mae e yn fater pwysig wrth gwrs.

A: Ydy wir. Bydd cinio wedi ei drefnu ar eich cyfer chi wrth gwrs. Felly, fyddwch chi yno fore dydd ______________ nesa?

B: Bydda wir. Am ______________ o'r gloch ar ei ben.

A: Hwyl fawr tan hynny.

B: Pob hwyl.

ar ei ben	- *exactly*
canolwr	- *referee*
tystlythyr	- *reference, testimonial*

25.2 Ysgrifennu llythyr

Ysgrifennwch lythyr ar un o'r testunau yma (tua 100 o eiriau)

A: Mae un o'ch cydweithwyr chi wedi gofyn i chi fod yn ganolwr ar ei ran / ei rhan. Mae e/hi wedi ceisio am swydd mewn cwmni / sefydliad arall. Ysgrifennwch dystlythyr at y cwmni neu'r sefydliad yn sôn amdano / amdani.

B: Dych chi wedi cael llond bol ar eich swydd bresennol. Ysgrifennwch lythyr at eich rheolwr llinell yn ymddiswyddo, ac yn dweud yn glir beth dych chi'n feddwl ohono fe / ohoni hi a'r cwmni / sefydliad.

C: Bydd rhaid i chi symud i swyddfeydd neu adeiladau newydd cyn bo hir. Dych chi ddim yn hapus gyda'r adeiladau neu'r lleoliad newydd. Ysgrifennwch at bennaeth eich cwmni / sefydliad yn dweud eich barn ac yn nodi'r problemau.

uned26

26.1 Cymdeithas y staff

Mae cymdeithas staff eich lle gwaith yn trefnu helfa drysor yn yr ardal, a dych chi'n helpu gyda'r trefniadau. Bydd pob tîm mewn car. Trafodwch:

i. Ble basech chi'n mynd? (Rhaid meddwl am bump lle)
ii. Pa mor hir fasai'r helfa drysor?
iii. Meddyliwch am gliwiau i arwain i'r pump lle.
iv. Dych chi'n cymdeithasu gyda phobl yn eich lle gwaith o gwbl?

Caerdydd

helfa drysor (b) - *treasure hunt*

26.2 Yn / mewn

Gyda'ch partner, rhowch **Dw i'n gweithio yn / mewn...** o flaen yr ymadroddion yma, e.e.

A: swyddfa'r de
B: Dw i'n gweithio yn swyddfa'r de

i swyddfa'r gogledd
ii. swyddfa fawr
iii. Abertawe
iv. pentre mawr
v. pentre yn y gogledd
vi. pentre mwya gogledd Cymru
vii. canolfan hamdden
viii. canolfan hamdden newydd
ix. canolfan hamdden y dre
x. neuadd y sir
xi. neuadd bentre
xii. neuadd Llanaber
xiii. ysgol Gymraeg y dre
xiv. ysgol gynradd

uned27

27.1 Holiadur

Gofynnwch y cwestiynau yma i o leia 5 o bobl, e.e.
Beth oedd... Beth yw... Beth fasai...

Enw	Swydd gynta	Swydd bresennol	Swydd ddelfrydol

27.2 Swydd tiwtor Cymraeg

Dych chi'n mynd i roi cyfweliad i'ch tiwtor Cymraeg chi am swydd... tiwtor Cymraeg. Mewn grwpiau, meddyliwch am gwestiynau i'w gofyn, e.e.

i. Pam dych chi eisiau bod yn diwtor Cymraeg?
ii. Beth dych chi'n credu sy'n gwneud tiwtor da?
iii. Faint o brofiad sy gyda chi?
iv. Ydy hi'n anodd dysgu Cymraeg yn y gweithle? Pam?

Meddyliwch am ragor o gwestiynau.

Bydd eich tiwtor yn ateb y cwestiynau yn gynta. Yna, rhaid i un person o bob grŵp gael cyfweliad am swydd fel tiwtor Cymraeg!

uned 28

28.1 Anghenion arbennig a chyfle cyfartal

Mae cwmni'n gwneud arolwg am anghenion arbennig a chyfle cyfartal yn y lle gwaith. Llenwch y ffurflen yma, ac yna trafodwch eich atebion gyda'r grŵp.

AROLWG

Faint o weithwyr anabl sy'n gweithio gyda chi? ______________

Dych chi'n credu eu bod nhw'n cael chwarae teg? Pam? ______________

____

Fasai hi'n bosib rhoi cyfle i ragor o bobl anabl weithio gyda chi? Sut? ______________

____

Faint o weithwyr o grwpiau ethnig eraill sy'n gweithio gyda chi?

____

Dych chi'n credu eu bod nhw'n cael chwarae teg? Pam? ______________

____

Fasai hi'n bosib rhoi cyfle i ragor o bobl o grwpiau ethnig eraill weithio gyda chi? Sut?

____

____

____

____

anghenion arbennig - *special needs*
cyfle cyfartal - *equal opportunities*

uned29

29.1 Siarad am gydweithwyr

Yn eich lle gwaith chi...

i. Pwy sy'n gweithio galeta?
ii. Pwy sy wedi bod 'na ers yr amser hira?
iii. Pwy sy wedi bod 'na leia o amser?
iv. Pwy sy'n mwynhau ei waith fwya?
v. Pwy sy'n mwynhau ei waith leia?
vi. Pwy sy'n defnyddio'u Cymraeg fwya?
vii. Pwy sy'n teithio bella?
viii. Pwy sy'n nabod Cymru orau?

29.2 O blaid ac yn erbyn

'Dylai'r gallu i siarad Cymraeg fod
yn hanfodol yn ein lle gwaith ni.'

Trafodwch resymau o blaid ac yn erbyn y syniad hwn.

O blaid	Yn erbyn
1.	1.
2.	2.
3.	3.

Beth yw'ch barn chi? Beth yw barn pobl eraill yn y grŵp / eich lle gwaith chi?

o blaid ac yn erbyn - *for and against*

uned30

30.1 Llenwi bylchau

Llenwch y bylchau yn y darn hwn:

A: Bore da. Swyddfa Jones, Davies a Williams.
B: Bore da. Ga i siarad __________ Jane Davies, os gwelwch yn dda?
A: Wnewch chi ddal y lein am funud?
B: __________ (iawn)

A: Mae'n ddrwg gyda fi, ond _________ hi ddim yn ateb. Mae'n bosib _________ Mrs Davies wedi mynd am ei _________ (cinio). Fasech chi'n lico _________ (i) hi eich ffonio chi pan _________ (dod) hi'n ôl?

B: Dim diolch, ____________ (ffonio) i eto mewn munud.

A: Iawn, _________ hi ddim yn hir, dw i'n siŵr. O, _________ (aros) am funud. Mae Mrs Davies newydd gerdded i mewn _________ swyddfa. Pwy _________'n siarad, os gwelwch chi'n dda?

B: Siôn Evans.

A: Dyma Jane Davies i chi nawr, Mr Evans.

C: Helo, Mr Evans. Mae'n ddrwg gyda fi eich cadw chi i aros. Beth _________ i wneud i'ch helpu chi?

B: Dych chi ddim yn fy _________ (cofio) i, mae'n debyg. ____________ (siarad) ni ar y trên o Glasgow i Gaerdydd _________ (3) wythnos yn ôl. ____________ (prynu) chi gwpanaid o goffi i mi. Ers hynny, dw i ddim yn gallu stopio meddwl ____________ chi. Dw i ddim wedi dweud hyn _________ neb o'r blaen, Mrs Davies: dw i'n _________ caru chi!

30.2 Ysgrifennu llythyr

Ysgrifennwch lythyr ar un o'r testunau yma (tua 100 o eiriau):

A: Mae eich cwmni / sefydliad wedi cyhoeddi Cynllun Iaith Gymraeg. Ysgrifennwch lythyr yn dweud eich barn amdano.

B: Mae posibilrwydd y bydd eich cwmni / sefydliad / adran yn cau. Ysgrifennwch lythyr at eich Aelod Cynulliad yn sôn am eich gwaith ac yn gofyn am help i gadw eich cwmni / sefydliad / adran ar agor.

C: Mae'r cwrs Cymraeg yn y gwaith wedi gorffen. Ysgrifennwch at eich cyflogwr yn gofyn am gael estyn y cwrs y flwyddyn nesa.

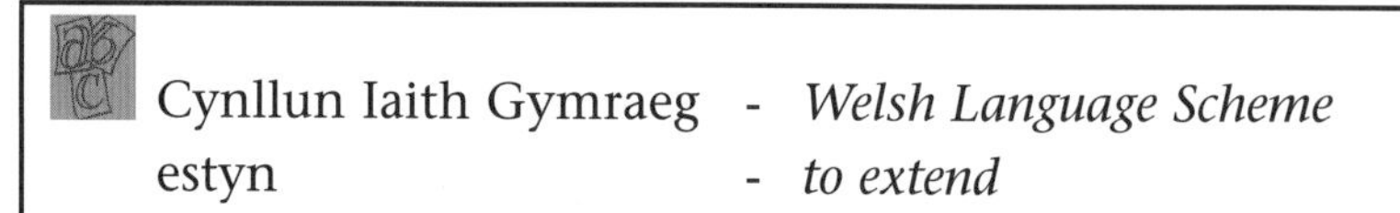

Cynllun Iaith Gymraeg - *Welsh Language Scheme*
estyn - *to extend*

Atodiad i Rieni

Gartre gyda'r plant – Nodyn i'r rhieni

Dyma rai syniadau i'ch helpu chi a'ch plant bach i ddysgu ychydig o Gymraeg gyda'ch gilydd.

- Mwynhewch eich hunain. Mae plant yn dysgu wrth chwarae ac wrth wneud pethau maen nhw'n eu mwynhau. Bydd eich plentyn yn dysgu wrth glywed a gweld Cymraeg a gwneud pethau mae e neu hi'n eu mwynhau gyda chi.
- Mae'n bwysig eich bod **chi**'n mwynhau yn ogystal â'r plant (*as well as the children*). Os nad ydych chi mewn hwyliau da, bydd y plant yn synhwyro (*sense*) hynny. Mae'n well aros nes bydd pethau'n well cyn cychwyn ar gêm neu weithgaredd (*activity*) newydd. Os yw eich plentyn yn anhwylus (*unwell*) neu wedi blino, neu os yw mewn tymer ddrwg, arhoswch nes bydd yn teimlo'n well.
- Gwnewch y Gymraeg yn rhan o'ch bywyd bob dydd. Ceisiwch roi amser bob dydd i ychydig o Gymraeg o leiaf (*at least*).
- Byddwch yn barod i ailadrodd (*repeat*) y gemau a'r gweithgareddau. Mae ailadrodd yn rhan hollbwysig (*essential*) o ddysgu iaith. Mae plant hefyd yn mwynhau ailadrodd ac mae'n eu gwneud yn fwy hyderus (*confident*). Wrth ichi fynd drwy'r cwrs a gwneud pethau newydd, cofiwch ailadrodd y gweithgareddau wnaethoch chi mewn wythnosau blaenorol (*previous*) hefyd. Os yw llyfrau blaenorol y gyfres (*series*) gyda chi, *Cwrs Mynediad* a *Cwrs Sylfaen*, gallwch ailddefnyddio'r gweithgareddau sy yn y rheiny hefyd.
- Byddwch yn barod i ganu! Mae rhythmau canu'n help mawr i ddysgu patrymau newydd gyda'ch plentyn. Mae caneuon hefyd yn aml yn ailadrodd patrymau, ac mae plant bob amser yn mwynhau canu.
- Amynedd (*patience*) yw'r allwedd (*key*). Efallai y bydd eich plentyn yn ymateb yn Saesneg, neu'n chwarae heb ddweud gair (*without saying a word*), neu efallai y bydd yn troi'r gweithgaredd yn gêm hollol wahanol. Does dim ots. Os yw'n ymateb yn Saesneg, dywedwch chi'r ateb yn Gymraeg. Os nad yw'n dweud dim, dywedwch chi'r ateb dros y plentyn. Os yw'n datblygu'n gêm wahanol, chwaraewch gydag e/hi, a dweud cymaint ag y gallwch chi yn Gymraeg. **Os yw eich plentyn yn clywed ac yn gweld Cymraeg, yn cael amser da ac yn mwynhau eich cwmni chi yr un pryd, mae'n siŵr o ddysgu.**
- Byddwch yn hyderus. Os yw eich plentyn yn gallu siarad Saesneg, rydych wedi ei helpu i ddysgu un iaith yn barod.

Pob hwyl!

Atodiad i Rieni - Canolradd

uned 1

1.1 Holiadur yr haf

Pwy wnaeth y pethau yma yn ystod gwyliau'r ysgol? Gofynnwch i'ch partner – Est ti i'r parc? etc. Os cewch chi'r ateb 'Do', gofynnwch gwestiwn arall yn dechrau gyda Ble, Pryd, Sut neu Gyda phwy.

	Partner 1 **Enw**________	**Partner 2** **Enw**________
mynd i'r parc		
chwarae yn yr ardd		
mynd i'r pwll nofio		
edrych ar fideo		
mynd ar wyliau		
darllen llyfr Cymraeg		
mynd i weld ffrindiau		
mynd i'r traeth		
cael barbiciw		

Wedyn symudwch ymlaen at bartner newydd. Gofynnwch i'ch partner newydd am y partner cyntaf, e.e. Aeth Mary i'r parc?

Gartre gyda'r plant

Gwnewch lyfr lloffion am eich gwyliau haf. Yn y llyfr rhowch ffotograffau, lluniau gan y plant, taflenni, tocynnau, mapiau, ac yn y blaen. Ysgrifennwch frawddegau yn disgrifio pob ffotograff neu lun, e.e. Aethon ni i'r traeth. Roedd hi'n braf. Gaethon ni hufen iâ.

Cofiwch ddarllen y llyfr gyda'ch plant.

Help llaw

llyfr lloffion - *scrapbook*
taflenni - *leaflets*
ac yn y blaen - *and so on*

1.2 Stori a llun

- Gwrandewch ar y tiwtor yn darllen y stori 'Diwrnod Cyntaf Megan', am ddiwrnod cyntaf Megan yn y dosbarth derbyn. Wrth wrando, penderfynwch ar drefn y lluniau. Ysgrifennwch rifau ar bwys y lluniau.

- Bydd y tiwtor yn rhoi copi o'r stori i chi. Darllenwch y stori gyda'ch partner ac wedyn gyda'r dosbarth. Nawr yn eich tro, cuddiwch y stori, edrych ar y lluniau a cheisio dweud y stori wrth eich partner.
- Heb edrych ar y stori, llenwch y bylchau.
- Dwedwch wrth eich partner am ddiwrnod cyntaf eich plentyn chi yn yr ysgol neu yn y cylch meithrin.

Gartre gyda'r plant

Mae'r tiwtor wedi rhoi copi o'r lluniau i chi. Os yw'r plant yn ddigon hen, gofynnwch iddyn nhw liwio'r lluniau. Os dyn nhw'n rhy ifanc, lliwiwch y lluniau eich hun a'u torri ar wahân. Yna:

* Dangoswch y lluniau i'ch plentyn wrth ddweud y stori.
* Wedyn cymysgwch y lluniau a gofyn i'r plentyn roi'r lluniau mewn trefn wrth wrando ar y stori.
* Os yw'r plentyn yn hyderus, efallai bydd e/hi eisiau cael dweud y stori, a'r tro yna chi fydd yn trefnu'r lluniau.

Help llaw

lliwio	-	*to colour*
cymysgu	-	*to mix up*
trefnu	-	*to organize or to put in order*
hyderus	-	*confident*

1.3 Gwneud jeli

Gyda'ch partner, aildrefnwch y brawddegau hyn i esbonio sut mae gwneud jeli.

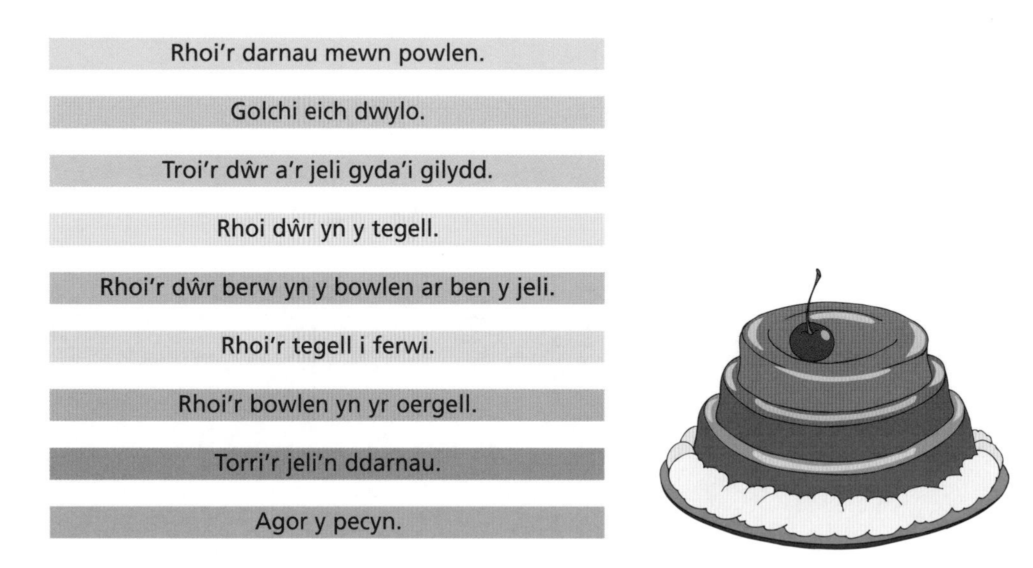

Nawr, rhaid ichi esgus bod chi wedi gwneud y jeli. Dwedwch wrth eich partner sut wnaethoch chi'r jeli, e.e. Golchon ni ein dwylo. Rhoion ni ddŵr...

Gartre gyda'r plant

Ar ôl gwneud jeli neu fwyd syml arall gyda'r plant, gofynnwch iddyn nhw gofio beth wnaethoch chi. Helpwch nhw i gofio. Bydd hyn yn helpu'r plant i wneud tasgau tebyg yn yr ysgol.

Help llaw

aildrefnu	-	*to rearrange*
tebyg	-	*similar*

uned2

2.1 Eiddo coll

Dych chi wedi colli llawer o bethau yn yr ystafell wely. Mae eich partner yn eich helpu i chwilio amdanyn nhw. Gofynnwch gwestiynau i'ch partner gan ddechrau, 'Wyt ti wedi gweld fy...............?' Bydd eich partner yn ateb, 'Ydw, dw i wedi gweld dy ....' gan bwyntio at y llun.

Dyma'r pethau dych chi wedi eu colli:

teganau | pyjamas | creonau | bag ysgol | gwely | diod

llyfr | menig | rhwyd bysgota

Gartre gyda'r plant

Cewch ofyn yr un cwestiynau i'r plant gartre, gan siarad am y llun, neu wrth chwilio am bethau o gwmpas y tŷ. Efallai bydd y plant lleia yn ymateb trwy bwyntio'n unig. Dwedwch yr ateb drostyn nhw.

2.2 Defnyddio ei ________ hi

i. Nawr byddwch chi'n esgus taw ystafell Sara sy yn y llun. Gyda'ch partner trafodwch beth sy yn yr ystafell gan ddechrau pob brawddeg gyda:

Yn yr ystafell, mae hi'n cadw ei _____ hi.

ii. Yna dwedwch wrth eich partner beth sy yn ystafell eich merch neu eich wyres neu eich nith.

2.3 Defnyddio ei ________ e

i. Nawr byddwch chi'n esgus taw ystafell Dafydd sy yn y llun. Gyda'ch partner trafodwch beth sy yn yr ystafell gan ddechrau pob brawddeg gyda:

Yn yr ystafell mae e'n cadw ei _____ e.

ii. Yna dwedwch wrth eich partner beth sy yn ystafell eich mab neu eich ŵyr neu eich nai.

Gartre gyda'r plant

Mae'r tiwtor wedi rhoi llun Sara a llun Dafydd i chi. Yn gyntaf, defnyddiwch lun Sara i ddangos i'r plant taw ystafell Sara yw hi. Dwedwch wrth y plant, 'Yn yr ystafell mae Sara yn cadw ei ________' gan siarad am bopeth yn yr ystafell a phwyntio at bopeth yn ei dro. Wedyn trowch y llun drosodd a cheisio cofio beth mae Sara yn ei gadw yn yr ystafell.

Ar adeg arall, gwnewch yr un peth gyda llun Dafydd.

uned3

3.1 Rhoi cyngor i ffrind

Mae eich ffrind yn gofyn i chi am gyngor achos bod ei phlentyn yn cnoi plant eraill yn y cylch meithrin. Gyda'ch partner a gyda'r dosbarth trafodwch pa gyngor basech chi'n ei roi i'ch ffrind. Defnyddiwch: Baswn i; Faswn i ddim; Dylai'r plentyn; Ddylai'r plentyn ddim; Dylai'r rhiant; Ddylai'r rhiant ddim.

3.2 Rhoi cyngor i blentyn

Mae eich plentyn yn cwyno am broblemau yn yr ysgol a gyda ffrindiau. Dyma'r cyngor roioch chi i'r plentyn. Beth oedd y problemau? Mae'r broblem gyntaf wedi ei gwneud drosoch chi.

Problem	Cyngor
Roedd rhaid i fi aros i mewn amser chwarae.	Dylet ti wrando ar yr athrawes.
________________________	Dylet ti wneud y gwaith cartref.
________________________	Dylet ti ddweud wrth yr athrawes.
________________________	Dylet ti chwarae gyda rhywun arall.
________________________	Dylet ti rannu gyda dy ffrindiau.
________________________	Dylet ti ofyn iddyn nhw eto.

Trafodwch gyda'ch partner y problemau eraill mae eich plant wedi cwyno amdanyn nhw, a'r cyngor roioch chi. Ysgrifennwch y problemau a'r cyngor yma:

Cân

Tôn – 'Pen-blwydd hapus'

Cewch wneud mwy o benillion (*verses*) gan amrywio'r person a'r ddiod.

Faset ti'n hoffi te?
Faset ti'n hoffi llaeth?
Faset ti'n hoffi siwgr?
Faset ti'n hoffi te?

Baswn i'n hoffi te
Baswn i'n hoffi llaeth
Baswn i'n hoffi siwgr
Baswn i'n hoffi te

Gartre gyda'r plant

Wrth helpu'r plant gyda gwaith cartre a gemau a gweithgareddau defnyddiwch:

Dylet ti droi'r papur drosodd.	*You should turn the paper over.*
Dylet ti ddechrau.	*You should start.*
Dylet ti ddal y pensil fel hyn.	*You should hold the pencil like this.*
Dylet ti ei wneud e fel hyn.	*You should do it like this.*

Os oes rhywbeth arall dych chi eisiau ei ddweud i helpu'r plant, ysgrifennwch nodyn yma i ofyn i'r tiwtor sut i'w ddweud:

____

____

____

____

4.1 Gêm drac

Taflwch ddis i symud o gwmpas y grid. Pan dych chi'n glanio ar sgwâr, cymharwch yr anifail sy yno ag unrhyw ddau anifail arall.

e.e. Mae mwnci'n fawr. Mae arth yn fwy na mwnci. Yr eliffant yw'r mwya.

Defnyddiwch yr ansoddeiriau (*adjectives*) yma:

araf	arafach	arafa
cyflym	cyflymach	cyflyma
ffyrnig (*fierce*)	ffyrnicach	ffyrnica
blewog (*hairy*)	mwy blewog	mwya blewog
tawel	tawelach	tawela
hardd (*beautiful*)	harddach	hardda

tal	talach	tala
tew	tewach	tewa
bach	llai	lleia
mawr	mwy	mwya
drwg	gwaeth	gwaetha
da	gwell	gorau

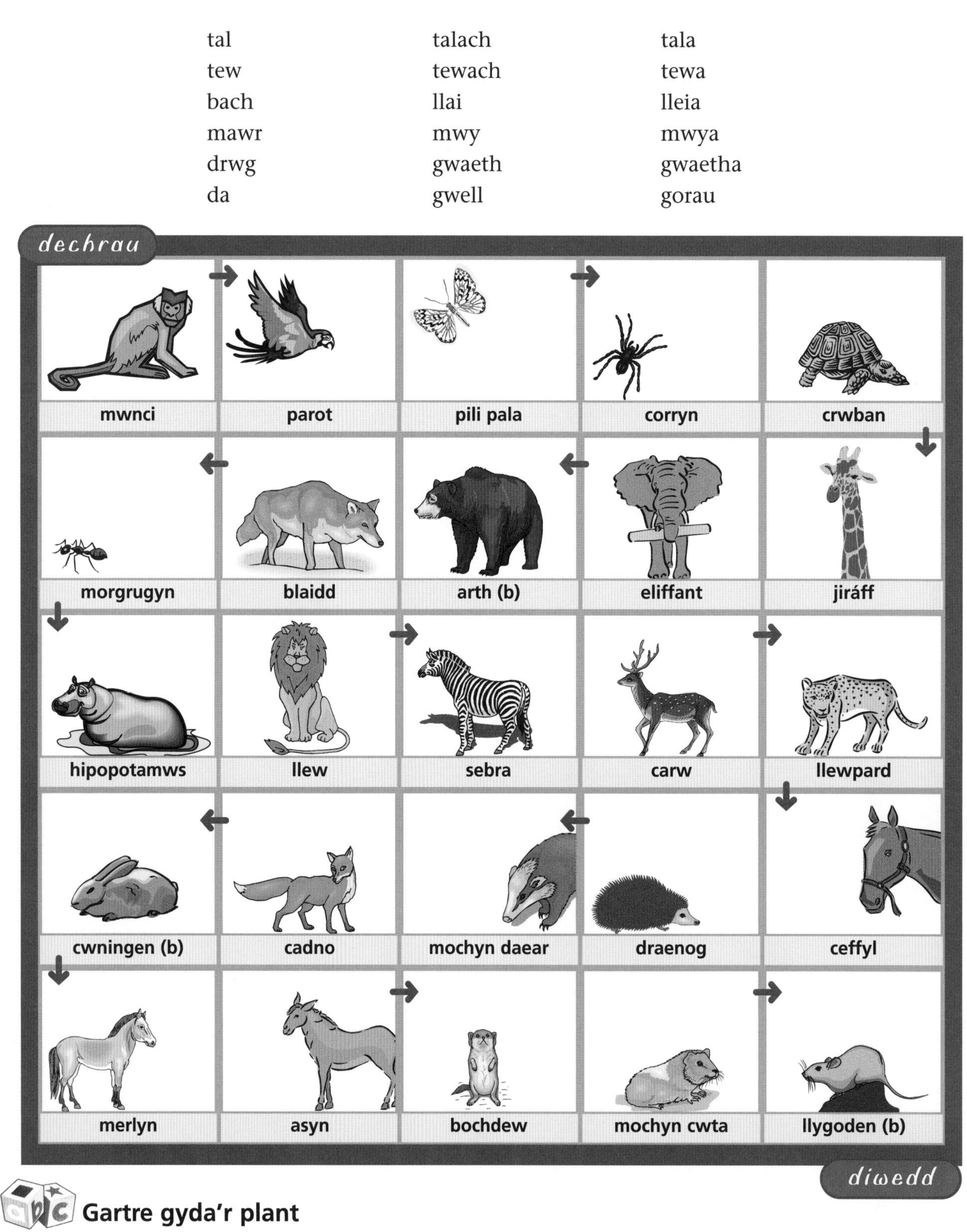

Gartre gyda'r plant

Chwaraewch y gêm drac.

uned5

5.1 Gêm dyfalu anifeiliaid

A: Beth sy'n wyrdd, sy'n neidio, ac sy'n dweud ribit?
B: Broga sy'n wyrdd, sy'n neidio, ac sy'n dweud ribit.

Gyda'ch partner dilynwch y patrwm i ofyn ac ateb am anifeiliaid eraill.

Hefyd, mae llawer o jôcs yn dechrau gyda 'Beth sy'n....?'
Dych chi'n gallu meddwl am rai? Mae plant yn eu hoffi hefyd.

Gartre gyda'r plant

Chwaraewch yr un gêm. Gyda phlant ifanc iawn, gallech ddangos lluniau o anifeiliaid iddyn nhw wrth ofyn y cwestiynau, fel eu bod yn dewis un allan o dri.

5.2 Pwy oedd yn ...?

Mae'r tiwtor yn gofyn i un person fynd i eistedd o flaen y dosbarth gyda'i gefn/chefn at bawb arall. Mae'r tiwtor yn pwyntio at un o'r dysgwyr eraill, ac mae'r dysgwr yna'n dweud, er enghraifft:

Pan o'n i'n blentyn, ro'n i'n mynd i'r Brownies
(gan sôn am rywbeth roedd e neu hi'n arfer wneud).

Mae'r tiwtor yn gofyn 'Pwy oedd yn mynd i'r Brownies?' Mae'r un sy'n eistedd gyda'i gefn/chefn at y dosbarth yn dyfalu pwy siaradodd gan ddweud 'Jane oedd yn mynd i'r Brownies'. Os yw'n gywir, mae Jane yn mynd i eistedd o flaen y dosbarth ac mae'r gêm yn ailgychwyn. Os yw'n anghywir, rhaid dweud eto nes cael yr enw cywir.

Gartre gyda'r plant

- Recordiwch leisiau ffrindiau ac aelodau'r teulu. Chwaraewch y tâp a gofyn i'r plant 'Pwy oedd yn siarad?' Cewch chi un gair yn ateb mae'n debyg – Liam. Ailadroddwch chi'r ateb gyda brawddeg lawn – Ie, Liam oedd yn siarad.
- Recordiwch seiniau cyffredin o gwmpas y tŷ, e.e. ffôn yn canu, peiriant golchi, drws yn cau, ci'n cyfarth, sŵn traed ar y grisiau. Chwaraewch y tâp a gofyn, 'Beth oedd yn gwneud sŵn?' Unwaith eto, ailadroddwch yr ateb yn llawn.
- Wrth ddarllen llyfrau gyda'r plant, stopiwch weithiau cyn troi'r dudalen a gofyn cwestiynau fel:

  'Beth fydd yn digwydd nesaf?'
  'Pwy fydd yn cyrraedd nesaf?'
  'Pwy fydd yn helpu?'

Dylech wrando ar bob ateb mae'r plant yn awgrymu ac wedyn dweud 'Gawn ni weld' wrth droi'r dudalen.

Help llaw

awgrymu - *to suggest*
gawn ni weld - *let's see*

uned 6

6.1 Yn y gegin

Dych chi wedi rhoi allweddi'r tŷ mewn 3 lle diogel yn y gegin. Dewiswch dri o'r llefydd hyn:

Yn y cwpwrdd	Yn yr oergell
Ar y silff	Ar y bwrdd
Dan y tun bisgedi	Dan y cloc
Y tu ôl i'r peiriant golchi	Y tu ôl i'r calendr
Ar bwys y sinc	Ar bwys y radio

Bydd eich partner yn holi nes dod o hyd i'r allweddi i gyd.

Ar bwys y sinc maen nhw? *Ie / Nage*

Nawr holwch eich partner i ddarganfod ble mae ei allweddi e/ei hallweddi hi.

Yna, symudwch ymlaen at bartner newydd i drafod ble roedd allweddi eich partneriaid cyntaf, gan ofyn:

Ble roedd allweddi Marc? Ar bwys y sinc ro'n nhw? *Ie / Nage*

Gartre gyda'r plant

Yn y gegin, neu'r ystafell wely neu'r lolfa, chwaraewch yr un gêm. Cuddiwch deganau bach. Ar y dechrau, dylech adael i'r plentyn guddio'r teganau a chi fydd yn holi. Ar ôl chwarae nifer o weithiau, mae'n bosib bydd y plentyn yn ddigon hyderus i holi ar ôl i chi guddio'r teganau.

6.2 Trafod lluniau neu waith y plant

Yn aml iawn mae plant yn dod â lluniau neu waith llaw adre o'r cylch meithrin a'r dosbarth derbyn. Weithiau maen nhw'n siarad am beth maen nhw wedi'i wneud. Dyma ychydig o bethau i ddweud wrth y plant. Gyda'ch partner a gyda'r dosbarth, newidiwch y geiriau mewn print tywyll. Pan fyddwch yn gofyn y cwestiynau hyn i'r plant, ceisiwch eu cael i ateb 'Ie', neu 'Nage'. Os byddan nhw'n ateb 'Nage', gallwch chi awgrymu posibilrwydd arall.

Gyda **Mrs Williams** wnest ti'r gwaith?	Ie		
Gyda **chreonau** wnest ti'r llun?	Nage	Gyda phaent?	Ie
Yn y bore wnest ti'r prawf?	Ie		
Yn yr iard wnest ti ymarfer corff?	Nage	Yn y dosbarth?	Ie
Ar dy ben dy hun wnest ti'r **cerdyn**?	Nage	Gyda Mrs Williams?	Ie

Dych chi'n gallu meddwl am ragor o gwestiynau fel hyn?

___

___

___

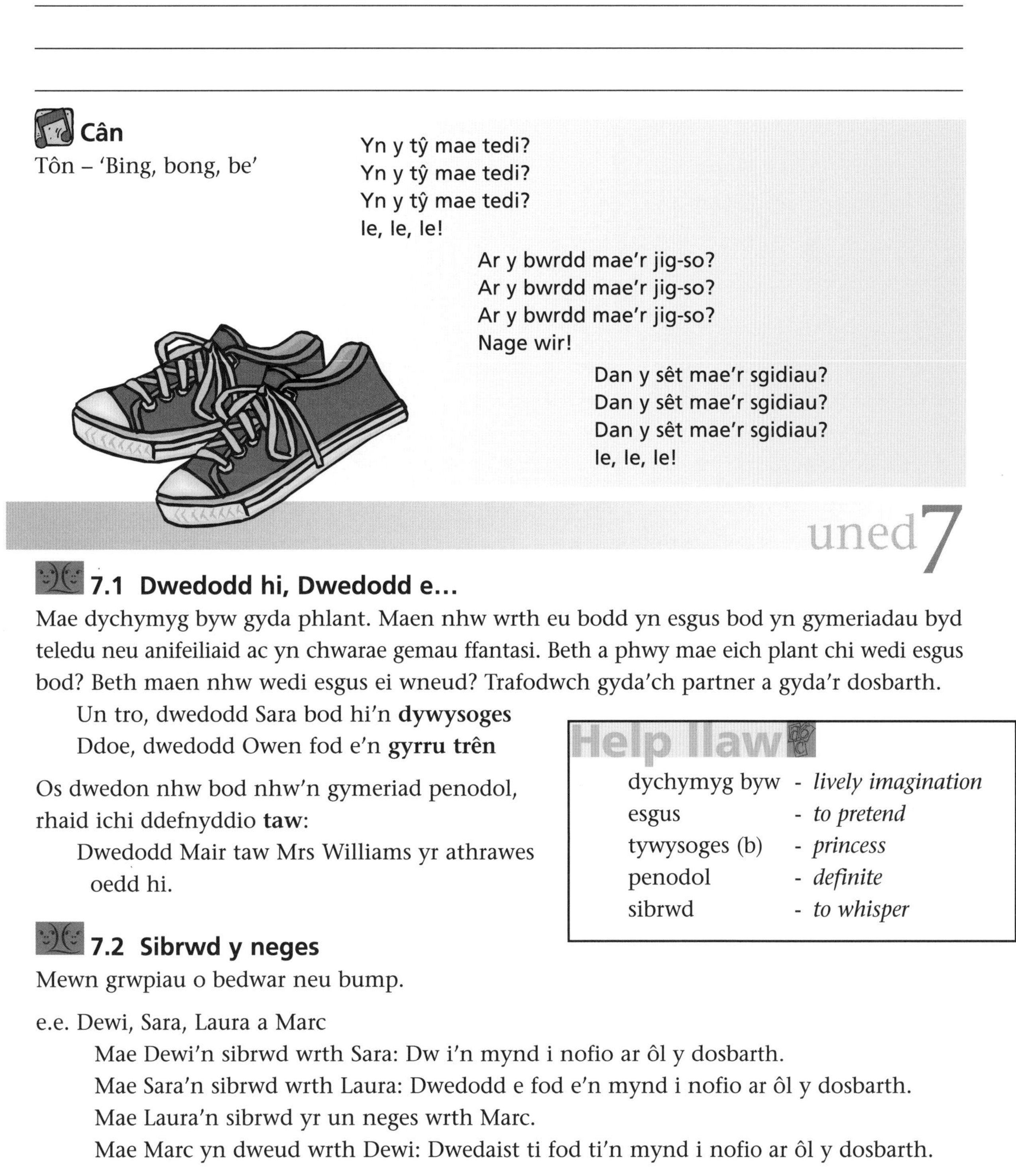

Cân

Tôn – 'Bing, bong, be'

Yn y tŷ mae tedi?
Yn y tŷ mae tedi?
Yn y tŷ mae tedi?
Ie, Ie, Ie!

Ar y bwrdd mae'r jig-so?
Ar y bwrdd mae'r jig-so?
Ar y bwrdd mae'r jig-so?
Nage wir!

Dan y sêt mae'r sgidiau?
Dan y sêt mae'r sgidiau?
Dan y sêt mae'r sgidiau?
Ie, Ie, Ie!

uned 7

7.1 Dwedodd hi, Dwedodd e...

Mae dychymyg byw gyda phlant. Maen nhw wrth eu bodd yn esgus bod yn gymeriadau byd teledu neu anifeiliaid ac yn chwarae gemau ffantasi. Beth a phwy mae eich plant chi wedi esgus bod? Beth maen nhw wedi esgus ei wneud? Trafodwch gyda'ch partner a gyda'r dosbarth.

Un tro, dwedodd Sara bod hi'n **dywysoges**
Ddoe, dwedodd Owen fod e'n **gyrru trên**

Os dwedon nhw bod nhw'n gymeriad penodol, rhaid ichi ddefnyddio **taw**:

Dwedodd Mair taw Mrs Williams yr athrawes oedd hi.

Help llaw

dychymyg byw	-	*lively imagination*
esgus	-	*to pretend*
tywysoges (b)	-	*princess*
penodol	-	*definite*
sibrwd	-	*to whisper*

7.2 Sibrwd y neges

Mewn grwpiau o bedwar neu bump.

e.e. Dewi, Sara, Laura a Marc

Mae Dewi'n sibrwd wrth Sara: Dw i'n mynd i nofio ar ôl y dosbarth.
Mae Sara'n sibrwd wrth Laura: Dwedodd e fod e'n mynd i nofio ar ôl y dosbarth.
Mae Laura'n sibrwd yr un neges wrth Marc.
Mae Marc yn dweud wrth Dewi: Dwedaist ti fod ti'n mynd i nofio ar ôl y dosbarth.

Mae'n bosib bydd y neges wedi newid!

Mae pawb yn cymryd tro i ddechrau'r neges. Os taw Sara sy'n dechrau, cofiwch ddweud: 'Dwedodd hi bod hi...'

Rhaid i bob neges ddechrau gyda **Dw** i neu **Ro'n** i.

Os bydd pawb yn pasio'r negeseuon ymlaen yn dda, efallai bydd y tiwtor yn penderfynu gwneud un cylch mawr gyda'r dosbarth cyfan!

Gartre gyda'r plant

Chwaraewch y gêm sibrwd

uned8

8.1 Seiniau yn y dosbarth

Bydd y tiwtor yn gofyn i chi gau eich llygaid a gwrando'n ofalus am ychydig o funudau. Nawr agorwch eich llygaid a dweud wrth y tiwtor beth glywoch chi, e.e. lleisiau yn yr ystafell drws nesa, adar yn canu, traffig, peiriant llungopïo yn y swyddfa, dysgwr yn chwyrnu. Bydd y tiwtor yn ysgrifennu popeth ar y bwrdd.

Mewn grwpiau bach trafodwch pa rai o'r seiniau na chlywoch chi, e.e.

Clywais i'r traffig
Chlywais i mo'r adar.

Help llaw

seiniau - *sounds*
chwyrnu - *to snore*

Gartre gyda'r plant

Chwaraewch yr un gêm.

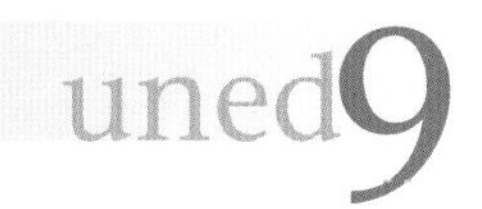

9.1 Annwyl Siôn Corn

Bydd y tiwtor yn rhoi darn o bapur i chi. Ar y darn o bapur, ysgrifennwch lythyr at Siôn Corn. Cewch ofyn iddo fe am unrhyw beth hoffech chi ei gael yn anrheg (does dim ots os yw'r Nadolig yn bell i ffwrdd). Dwedwch bod chi'n fachgen da neu'n ferch dda ac felly dylech chi gael yr anrhegion. Rhaid esbonio pam dych chi'n credu bod chi'n fachgen da neu'n ferch dda. Ar ddiwedd y llythyr, rhowch ffugenw.

Yn lle ysgrifennu drosoch eich hunan, gallech chi ysgrifennu dros berson enwog.

Bydd y tiwtor yn casglu'r llythyrau i gyd a'u darllen. Bydd e/hi yn gofyn i'r dosbarth ddyfalu pwy ysgrifennodd y llythyrau.

Help llaw

esbonio - *to explain*
ffugenw - *pen name*
ogof - *cave*
Pegwn y Gogledd - *North Pole*
Gwlad yr Iâ - *Iceland*

Gartre gyda'r plant

Cofiwch helpu'r plant i ysgrifennu at Siôn Corn.

Y cyfeiriad yw:

Ogof Siôn Corn
Pegwn y Gogledd
Gwlad yr Iâ

Annwyl Anti Marian ac Yncl Cliff

Diolch yn fawr iawn am y crys rygbi. Mae'n fendigedig! Bydda i'n ei wisgo fe dydd Sadwrn nesa pan fydd Cymru'n chwarae yn erbyn De Affrica.

Cariad mawr

Alys xx

Hefyd, pan fydd y plant yn derbyn anrhegion pen-blwydd neu anrhegion Nadolig, helpwch nhw i ysgrifennu llythyr neu e-bost i ddweud diolch.

uned 10

10.1 Cwestiynau adolygu

Gyda'ch partner, taflwch ddis i symud o gwmpas y grid a thrafod eich plant. Pan fyddwch chi'n glanio ar sgwâr, rhaid ichi ateb y cwestiwn.

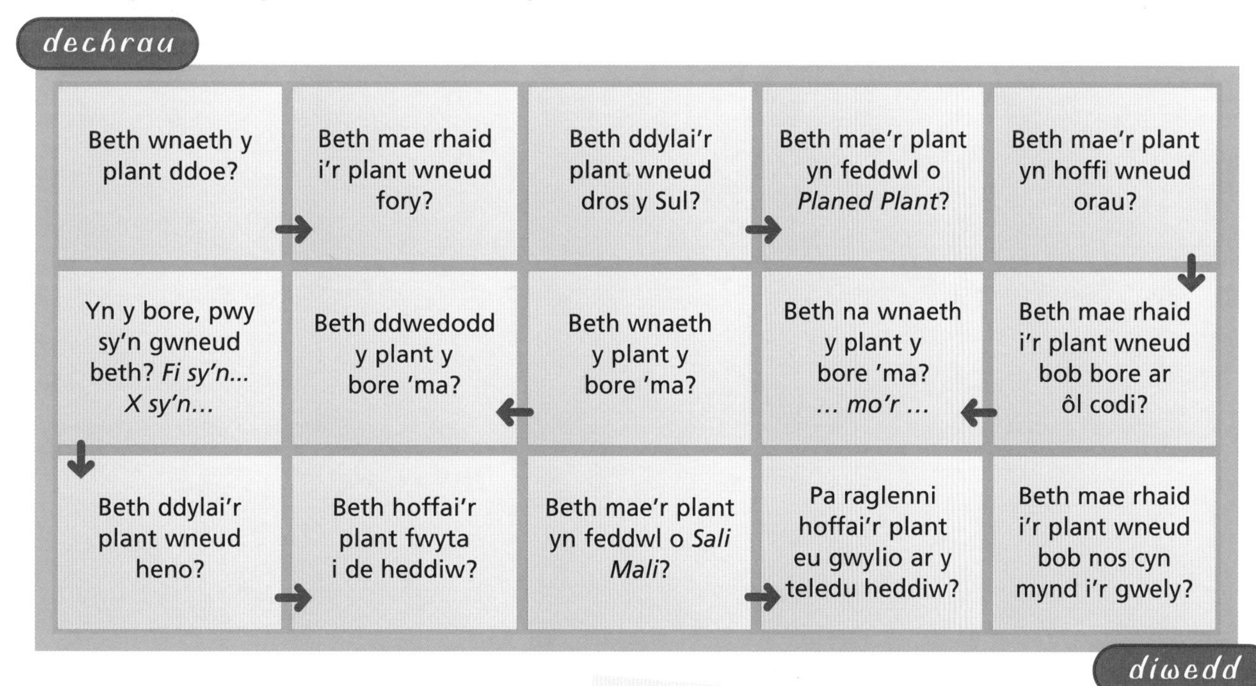

10.2 Holi'r plant

Dyma ychydig o gwestiynau i ofyn i'ch plant o dro i dro. Gyda'ch partner a gyda'r dosbarth, ymarferwch y cwestiynau a phenderfynwch pryd basech chi'n eu gofyn nhw.

Beth wnest ti yn yr ysgol/yn y cylch meithrin heddiw?
Beth mae rhaid i ni wneud nawr?
Beth ddylen ni wneud nawr?
Beth wyt ti'n feddwl o'r rhaglen/llyfr/ffilm/gêm?
Beth sy'n well gyda ti? Hwn neu hwnna/hon neu honna?
Pwy sy eisiau gwneud hyn?
Beth ddwedodd e/hi?

Gartre gyda'r plant

Ceisiwch ddefnyddio cymaint o'r cwestiynau hyn ag y gallwch chi cyn y dosbarth nesaf.

Help llaw

o dro i dro - *from time to time*
gwasanaeth - *service*

10.3 Stori a llun

Gwrandewch ar y tiwtor yn darllen am wasanaeth Rhys yn yr ysgol. Wrth wrando, penderfynwch ar drefn y lluniau. Ysgrifennwch rifau ar bwys y lluniau.

Bydd y tiwtor yn rhoi copi o'r stori i chi. Darllenwch y stori gyda'ch partner ac wedyn gyda'r dosbarth. Nawr yn eich tro, cuddiwch y stori, edrych ar y lluniau a cheisio dweud y stori wrth eich partner. Heb edrych ar y stori, llenwch y bylchau.

10.4 Sgwrsio

Os yw'ch plentyn chi wedi cymryd rhan mewn gwasanaeth yn yr ysgol, neu os dych chi'n cofio beth oedd yn digwydd yn y gwasanaeth yn eich ysgol chi, dwedwch wrth eich partner amdano.

Gartre gyda'r plant

Mae'r tiwtor wedi rhoi copi o'r lluniau i chi. Os yw'r plant yn ddigon hen, gofynnwch iddyn nhw liwio'r lluniau. Os dyn nhw'n rhy ifanc, lliwiwch y lluniau eich hun a'u torri ar wahân. Yna:

- dangoswch y lluniau i'ch plentyn wrth ddweud y stori
- yna cymysgwch y lluniau a gofyn i'r plentyn drefnu'r lluniau wrth wrando ar y stori
- os yw'r plentyn yn hyderus, efallai bydd e/hi eisiau cael dweud y stori, a'r tro yma chi fydd yn trefnu'r lluniau.

uned 11

11.1 Tacluso'r teganau

Gyda'r dosbarth a gyda'ch partner, newidiwch y geiriau mewn print tywyll:

I ble mae'r **darn** yma yn perthyn?
I ba **gêm** mae hwn yn perthyn?
I bwy mae'r **sanau** yma yn perthyn?
Ym mha **focs** mae hwn yn mynd?
Ym mha **ystafell** mae hon i fod?
Ym mha **gwpwrdd** gwelaist ti'r rhan arall?
Ar bwy mae'r bai am y **llanast** yma?

Gyda'ch partner, cymerwch dro i gau eich llyfrau a cheisio cofio'r brawddegau.

Gartre gyda'r plant

Helpwch eich plant i dacluso.
Mae'n gyfle da i ymarfer eich Cymraeg.

Help llaw

llanast	- *mess*
tacluso	- *to tidy up*
blwch	- *bocs*

Cân

Tôn – 'Heno, heno, hen blant bach'

Helpa mami yma plîs!
Helpa mami yma plîs!

Rho'r teganau yn y blwch,
Rho'r teganau yn y blwch.

Bwyta bopeth ar y plat,
Bwyta bopeth ar y plat.

Dwed wrth mami'n dawel beth sy'n bod,
Dwed wrth mami'n dawel beth sy'n bod.

uned 12

12.1 Gofyn cwestiynau

Gofynnwch y cwestiynau hyn i'ch partner.

Ble gaeth eich plentyn cyntaf ei eni?
Ym mha flwyddyn gaeth eich plentyn cyntaf ei eni?
Ym mha fis gaeth eich plentyn cyntaf ei eni?
Ar ba ddiwrnod o'r wythnos gaeth eich plentyn cyntaf ei eni?
Am faint o'r gloch gaeth eich plentyn cyntaf ei eni?
Ym mha fath o ddillad gaeth eich plentyn cyntaf ei wisgo i ddod adre o'r ysbyty?

Gartre gyda'r plant

Defnyddiwch eich atebion eich hunan i'r cwestiynau hyn i wneud llyfr lloffion am eich plentyn. Mae plant yn mwynhau cyfle i ddarllen am eu dyddiau cynnar.

uned 13

13.1 Hysbysebu

Bydd Cymdeithas Rieni'r Ysgol yn cynnal bore coffi i godi arian. Gyda'ch partner ysgrifennwch hysbyseb i'w rhoi yn y papur bro. Defnyddiwch:

Cynhelir . . .

Agorir y bore coffi gan . . .

Gwerthir . . .

Rhoddir gwobrau raffl gan . . .

13.2 Sgwrs mewn sefyllfa

Partner A: Ffoniwch swyddfa'r papur bro a gofyn iddyn nhw roi'r hysbyseb yn y papur.

Partner B: Dwedwch fod diddordeb gyda chi mewn ysgrifennu erthygl am y bore coffi. Gofynnwch am fanylion.

Gartre gyda'r plant

Beth am esgus eich bod yn cynnal ffair sborion yn y tŷ? Casglwch bethau 'i'w gwerthu' (dillad, teganau, bwyd). Helpwch y plant i ysgrifennu arwyddion i'w rhoi ar bwys y pethau i ddweud faint maen nhw'n gostio. Helpwch nhw i ysgrifennu poster yn hysbysebu'r ffair. Rhowch y poster ar y drws. Cymerwch dro gyda'r plant i chwarae siopwr a chwsmer.

Help llaw

papur bro - *local voluntary Welsh newspaper*
manylion - *details*
ffair sborion - *jumble sale*

uned 14

14.1 Sgwrs mewn sefyllfa

Partner A: Dych chi'n mynd â'r babi newydd am dro. Dyw'r babi ddim yn cysgu'n dda. Mae llawer o waith tŷ i'w wneud. Dych chi'n teimlo'n flinedig iawn. Dych chi'n gweld un o'r cymdogion ac yn stopio i siarad â hi neu fe.

Partner B: Yn y stryd, dych chi'n gweld eich cymydog gyda'r babi newydd. Mae hi neu fe'n edrych yn flinedig. Llongyfarchwch eich cymydog a siarad â hi neu fe am y gwaith caled.

Gartre gyda'r plant

Pen-blwydd hapus! 4 oed

Diolch yn fawr

Llongyfarchiadau!

Mae llawer o bethau'n digwydd yn y teulu a gyda ffrindiau lle mae gofyn i chi anfon gair i'w llongyfarch. Gwnewch ychydig o gardiau gyda'r plant a'u cadw wrth gefn. Pan fydd achlysur i'w ddathlu, ychwanegwch gyfarchion a bydd y cerdyn yn barod i'w anfon.

Help llaw

mae gofyn i chi - *you are required to*
anfon gair - *to send a word*
wrth gefn - *in reserve*
achlysur - *occasion*
ychwanegu - *to add*
cyfarchion - *greetings*

uned 15

15.1 Stori Jac a'r Goeden Ffa

Gyda'r dosbarth, darllenwch y stori.

Mae Mam yn siarad â Jac.
Mae hi'n dweud wrtho fe am werthu'r fuwch.
Mae Jac yn mynd i'r farchnad.
Mae Jac yn siarad â hen fenyw.
Mae e'n gwerthu'r fuwch i'r hen fenyw.
Mae e'n gwerthu'r fuwch am gwdyn o aur.
Mae Jac yn rhoi'r cwdyn i'w fam.
Mae Mam Jac yn edrych yn y cwdyn.
Mae hi'n cwyno am y ffa yn y cwdyn.
Mae hi'n rhoi'r ffa yn yr ardd.
Mae Jac yn edrych ar yr ardd y bore wedyn.
Mae e'n sylwi ar goeden ffa yn yr ardd.
Mae e'n dringo lan y goeden.
Mae e'n edrych ar y cawr ar ben y goeden.
Mae e'n chwilio am drysor y cawr.
Mae'r cawr yn gweiddi ar Jac.
Mae Jac yn dringo i lawr y goeden.
Mae e'n torri'r goeden â bwyell.
Mae e'n rhoi'r trysor i'w fam.
Mae Jac yn cael ei longyfarch gan bawb.

Gyda'ch partner, newidiwch y brawddegau uchod yn gwestiynau.
Dechreuwch y cwestiynau gyda: â; wrth; i; am; yn; ar; lan; i lawr; gan.

Â phwy mae Mam Jac yn siarad?

Wrth bwy mae hi'n dweud am werthu'r fuwch?

Wedyn cymerwch dro i gau
eich llyfrau a cheisio cofio'r stori.
Os dych chi'n anghofio rhan
o'r stori, gofynnwch i'ch partner,
e.e. Am beth mae Jac yn chwilio?

Help llaw

cwdyn o aur	-	*a bag of gold*
ffa	-	*beans*
coeden ffa (b)	-	*beanstalk*
cawr	-	*giant*
sylwi ar	-	*to notice*
gweiddi ar	-	*to shout*
bwyell (b)	-	*axe*
lle amlwg	-	*a prominent place*

Gartre gyda'r plant

Mae'n bosib bod eich plant yn gwybod stori 'Jac a'r Goeden Ffa'. Os oes copi o'r stori gyda chi mewn llyfr, yn Gymraeg neu Saesneg, darllenwch y stori iddyn nhw. Wedyn helpwch y plant i ddweud y stori, gan ddefnyddio doliau ar gyfer Jac, Mam Jac, yr hen fenyw, a'r cawr; tegan am y fuwch; planhigyn plastig am y goeden ffa, ac yn y blaen. Os yw'r plant yn anghofio'r stori, gofynnwch gwestiynau, e.e. I bwy mae Jac yn gwerthu'r fuwch?

Mae'n bosib bydd y plant yn gofyn i chi ddweud y stori fwy nag unwaith, felly cadwch y doliau a'r teganau dych chi'n defnyddio wrth law. Os dych chi'n eu gadael nhw mewn lle amlwg yn y tŷ, mae'n bosib bydd y plant yn chwarae gyda nhw a dweud y stori eu hunain.

uned 16

16.1 Rhoi barn

Mae eich tiwtor wedi dod ag ychydig o lyfrau plant bach i mewn i'r dosbarth. Mewn parau edrychwch ar un llyfr ar y tro. Trafodwch y llyfrau. Nodwch deitl pob llyfr a beth dych chi'n feddwl ohono.

Dyma restr o eiriau defnyddiol:

ardderchog	da iawn	diflas
bendigedig	dim yn rhy ddrwg	gwael
gwych	gweddol	anobeithiol
hyfryd	dim yn rhy dda	ofnadwy
doniol	brawychus - *frightening*	lliwgar - *colourful*

	Teitl y llyfr	**Ein barn ni**
Llyfr 1	______________	______________
Llyfr 2	______________	______________
Llyfr 3	______________	______________
Llyfr 4	______________	______________
Llyfr 5	______________	______________

Gartre gyda'r plant

Ewch â'r plant i'r llyfrgell i fenthyg ychydig o lyfrau Cymraeg i'w darllen gartre.

16.2 Disgrifio pobl

Meddyliwch am gymeriadau mewn llyfrau a ffilmiau i blant. Gyda'ch partner yn gyntaf, ac wedyn gyda'r dosbarth, cymerwch dro i ddisgrifio cymeriad. Bydd pawb arall yn dyfalu pwy yw'r cymeriad.

Gartre gyda'r plant

Ar ôl gwylio ffilm neu ddarllen llyfr gyda'r plant, chwaraewch gêm ddyfalu.
Disgrifiwch gymeriad a gofyn i'r plant 'Pwy yw e/hi?'

Cân

Tôn - *Traddodiadol*

Mae gen i dipyn o dŷ bach twt,
O dŷ bach twt,
O dŷ bach twt.
Mae gen i dipyn o dŷ bach twt,
A'r gwynt i'r drws bob bore.

Hei di ho,
Di hei di hei di ho
A'r gwynt i'r drws bob bore.

uned 17

17.1 Gorchmynion

Gorffennwch y brawddegau yma i wneud gorchmynion
dych chi'n eu defnyddio gyda'ch plant.

Cer i nôl ____________________

Cer â hwn i ____________________

Dere â ____________________

Dere ____________________

Rho ____________________

Tro ____________________

Dwed ____________________

Gwranda ____________________

Bydd yn ____________________

Arhosa am ____________________

Paid ____________________

Cymharwch eich atebion ag atebion eich partner.
Trafodwch pryd a pham dych chi'n defnyddio'r gorchmynion yma.

17.2 Tyfu berwr

Rhowch y gorchmynion hyn yn y drefn gywir.

- ☐ Rhowch ddarn o wlân cotwm yn y plisgyn wy.
- ☐ Paentiwch wyneb ar y plisgyn wy.
- ☐ Rhowch had berwr ar y gwlân cotwm.
- ☐ Rhowch y plisgyn wy mewn lle twym.
- ☐ Cadwch blisgyn wy gwag.
- ☐ Cadwch y gwlân cotwm yn llaith.
- ☐ Rhowch ddŵr ar y gwlân cotwm.

Help llaw

gwlân cotwm	- *cotton wool*
berwr	- *cress*
plisgyn	- *shell*
had	- *seed*
llaith	- *moist*

Gartre gyda'r plant

Tyfwch ferwr mewn plisg wy gydag wynebau wedi'u paentio arnyn nhw.
Bydd y berwr yn tyfu i edrych fel gwallt.

uned 18

18.1 Trafod rhaglenni teledu

Mae'r tiwtor wedi rhoi rhestr o raglenni teledu Cymraeg i blant ar y bwrdd. Mewn grwpiau bach trafodwch:

1. Pa rai dych chi wedi'u gweld a beth o'ch chi'n feddwl ohonyn nhw?
2. Pa rai hoffech chi wybod mwy amdanyn nhw?
3. Pa raglenni o'ch chi'n gwylio pan o'ch chi'n blentyn?
4. Sut roedd y rhaglenni ro'ch chi'n arfer eu gwylio'n wahanol i raglenni mae eich plant chi'n eu gwylio?

Efallai bod modd dangos fideo yn eich dosbarth chi. Os felly, bydd y tiwtor wedi recordio pigion o nifer o raglenni plant i'w dangos i chi. Unwaith eto yn eich grwpiau trafodwch:

1. Beth dych chi'n feddwl o'r rhaglenni?
2. Pa rai fasai'n addas i'ch plant chi?
3. Pa raglenni newydd fasech chi'n awgrymu i S4C ar gyfer plant bach a hefyd ar gyfer rhieni sy'n dysgu Cymraeg gyda'u plant?

18.2 Sgwrs mewn sefyllfa

Partner A: Dych chi'n gweithio i S4C. Dych chi'n ymweld â'r cylch meithrin. Dych chi'n cyfweld rhieni i ofyn pa fath o raglenni hoffen nhw wylio gyda'u plant bach.

Partner B: Mae S4C yn gwneud ymchwil farchnad yn eich cylch meithrin lleol. Dwedwch wrth y cyfwelydd pa fath o raglenni hoffech chi eu gwylio gyda'ch plant bach. Cofiwch sôn am gynnwys y rhaglen, iaith y rhaglen, amser darlledu, ac yn y blaen.

Gartre gyda'r plant

Edrychwch ar raglen Gymraeg gyda'ch plant bach. Os oes modd, edrychwch ar raglen dych chi ddim wedi ei gweld o'r blaen. Byddwch yn barod i siarad am y rhaglen mewn grŵp bach yn y dosbarth yr wythnos nesaf.

Help llaw

efallai bod modd	- *perhaps it's possible*
pigion	- *highlights*
ymchwil farchnad	- *market research*
cyfwelydd	- *interviewer*
os oes modd	- *if possible*

uned 19

19.1 Trafod arferion bob dydd

Unwaith	y dydd
Dwywaith	yr wythnos
Tair gwaith	y mis
Pedair gwaith	y flwyddyn
Pum gwaith	
Chwe gwaith	
Byth!	
Bron byth	

Gyda'ch partner, trafodwch:

Pa mor aml fydd y plant yn bwyta losin?
Pa mor aml fydd y plant yn bwyta llysiau?
Pa mor aml fydd y plant yn yfed pop?
Pa mor aml fydd y plant yn yfed dŵr?
Pa mor aml fydd y plant yn tacluso eu teganau?
Pa mor aml fydd y plant yn helpu gyda gwaith tŷ?
Pa mor aml fydd y plant yn chwarae yn yr ardd neu yn y parc?
Pa mor aml fydd y plant yn edrych ar y teledu?
Pa mor aml fydd y plant yn deffro yn ystod y nos?

Gyda'ch partner, trafodwch pa bethau dych chi erioed wedi'u gwneud gyda'r plant ac yr hoffech chi eu gwneud yn y dyfodol. Siaradwch am:

- diddordebau
- chwaraeon
- teithio
- ffilmiau
- llyfrau
- ac yn y blaen.

Cân

Tôn – 'Pop Goes the Weasel'

Unwaith, dwywaith, tair gwaith
Pedair, pum a chwe gwaith,
Saith ac wyth a naw gwaith
Deg gwaith sy'n ddigon.

Gartre gyda'r plant

Chwaraewch gêm taflu pêl sbwng neu fag ffa i mewn i fin neu fasged. Cytunwch ble dylai'r plant sefyll wrth daflu, a rhoi mat neu ddarn o bapur ar y llawr i ddangos y lle. Os oes gwahaniaeth mawr ym maint a gallu'r chwaraewyr, bydd rhaid symud y mat ar gyfer pob person. Bydd pawb yn cael taflu dair gwaith cyn pasio'r bêl ymlaen i'r person nesaf. Wrth i bawb daflu'r bêl dwedwch **unwaith**, **dwywaith**, **tair gwaith**.

Help llaw

maint - *size*
gallu - *ability*
llwyddo - *to succeed*

Cewch gadw sgôr ac ar ddiwedd y gêm gallech chi ddweud faint o weithiau mae pawb wedi llwyddo i daflu'r bêl i mewn i'r bin.

uned 20

20.1 Gêm drac

Taflwch ddis i symud o gwmpas y grid. Wrth lanio ar sgwâr, rhaid i chi ddweud wrth eich partner am wneud beth sy yn y sgwâr yr un nifer o weithiau â'r rhif ar y dis.

e.e. Os dych chi'n taflu 3 ar y dis, dwedwch 'Neidia lan a lawr dair gwaith'.

Cofiwch:

1. unwaith	**3.** tair gwaith	**5.** pum gwaith
2. dwywaith	**4.** pedair gwaith	**6.** chwe gwaith

dechrau

Ceisia roi dy dafod ar dy drwyn. →	Coda dy law.	Neidia lan a lawr. →	Dweda 'Os gwelwch chi'n dda'.	Coda bensil. ↓
Caea'r drws ac agora'r drws.	Rho dy fys ar dy drwyn. ←	Tro o amgylch.	Neidia o un droed i'r llall. ←	Cura dy ddwylo.
↓ Stampia dy droed. →	Rhwbia dy drwyn.	Dweda 'Bore da'. →	Cer at y drws a dere nôl.	Edrycha i'r dde ac wedyn i'r chwith. ↓
Sycha dy drwyn.	Agora dy geg a chaea dy geg. ←	Rho dy fys ar dy glust.	Dweda 'diolch'. ←	Coda ac eistedda.

diwedd

Gartre gyda'r plant

Chwaraewch y gêm drac.

20.2 Stori a llun

Yn gyntaf, gwrandewch ar y tiwtor yn darllen am fabi newydd teulu Rhys a Megan. Wrth wrando, penderfynwch ar drefn y lluniau. Ysgrifennwch rifau ar bwys y lluniau.

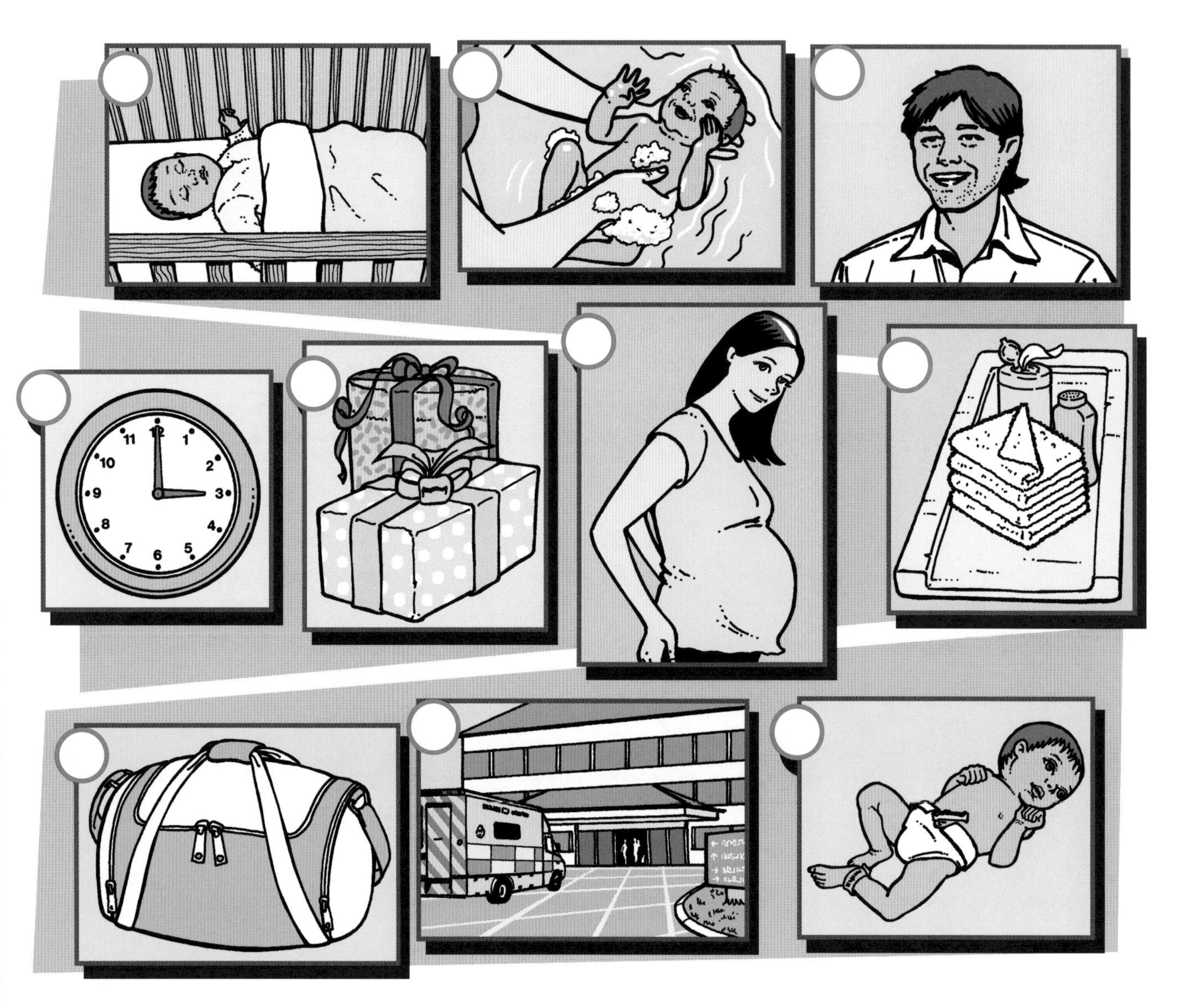

Nawr bydd y tiwtor yn rhoi copi o'r stori i chi. Darllenwch y stori gyda'ch partner ac wedyn gyda'r dosbarth. Nawr cymerwch dro i guddio'r stori, edrych ar y lluniau a cheisio dweud y stori wrth eich partner.

Heb edrych ar y stori, llenwch y bylchau.

20.3 Sgwrsio

Dwedwch hanes dod â'ch plentyn cyntaf chi adre o'r ysbyty wrth eich partner.

Gartre gyda'r plant

Mae'r tiwtor wedi rhoi copi o'r lluniau i chi. Os yw'r plant yn ddigon hen, gofynnwch iddyn nhw liwio'r lluniau. Os dyn nhw'n rhy ifanc, lliwiwch y lluniau eich hunan a'u torri ar wahân. Yna:

- dangoswch y lluniau i'ch plentyn wrth ddweud y stori
- wedyn cymysgwch y lluniau a gofyn i'r plentyn drefnu'r lluniau wrth wrando ar y stori
- os yw'r plentyn yn hyderus, efallai bydd e/hi eisiau cael dweud y stori ei hun, a'r tro yma chi fydd yn trefnu'r lluniau.

uned 21

21.1 Trefnu digwyddiad

Mewn grwpiau bach trefnwch barti diwedd y flwyddyn ar gyfer plant a rhieni'r cylch meithrin lleol. Penderfynwch ble a phryd bydd y parti. Pwy fydd yn gwneud y bwyd? Pa fath o fwyd? Beth fydd yr adloniant?

21.2 Sgwrs mewn sefyllfa

Partner A: Ar ran pwyllgor y cylch meithrin, dych chi'n mynd i drafod y parti gyda rheolwr y ganolfan gymunedol lle bydd y parti'n cael ei gynnal.

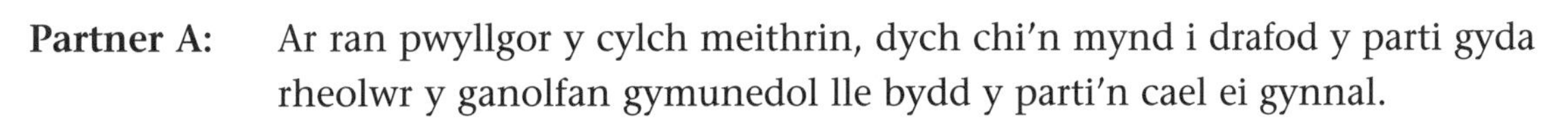

Partner B: Chi yw rheolwr y ganolfan gymunedol lle bydd y parti'n cael ei gynnal. Gofynnwch:

- beth yw dyddiad y parti
- pryd bydd e'n dechrau ac yn gorffen
- oes angen byrddau a chadeiriau
- beth fydd yn digwydd yn y parti
- fydd angen defnyddio'r gegin.

21.3 Gwahoddiadau

Gyda'ch partner ysgrifennwch wahoddiad i'r parti i'w anfon at deulu pob plentyn yn y cylch meithrin.

Gartre gyda'r plant

Ysgrifennwch restr o ddyddiadau pwysig i'r teulu a rhoi'r rhestr ar wal y gegin. Pan fyddwch chi'n cyrraedd y dyddiadau hynny, tynnwch sylw'r plant at y dyddiadau a'u harwyddocâd.

Os oes bwrdd du neu wyn yn y gegin ar gyfer negeseuon, ysgrifennwch gyda'r plant bob dydd:

Y dyddiad heddiw yw ______________________

Am wythnos neu ddwy ar y tro, efallai yn ystod gwyliau'r ysgol, cadwch ddyddiadur gyda'r plant. Mewn llyfr nodiadau neu lyfr lloffion, ysgrifennwch y dyddiad ac ychydig o frawddegau am beth wnaethoch chi yn ystod y dydd.

Help llaw

arwyddocâd - *significance*

uned 22

22.1 Dyfalu

Gyda'ch partner, dyfalwch pa rai o'r geiriau hyn sy'n wrywaidd a pha rai sy'n fenywaidd. Ysgrifennwch nhw yn y colofnau. Bydd eich tiwtor yn eu cywiro.

car, lori, trên, tractor, garej, gorsaf, fferm, ceffyl, buwch, mochyn, dafad, iâr, cwpan, plat, llwy, esgid, het, maneg, hosan, bwrdd, cadair, desg, cwpwrdd, papur, pensil, cyfrifiadur, disg.

Benywaidd	Gwrywaidd

Yna ewch ati i roi **hwn** neu **hon** ar ôl pob gair.

Help llaw

colofn(au) (b) - *column(s)*
ewch ati - *set about*

Gartre gyda'r plant

Chwarae gêm deimlo. Bydd angen nifer o wrthrychau a chas gobennydd. Bydd angen i chi wybod p'un ai benywaidd neu wrywaidd yw'r gwrthrychau. Edrychwch yn y geiriadur os dych chi ddim yn sicr. Dangoswch y gwrthrychau i'r plant ac wedyn eu cuddio mewn bocs. Rhowch un o'r gwrthrychau yn y cas gobennydd. Gofynnwch i'r plant 'Beth yw hwn?' neu 'Beth yw hon?' gan adael iddyn nhw deimlo'r cas gobennydd a dyfalu beth sydd ynddo fe.

Wrth dacluso, dangoswch deganau, dillad ac yn y blaen i'r plant a gofynnwch:

Pwy sy biau hon?
Pwy sy biau hwn?
Pwy sy biau'r rhain?

gwrthrych(au) - *object(s)*
cas gobennydd - *pillowcase*
p'un ai - *whether*
ac yn y blaen - *and so forth*

uned 23

23.1 Dyfalu beth

Darllenwch y ddeialog yma gyda'ch partner.

A: Dw i'n meddwl am rywbeth yn yr ystafell yma.
B: Iawn.
A: Mae e rhwng y ffenestr a'r lle tân.
B: Y gadair.
A: Nage, mae e uwchben y gadair.
B: Y llun.
A: Nage, mae e dan y llun.
B: Y silff.
A: Ie, y silff, da iawn. Dy dro di nawr.

Newidiwch y ddeialog i chwarae gêm debyg gyda'ch partner.

Gartre gyda'r plant

Chwaraewch yr un gêm.

23.2 Helfa drysor

O gwmpas y tŷ neu'r ardd, cuddiwch degan bach, banana, neu wy Pasg bach. Ysgrifennwch gyfres o nodiadau sy'n arwain y plant o un lle i'r llall nes iddyn nhw gyrraedd y 'trysor'. Os dyw'r plant ddim yn gallu darllen, rhaid i chi fynd gyda nhw a darllen y nodiadau, ond gadael iddyn nhw arwain y ffordd o gwmpas.

Ysgrifennwch bethau fel:

Nodyn 1 – Cerddwch lan y grisiau ac edrych ar y sil ffenestr.
Nodyn 2 – (ar y sil ffenestr) Ewch i mewn i'r ystafell molchi. Edrychwch o'i hamgylch hi. Beth sy dan y sinc?
.....ac yn y blaen.

Cân

Tôn – 'Incey Wincey Spider'

Defnyddiwch fysedd un llaw fel pry copyn i ddringo'r biben (eich braich arall). Siglwch eich bysedd i gyd fel glaw yn cwympo. Codwch eich breichiau a'u hagor fel yr haul yn codi. Yn olaf bydd y pry copyn (eich llaw) yn dringo'r biben (eich braich) eto.

Dringodd y pry copyn
I fyny'r biben hir.
Glaw mawr a ddaeth
A'i olchi nôl i'r tir.
Yna daeth yr haul
A sychu'r glaw i gyd
A dringodd y pry copyn
Y biben ar ei hyd.

Help llaw

pry copyn, corryn	- *spider*
piben (b)	- *pipe*
siglo	- *to shake*

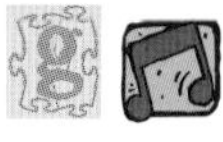

24.1 Cywiro treigladau

Mae llawer o dreigladau anghywir yn y caneuon traddodiadol hyn. Cywirwch nhw.

Mi welais Jac y Do
Yn eistedd ar pen to,
Het wen ar ei pen
A dwy coes pren,
Ho ho ho ho ho ho.

Dau ci bach yn mynd i'r coed,
Esgid newydd am pob troed.
Dau ci bach yn dŵad adre
Wedi colli un o'i sgidiau
Dau ci bach.

Bydd eich tiwtor yn eich helpu i ganu'r caneuon yn iawn!
Mae'r caneuon i gyd ar CD sy'n cyd-fynd â'r llyfrau cwrs.

25.1 Stori Elen Benfelen a'r Tair Arth

Llenwch y bylchau gyda'r geiriau hyn:

o amgylch	o gwmpas	rhwng	ar hyd	ar	ar
i mewn i	trwy	wrth ochr	ar hyd	ar	
ar ôl	trwy	o flaen	y tu ôl i	ar	

Aeth Elen Benfelen am dro _________'r goedwig.
Cerddodd hi _________ _________ y llwybr _________ y coed.
Yn sydyn, gwelodd hi fwthyn bach _________ _________ y llwybr.
Cnociodd Elen _________ y drws ond doedd dim ateb.

Aeth hi ______ _______ ________'r bwthyn.
Gwelodd hi gadeiriau ______ __________ y bwrdd.
Roedd y gadair gyntaf yn rhy galed.
Roedd yr ail gadair yn rhy feddal.
Eisteddodd Elen _________ y drydedd gadair
ac roedd hi'n berffaith.
Wedyn roedd eisiau bwyd _________ Elen.
Ar y bwrdd, _____ _________ pob cadair, roedd platiaid o uwd.
Blasodd Elen y plat cyntaf. Roedd yr uwd yn rhy boeth.
Blasodd hi'r ail blat. Roedd yr uwd yn rhy hallt.
Blasodd hi'r trydydd plat ac roedd yr uwd yn berffaith.
Bwytodd hi'r uwd i gyd.
Wedyn roedd Elen wedi blino.
Edrychodd hi ____ _________ yr ystafell.
____ ____ _____ _________ hi roedd tri gwely bach.
Roedd y gwely cyntaf yn rhy galed.
Roedd yr ail wely'n rhy feddal.
Ond roedd y trydydd gwely'n berffaith.
Syrthiodd Elen i gysgu _________ unwaith.
_____ _____ cysgu'n sownd am ychydig, deffrodd hi'n sydyn.
Roedd y tair arth yn cerdded _____ ______ y llwybr.
Neidiodd Elen Benfelen _______'r ffenestr a rhedodd hi'r holl ffordd adre.

Ar ôl llenwi'r bylchau a mynd dros yr atebion gyda'r tiwtor, darllenwch y stori ddwywaith gyda'ch partner. Wedyn cymerwch dro i guddio'r stori a cheisio dweud y stori wrth eich partner.

Gartre gyda'r plant

Os oes copi o stori Elen Benfelen a'r Tair Arth mewn llyfr Cymraeg neu Saesneg, darllenwch y stori gyda'r plant. Ar adeg arall, dwedwch y stori gan ddefnyddio teganau i ddangos beth sy'n digwydd. Gallech chi wneud tŷ Lego neu gardfwrdd ar gyfer y bwthyn a'r dodrefn, a defnyddio dol ar gyfer Elen Benfelen a thedis ar gyfer y tair arth. Gallech chi wneud uwd i'r plant ei flasu. Gadewch y teganau mewn lle amlwg yn y tŷ ac mae'n bosib bydd y plant yn eu defnyddio i ddweud y stori.

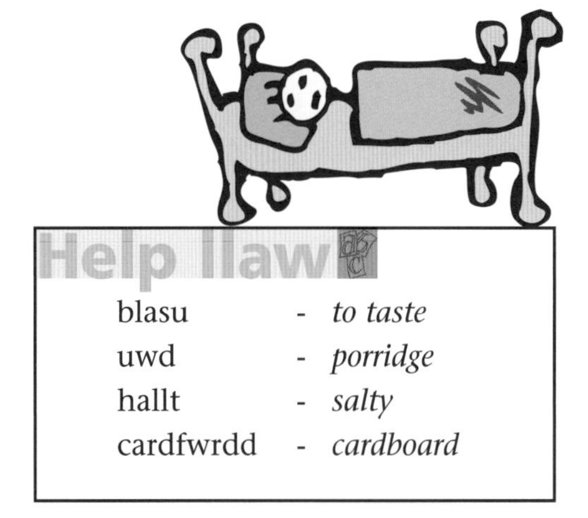

Help llaw

blasu	-	*to taste*
uwd	-	*porridge*
hallt	-	*salty*
cardfwrdd	-	*cardboard*

uned 26

26.1 Gêm - diddordebau

Wrth i'r plant dyfu, bydd cyfle i chi rannu diddordebau gyda nhw. Taflwch ddis i symud o gwmpas y grid a thrafod y diddordebau gyda'ch partner. Ar gyfer pob gweithgaredd dych chi'n glanio arno, dwedwch:

- Ydych chi'n gwneud hyn yn barod?
- Hoffech chi roi cynnig ar y gweithgaredd yn y dyfodol?
- Sut basech chi'n rhannu'r diddordeb gyda'ch plant? Ble? Pryd?

Help llaw

gweithgaredd(au)	-	*activity (-ies)*
rhoi cynnig ar	-	*to try, to give (something) a go*
marchogaeth	-	*horseriding*
olrhain hanes	-	*to trace history*
crefftau	-	*crafts*
casglu	-	*to collect*
geirfa arbenigol	-	*specialist vocabulary*
plentyndod	-	*childhood*

dechrau

actio	rhedeg	paentio	canu	nofio
gemau cyfrifiadur	dawnsio	marchogaeth	chwaraeon	olrhain hanes y teulu
teithio	cerdded	crefftau	ffotograffiaeth	casglu rhywbeth
gwneud modelau	garddio	canu offeryn	gwneud llyfrau lloffion	gwylio ffilmiau

diwedd

26.2 Sgwrsio

Trafodwch gyda'ch partner:

- Oes diddordebau gyda'ch plant chi?
- Oedd diddordebau gyda chi pan o'ch chi'n blentyn?
- Sut mae diddordebau a gweithgareddau plant wedi newid ers eich plentyndod chi?

Gartre gyda'r plant

Oes diddordebau gyda'ch plant chi? Efallai bydd angen geirfa arbenigol arnoch chi er mwyn siarad am y diddordeb yn Gymraeg. Mae *Geiriadur yr Ifanc* gan Geraint Lewis (Gwasg Gomer) yn ddefnyddiol iawn.

uned 27

27.1 Gwaith

Gyda'ch partner trafodwch:

- Ydy eich plant wedi dweud pa swyddi hoffen nhw wneud?
- Pa swyddi dych chi'n dychmygu basai eich plant yn hoffi gwneud?

27.2 Sgwrs mewn sefyllfa

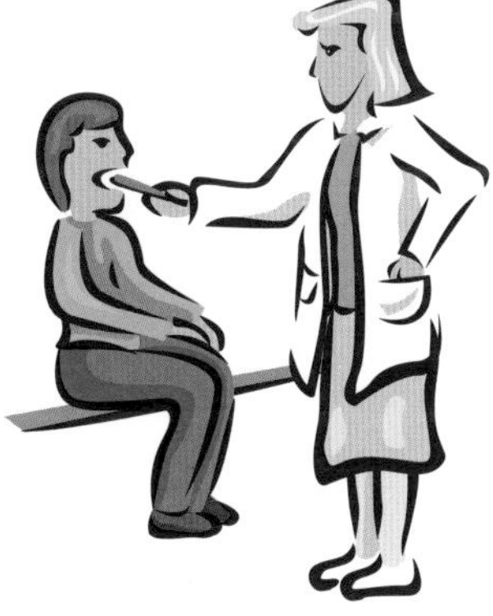

Meddyg a chlaf

Partner A: Meddyg dych chi. Mae claf yn dod i mewn a chwyno bod braich dost gyda fe/hi.

Partner B: Cwympoch chi yn y stryd a brifo eich braich. Ewch i weld y meddyg a gofyn am gyngor.

Siopwr a chwsmer (penderfynwch pa fath o siop)

Partner A: Siopwr dych chi. Mae cwsmer yn dod i mewn i'r siop ac mae e/hi eisiau prynu llawer o bethau. Mae rhai pethau mewn stoc gyda chi ond nid popeth.

Partner B: Cwsmer dych chi. Ewch i mewn i siop eich partner a gofyn am lawer o bethau.

Gartre gyda'r plant

Help llaw
claf - *patient*

Mae plant yn hoffi chwarae gemau 'esgus bod'. Maen nhw'n cael sgyrsiau tebyg iawn i'r Sgyrsiau Mewn Sefyllfa uchod. Gallwch chi chwarae siop gyda nhw gan ddefnyddio pacedi bwyd o'r gegin a basged siopa. Mae'n bosib prynu stethosgop plastig er mwyn chwarae meddyg a chlaf. Ar ôl i'r plant ddechrau yn yr ysgol neu'r cylch meithrin, byddan nhw'n arbennig o hoff o esgus bod yn athro/athrawes tra bod y rhiant yn chwarae rhan y plentyn.

Mae'n syniad casglu dillad a gwrthrychau defnyddiol a'u cadw mewn bocs 'gwisgo lan'. Efallai bydd y plant yn dechrau eu gemau eu hunain gan ddefnyddio cynnwys y bocs.

uned 28

28.1 Gwyliau

Gyda'ch partner, trafodwch:

- Dych chi wedi cael gwyliau llwyddiannus gyda'r plant?
- Dych chi wedi cael gwyliau aflwyddiannus gyda'r plant?
- Os dych chi ddim wedi bod ar wyliau gyda'r plant, ble hoffech chi fynd?

28.2 Gêm

Taflwch ddis i symud o gwmpas y grid a thrafod y lleoedd gwyliau hyn. Siaradwch am:

Beth fasai'r plant yn hoffi?

Beth fasai'r plant ddim yn hoffi, yn y lleoedd hyn?

Siaradwch am: **y bwyd; y tywydd; gweithgareddau; llety; teithio**

dechrau

Paris	Cernyw	Costa del Sol	Rhufain	Efrog Newydd
Fflorida	Yr Alban	Ardal y llynnoedd yn Lloegr	parc gwyliau mewn coedwig	Awstralia
Llundain	gwersyll gwyliau ar lan y môr	Dyfnaint	Awstria	De Ffrainc
saffari yn Affrica	Gwlad Groeg	Siapan	Rwsia	Seland Newydd

diwedd

Help llaw

aflwyddiannus	- *unsuccessful*	Dyfnaint	- *Devon*
Cernyw	- *Cornwall*	Gwlad Groeg	- *Greece*
Rhufain	- *Rome*	Siapan	- *Japan*
Efrog Newydd	- *New York*		

Cân

Tôn –
'The Wheels on the Bus'

Mae'r olwyn ar y bws yn troi fel hyn,
Troi fel hyn, troi fel hyn.
Mae'r olwyn ar y bws yn troi fel hyn,
Troi a throi fel hyn.

Mae'r chwiban ar y trên yn mynd ŵt ŵt ŵt,
Tŵt tŵt tŵt,
Tŵt tŵt tŵt,
Mae'r chwiban ar y trên yn mynd tŵt tŵt tŵt,
Tŵt, tŵt, tŵt.

Mae'r tonnau ar y môr yn mynd sblish sblash sblosh,
Sblish sblash sblosh,
Sblish sblash sblosh,
Mae'r tonnau ar y môr yn mynd sblish sblash sblosh,
Sblish, sblash, sblosh.

Gartre gyda'r plant

Os byddwch chi'n mynd ar wyliau cyn bo hir:

- Darllenwch storïau gyda'r plant am gymeriadau'n mynd ar wyliau, e.e. Smot, Sali Mali.
- Edrychwch ar fapiau a lluniau.
- Helpwch y plant i wneud rhestr o bethau i'w pacio.
- Helpwch y plant i ysgrifennu cardiau post Cymraeg at eu ffrindiau ysgol/cylch meithrin.

uned 29

29.1 Trafod y cwrs

Gyda'ch partner, trafodwch beth fasech chi'n ddweud wrth y plant yn Gymraeg ar yr adegau hyn:

- wrth geisio ffeindio llyfr sy wedi mynd ar goll yn y tŷ
- wrth helpu'ch plentyn gyda gwaith cartre
- wrth gymharu anifeiliaid
- wrth siarad am y gwaith llaw mae eich plentyn wedi'i wneud yn yr ysgol
- wrth siarad am y diwrnod, ar ôl i'ch plant ddod adre o'r ysgol neu'r cylch meithrin
- wrth dacluso'r teganau
- wrth roi barn am lyfr neu raglen deledu
- wrth baratoi i fynd ar wyliau

Dwedwch gymaint ag y gallwch chi.

29.2 Gweithgareddau Cymraeg

Gyda'r tiwtor a gyda'r dosbarth, gwnewch restr o bethau y gallech chi eu gwneud er mwyn defnyddio mwy o Gymraeg gyda'ch plant.

Gartre gyda'r plant

Nodwch yma un peth newydd dych chi'n mynd i'w wneud yn Gymraeg gyda'ch plant cyn y dosbarth nesaf.

Yr wythnos hon dw i'n mynd i

____

____

____

uned 30

30.1 Sgwrsio

Yr wythnos diwetha, roedd rhaid i chi benderfynu ar un peth newydd i'w wneud yn Gymraeg gyda'ch plant. Mewn grwpiau bach, trafodwch beth wnaethoch chi.

30.2 Darllen a thrafod

Mae'r tiwtor wedi dod â llyfrau Cymraeg i blant bach i mewn i'r dosbarth. Cymerwch dro i ddarllen un o'r llyfrau i'r dosbarth. Ar ôl i chi orffen, gofynnwch ychydig o gwestiynau i'r dosbarth am y stori.

Help llaw

dal ati	-	*to keep it up*
cynlluniau	-	*plans*

30.3 Dal ati – rhai syniadau

Yn ystod gwyliau'r haf, oes cyfle i rai ohonoch chi gwrdd mewn grwpiau bach er mwyn siarad Cymraeg â'ch gilydd a hefyd â'r plant? Beth am wneud un neu ddau o'r pethau hyn:

- cwrdd yn y tŷ unwaith yr wythnos a chymryd tro i ddarllen stori i'r plant i gyd. (Gallech chi fynd i'r llyfrgell i fenthyg llyfr newydd bob tro.)
- cwrdd mewn caffi i gael diod a siarad Cymraeg
- cwrdd i chwarae rhai o'r gemau sy yn y llyfr hwn, neu'r gemau sy yn y llyfrau *Cwrs Mynediad* a *Cwrs Sylfaen*. (Rhaid i chi baratoi'r gemau cyn i'r plant gyrraedd!)
- cwrdd yn y pwll nofio neu yn y sesiynau 'chwarae meddal' yn y Ganolfan Hamdden, a siarad Cymraeg
- cwrdd i chwarae yn y parc a siarad Cymraeg
- cwrdd i fynd â'r plant i rywle ar y bws neu ar y trên a siarad Cymraeg

Trafodwch eich cynlluniau fel dosbarth.

Daliwch ati a phob hwyl!